M

# TOURNER LA PAGE

# Audur Jónsdóttir

# TOURNER LA PAGE

Roman

*Traduit de l'islandais
par Jean-Christophe Salaün*

PRESSES
DE LA CITÉ

Titre original : *Ósjálfrátt*

Cet ouvrage a été traduit avec le concours
du Centre de littérature islandaise.

Icelandic
LITERATURE
CENTER
MIÐSTÖÐ ÍSLENSKRA BÓKMENNTA

Published by agreement with Forlagið,
www.forlagid.is and Literary Agency Wandel Cruse, Paris
© Auður Jónsdóttir, 2012
© Presses de la Cité, 2015 pour la traduction française
ISBN 978-2-258-11335-0

Presses
de la Cité | un département **place des éditeurs**

place
des
éditeurs

*A maman Sigga,*
*Merci pour toutes les histoires que tu m'as offertes.*

# Au début, on devra contempler la fin

Tu ne veux pas quitter cet homme ?
La phrase vient frapper ses tympans ; elle entend ce que dit grand-mère, mais que peut-elle bien répondre ? Si ? Non. Elle ne peut rien dire. Simplement baisser la tête comme lorsqu'elle était petite et avait fait une grosse bêtise. C'est juste que je ne comprends pas d'où t'est venue l'idée de l'épouser. Je ne comprends même pas comment tu peux l'embrasser, sans parler du reste, dit grand-mère, lançant un regard attristé à sa petite-fille assise face à elle, le dos rond, une mèche de cheveux devant ses yeux qui brillaient lorsqu'elle était enfant, et qui ne sont plus marron mais baignés d'une lueur grise, sans expression. Sa peau est grise également, sur les joues et sous le menton on distingue quelques boutons. Elle a pris énormément de poids en un rien de temps et sa poitrine tend son tee-shirt estampillé du logo d'une brasserie tchèque.
Sa grand-mère a toujours cru qu'elle avait le nez fin, mais, de toute évidence, celui-ci a été fracturé. La gamine s'est cognée contre un réverbère, affirmait-elle – et c'était la vérité. Reste à savoir comment elle s'y est prise. Le leitmotiv du moment, c'est que ça arrive, et c'est tout. Comme Eyja s'apprête à le dire à cet instant.

9

Elle croit entendre les pensées de son aïeule : déterminée à écrire un jour un roman, elle s'installe confortablement dans la tête des gens et se nourrit de leurs réflexions. Elle se tortille ainsi sous le poids des inquiétudes de la vieille femme, jusqu'à ce que son regard devienne insupportable.

C'est arrivé, c'est tout, lâche-t-elle enfin avant d'avaler rapidement.

Les choses n'arrivent pas comme ça, ma petite Eyja.

Oh que si. Si, si, si, les choses arrivent, et c'est tout. Elle n'a quand même pas oublié les avalanches dans l'Ouest ? Elles étaient arrivées, et c'était tout.

Les accidents surviennent, dit grand-mère, d'un ton aimant et plein de sagesse. Mais le reste, c'est nous qui le décidons.

Le reste ?

Nous sommes les décisions que nous prenons. Tu es une jeune fille merveilleuse, mais tu fais toujours le mauvais choix. Encore un peu de thé ?

Oui, merci, répond Eyja, observant du coin de l'œil le sac à main – celui-ci repose sur le bord de la table, comme un chat téméraire prêt à sauter.

Le regard furtif n'échappe pas à l'aïeule, bien que celle-ci soit occupée à verser le liquide dans les verres à thé russes. Elle les remplit, ajoute un nuage de lait dans l'un des verres qu'elle pousse, ainsi que le sucrier, en direction d'Eyja avant de passer négligemment la main dans ses cheveux fraîchement coupés. La chevelure blanche se détache en vagues du visage aux traits jolis quoique marqués, aux fossettes profondes et aux yeux à la couleur changeante – ils prennent une teinte de lichen gris au soleil et brillent de reconnaissance envers la coiffeuse du village, aussi limpides que ceux d'une adolescente, malgré sa prestance de grande dame. Elle contemple un instant son sac à main, puis sa petite-fille. Dit : J'ai envie de t'aider à prendre une bonne décision.

Ah ?

Grand-mère réajuste ses lunettes dorées et s'empare du sac. Elle plonge la main dans le cuir, cette main au dos constellé de taches de vieillesse, à la paume rose pâle après un demi-siècle passé à laver la vaisselle, dont les ongles sont peints en rouge et l'annulaire porte une bague en or sertie d'une pierre violette. Eyja l'observe qui fourrage, la peinture à l'huile d'Asger Jorn en arrière-plan : la résolution même dans un monde de chaos. Elle en sort un mouchoir de poche plié, s'essuie les lèvres et le range avant de saisir une enveloppe épaisse. Elle la pose sur la nappe indienne au motif bordeaux, puis regarde sa petite-fille droit dans les yeux en faisant doucement glisser l'enveloppe vers elle, comme un Sicilien qui conclurait une affaire douteuse, et reprend la parole :

Voici ta récompense, si tu pars.

Qu'est-ce que c'est ?

Cent mille couronnes. Je les ai retirées chez Gulla lorsque je suis allée au village te chercher des nuggets.

Eyja se réveilla un peu avant que sa grand-mère pénètre dans la cour au volant de la Saab. Elle grillait sa première cigarette de la matinée à l'étage, à la fenêtre de la salle de bains, crachant la fumée dans l'air d'une nouvelle journée, les volutes glissant le long de la vallée, passant au-dessus des fermes et des baraques en bois baba cool des bobos, des chevaux dans la plaine, des voitures en panne du mécano et des balles de foin peuplant la lande, pour terminer leur course à la ligne de crête qui fermait l'horizon mais ouvrait à intervalles réguliers sur un autre monde, alors qu'un véhicule descendait la côte, semblait-il au loin ; un lointain pourtant si proche : quelques kilomètres seulement, mais suffisants pour qu'Eyja vienne, sans se presser, à bout de la tige de nicotine avant que la Saab ne s'engage dans l'allée menant à l'imposante demeure.

Un étranger crierait certainement au mensonge – comment peut-on distinguer la marque d'une automobile à une telle distance ? Mais Eyja avait suivi les allées et venues du bus scolaire par tous les temps depuis qu'elle était enfant, acquérant ainsi la capacité de discerner l'indiscernable.

Sa sœur Agga et elle avaient passé mille matins à frissonner au bord de la route nationale tandis que le bus patinait sur les derniers mètres de la côte – toutes deux auraient probablement péri de froid sans leur acuité visuelle exceptionnelle. Le rituel consistait à foncer dehors à la dernière seconde, à claquer la porte d'entrée de leur maison en bois située de l'autre côté de la rivière et à courir plus vite que le chien en direction de la route. Ainsi débutaient les matinées hivernales, à peine 7 heures sonnées, lorsqu'elles avaient neuf ans.

Auparavant, le bus passait au plus tôt à midi, aussi était-ce le long du chemin attenant à la demeure de grand-mère qu'elles se précipitaient ; leurs parents les y avaient portées dans l'aube glaciale et perçante, enroulées dans des couvertures qui laissaient le vent leur mordre le nez avant qu'elles puissent respirer l'odeur du café mêlée au doux parfum du lait chaud ; on les extirpait de leurs édredons afin qu'elles goûtent les flocons d'avoine et le jus d'orange fraîchement pressé, toutes deux fébriles à l'idée de jouer à la marchande dans le cellier et de suivre la gym du matin à la radio avec grand-mère, jusqu'à ce que sonne l'heure de préparer le déjeuner. Alors, le bus scolaire apparaissait sur la ligne de crête, avec Ingi, le chauffeur, au volant, heureux de les inviter à prendre place pour partir vers le reste de la journée, partir vers un autre monde.

Elles se hissaient dans l'autobus désert qui bientôt se remplirait d'enfants hurlants. Certains d'entre eux sanglotaient, se battaient pour les sièges avant tandis que le véhicule dansait sur le verglas et qu'Ingi scrutait le blizzard, ne faisant plus qu'un avec le moteur qui brayait. Une mèche tombait sur ses lunettes épaisses, il soufflait dessus et son ventre protubérant grondait au rythme de la turbine.

Au village, sa petite fille rousse grimpait dans le bus, parfois accompagnée de sa petite femme rousse qui lui apportait un en-cas. Pour les deux sœurs, la mère et la fille étaient une manifestation de leur imagination, car Ingi le chauffeur appartenait au monde du bus, une sorte de machine à remonter le temps qui raboutait leur univers à celui de l'école – où elles quittaient leur corps, où elles gardaient une distance embarrassée lorsque les garçons les traitaient de bouboules ou qu'elles n'étaient pas sélectionnées par les filles dans leur équipe de balle au prisonnier, les entendant murmurer qu'elles étaient trop nulles, qu'elles ne savaient pas courir, elles qui couraient plus vite que le chien dans leur monde à elles.

Leur monde à elles, c'était le paradis : il y avait des chevaux et des chiens, des gamins loyaux, grand-mère brandissant sa crêpière, papa qui avait construit une maison et défriché un jardin pour toute la famille, Maman souriant de fierté, et le petit frère, encore plus mignon que les chiots de la ferme voisine. La ligne de crête faisait penser au rideau de l'association de théâtre, où les jeunes jouaient du Dario Fo ou des spectacles de leur invention. Irréel, peint de couleurs criardes.

C'était jadis.

13

A présent, les sœurs ont emménagé à Reykjavík, bien qu'il leur arrive de chercher refuge chez grand-mère. L'aînée a épousé un ivrogne, de l'âge de ses parents ; elle est allée le pêcher dans un bar portuaire des fjords de l'Ouest. La plus jeune en épousera un du même genre quelques années plus tard.

Sœurs synchrones.

Toutes deux ont quitté l'école et ne savent rien faire d'autre que distinguer les marques automobiles à distance. Un don proprement inutile à l'âge adulte, à moins de devoir vite effacer les traces de sa cigarette. A vrai dire, Eyja n'a pas besoin de cacher son tabagisme – grand-mère l'a toujours toléré dans sa maison. L'inconvénient, c'est qu'elle passe son temps à la tanner pour qu'elle mette un terme à cette sale habitude.

Déterminée, un tablier noué autour de son corps robuste ; une poudreuse de farine s'envole lorsqu'elle pose les mains sur son ventre et fait tourner ses pouces vernis de rouge. Le regard implore la petite-fille.

Le petit déjeuner des champions, c'est ça ? ironise-t-elle tandis qu'Eyja allume sa cigarette au-dessus d'un café noir d'encre.

Tu verras, les choses iront beaucoup mieux si tu arrêtes de fumer ! lance grand-mère lorsque Eyja laisse échapper une volute de derrière le journal.

J'aimerais tellement que tu occupes ta vie à autre chose qu'à fumer comme une mère maquerelle, soupire-t-elle alors qu'Eyja martèle les touches du piano, clope au bec, tiraillée par la question de quitter ou non son mari au point que la cigarette est devenue son unique amie.

Eyja écrasa son mégot et vaporisa de la laque partout dans la salle de bains, avant que la presque octogénaire sorte de la voiture, vêtue d'un vison qui lui descendait aux chevilles, un chapeau sur ses cheveux soigneusement arrangés et une boîte en carton d'un fast-food américain dans les mains.

Grand-mère s'est chargée de tout depuis qu'elle est arrivée chez elle et qu'elle a expliqué devoir choisir entre rester avec son compagnon ou partir à l'étranger avec... Elle avait soudain oublié le nom de sa cousine éloignée, mais ça n'avait aucune importance puisque l'aïeule se le rappelait. En deux temps trois mouvements, le réfrigérateur avait été rempli de bouteilles de soda, on avait préparé de la pâte à pancakes avec le riz au lait de la veille et enfermé au congélateur les deux boîtes de glace au café ainsi que les remontrances au sujet du tabac. Tout ce qu'elle voulait, Eyja l'obtiendrait, si seulement elle quittait son mari.

A cet instant, il était indéniablement tentant de sacrifier l'époux au profit d'un carton de poulet taché de graisse ; il ne semblait même pas avoir remarqué son absence, occupé à faire la tournée des bars. Elle courut au rez-de-chaussée s'empiffrer de nuggets qu'elle fit descendre avec du thé au jasmin parfumé, gardé chaud dans sa théière de porcelaine chinoise décorée de rosiers peints à la main.

Eyja sent la cupidité scintiller dans son propre regard, ses yeux contemplent la liasse de billets que contient l'enveloppe. De l'argent facile, d'un certain point de vue. Et pourtant si difficile. Si démesurément, si infiniment inaccessible. Se débarrasser d'un homme, c'est tout !

Eyja n'est pas la seule à pouvoir lire dans les pensées.

Ton départ ne va pas le tuer, dit la vieille femme d'un ton ferme. Il ne dit ça que pour t'intimider.

Comment le sais-tu ? demande Eyja dans un murmure.

Je le sais, c'est tout.

Grand-mère sourit d'un sourire de grand-mère qui a tout vu, tout vécu.

Mais si… si tu as tort ?

Je n'ai pas tort, affirme l'aïeule – car toutes deux savent bien qu'elle ne fait jamais rien qui n'ait au préalable été mûrement réfléchi. A présent, j'aimerais que tu prennes cet argent et que tu t'envoles pour la Suède avec le billet que je t'ai également acheté. J'ai poussé le vice jusqu'à demander à Gulla une banane pour toi.

Eyja remue son thé, les yeux rivés sur le sac-ceinture que grand-mère lâche sur la table – cette dernière avait offert le même modèle aux parents d'Eyja lorsqu'ils étaient jeunes avec trois enfants en bas âge et qu'ils venaient d'économiser pour un voyage au soleil. Grand-mère n'offre jamais une banane sans y glisser des billets, lisses et odorants comme les sous-vêtements qu'elle repasse pour les globe-trotteurs. Le sac est encore emballé, un doux velours marron clair avec le logo d'une banque en bas à droite. Pensive, elle attrape son paquet de cigarettes et en allume une. Exhale la fumée loin de sa grand-mère.

Il fait doux en Suède à cette saison. Grand-mère la regarde avec intensité, ravalant une semonce. Il y fait vraiment très doux, ma petite Eyja.

Oui.

S'il t'est véritablement impossible de prendre soin de toi, veux-tu au moins me faire le plaisir de t'occuper de ton roman ?

Le roman !

Il avait à ce point avancé que les autres, peut-être pas très nombreux, mais en tout cas plus nombreux qu'elle seule, avaient commencé à employer ce terme pour qualifier ses mots, ces mots qu'elle avait dactylographiés encore et encore sur la machine que grand-mère lui avait offerte pour son anniversaire quelques années auparavant.

Tous ces mots.

# Jadis

Elle n'aurait jamais cru que ces mots se mueraient en roman le jour où elle avait commencé à les écrire. Un dimanche radieux sous le vent. Ils avaient célébré le retour du soleil avec un menu du jour – hamburger, bière et Jägermeister au pub du port – en compagnie du pêcheur aux cheveux longs qui avait travaillé au musée des animaux marins et nagé avec les dauphins à l'étranger ; quelqu'un avait un jour soufflé que c'était lui qui avait capturé Keiko[1]. Peut-être lui-même d'ailleurs, elle ne s'en souvenait plus.

A cette époque, beaucoup de villageois vivaient dans l'ombre de leur passé. Les hommes riaient encore des deux toxicomanes qui avaient imaginé devenir riches en exportant vers la France des conteneurs remplis de joues de poissons et qui furent expulsés du village lorsqu'on eut retrouvé des seringues dans le seul bac à sable ayant survécu à l'avalanche hivernale.

Ils feraient mieux de rire d'eux-mêmes, avait-elle pensé, rongée de ressentiment. Pourquoi étaient-ils si ignorants, si stupides, si ivres ?

---

1. Orque mâle capturée en Islande avant d'« interpréter » le rôle de Willy dans le film *Sauvez Willy*. (*Toutes les notes sont du traducteur.*)

Et puis ensuite ? Ils avaient cessé de rire ? Etaient partis se chamailler dans la tempête, les yeux plissés par le soleil. A quel sujet ?

Elle n'en pouvait plus. Le village tout entier puait le poisson. Le vent soufflait, elle ne savait pas de quelle direction, mais il soufflait. La houle faisait scintiller la surface de l'eau ; dommage qu'on n'aille pas à la chasse à l'or, avait marmonné le chevelu, la bouche pleine de hamburger, provoquant chez son mari un éclat de rire insupportablement sonore, comme si le commentaire avait été parfaitement désopilant. Lui-même était insupportable ; oui, elle ne le supportait plus.

Les montagnes l'étouffaient.

Elle s'enfuit. Ils ne le remarquèrent pas avant qu'elle soit à bonne distance et ne distingue plus leurs voix. Ils ignoraient qu'elle possédait un vrai grand vin français dans sa penderie, vide par ailleurs, car on n'avait pas touché au linge sale depuis des semaines.

La bouteille était dissimulée dans une chaussette de Noël au motif tricoté de sapins et de vœux en anglais. Eyja s'était empressée de la cacher après avoir ouvert le paquet de Maman, elle ne savait pas pourquoi, juste qu'elle voulait la garder là où elle se trouvait toujours trois mois plus tard, attendant patiemment. Il n'y avait aucune chance pour qu'il rentre tout de suite, il irait là où on lui promettrait de l'alcool.

Elle s'esclaffa en se précipitant à l'intérieur. La chatte l'accueillit avec un miaulement et se faufila entre ses jambes. Pauvre bête, il faisait une chaleur accablante : froid dehors mais lourd dedans, le soleil de mars cognant à la fenêtre.

L'air brûlant, pesant, moite. Effluves de mégots et de pisse féline. Même les meubles puaient, quelques chaises çà et là, le canapé en velours usé qu'on avait rapporté d'une cabane de pêcheur – comme c'était probablement le cas de la table basse constellée de ronds de verres et d'éclaboussures de peinture. Voilà où elle habitait. Dans un appartement dont le loyer s'élevait à trois fois rien, sur un emplacement qui n'était pas vraiment sûr l'hiver. A dix pas des vestiges de l'avalanche. Les décombres des habitations évoquaient des images de guerre. Lorsque la chatte avait eu ses petits, l'hiver dernier, la dépression post-partum avait été si violente qu'elle n'avait eu de cesse de les transporter jusqu'au champ de ruines. Eyja avait passé son temps à aller sauver les minuscules chatons qui miaulaient faiblement dans les ténèbres frigorifiques. Elle creusait la glace sous les branchages jusqu'à ce que ses doigts saignent et qu'un museau rose et humide lui piaule au visage, mais ce fut en vain car, un jour, le Coup de Vent les empaqueta et les noya pendant qu'elle était au travail, soit à l'usine de congélation où elle passait la première partie de ses journées, soit à l'hospice où elle œuvrait le soir. Impossible de s'en souvenir, mais jamais elle ne pourrait le lui pardonner. C'est du moins ce qu'elle avait dit. Il avait ri. Bien sûr qu'il avait ri, de son insupportable rire rauque. Il savait toujours tout mieux que les autres – tout ça, ce n'étaient que des foutaises de gamine du Sud pourrie gâtée.

Le paquet confirmait cet état de fait. Eyja défit le papier cadeau, tête baissée au bord du lit, cheveux emmêlés, dans sa robe à carreaux, son pull en laine et ses chaussures de marche. La femme-troll découvrant un trésor rare. Un présent pour Noël de la part de sa maman. Elle manipula le peignoir en soie de Chine, la bouteille de vin rouge dans sa chaussette de Noël anglaise, le jeu de tarots accompagné de son fascicule emmitouflés dans un morceau de velours violet et, enfin, *Madame Bovary*.

Elle eut les larmes aux yeux lorsqu'elle lut la dédicace sur la page de garde.

*Voici le roman que je lisais à ta naissance,*
*trois jours avant, trois jours après.*
*La femme sur la couverture te ressemble tellement !*

*Maman*

Elle serra le livre contre elle. Huma l'odeur du papier. Sortit la bouteille de vin et contempla l'élégant dessin de quelque domaine en Bourgogne avant de plier la chaussette. Et de refermer le paquet avec précaution.

Tout remis en place, sauf le vin. D'un pas nonchalant, elle se dirigea vers la cuisine et travailla le bouchon à l'aide des mystérieux outils qui s'échappaient de son couteau suisse, pour enfin réussir à faire couler le liquide rouge profond dans un verre à eau poussiéreux. Dans le placard où était conservée la nourriture du chat, elle retrouva un carnet de notes à côté d'un tas de stylos-billes que le Coup de Vent utilisait pour dessiner – en général des femmes nues accompagnées de serpents.

Elle alluma une bougie et sirota le grand cru, se délectant de l'arôme sec et puissant des raisins. Elle se mit à écrire.

# Décision

Elles se regardent.
Les homonymes.
L'une âgée de vingt-trois ans.
L'autre de soixante-dix-huit.

Il n'y a pas si longtemps, sa grand-mère arborait la même chevelure qu'elle, d'un brun presque noir, elle se rappelle un vague reflet sombre entre les mèches gris-blanc. Ces dernières années, la coiffeuse a donné une teinte violine aux cheveux, c'est en vogue chez les personnes âgées, présume Eyja. A vrai dire, elle n'y avait jamais réfléchi avant de lire une brève dans un magazine où un auteur bobo à la quarantaine bien tassée surnommait sa grand-mère Violette. Elle s'était sentie mal à l'aise à la lecture de ces mots, sans vraiment savoir pourquoi. Elle avait jeté la revue et menti à son aïeule, prétendant que le chien en avait déchiré les pages.

Ton chien a un comportement dangereusement étrange, avait commenté cette dernière, fronçant inconsciemment les sourcils.

Bien que mieux informée, Eyja n'avait pas eu le courage de la contredire – le bâtard aux taches marron était doux comme un agneau, ce n'était pas sa faute si son maître l'avait abandonné chez la mère d'Eyja avant de repartir vers les fjords de l'Ouest, d'où il était originaire.

A présent, le pauvre cabot ne sait plus où il habite, il tourne et retourne sur lui-même, fou de joie, galopant entre la maison de grand-mère et celle de Maman – qui dépense déjà plus en frais canins que le montant de sa pension. Le cœur faiblard de la bête s'emballe, comme si le Toutou ne pouvait croire, avant d'avoir traversé le pont un bon millier de fois, qu'Eyja soit revenue.

Les yeux de la vieille femme brillent. Pas d'une lueur d'ironie comme d'habitude, ni d'une lueur vivace. Un chagrin pesant, peut-être. Mais elle n'a pas encore abandonné. Elle ne connaît pas le terme abandon, malgré un vocabulaire dont elle n'a pas à rougir. Enfin, le silence devient insupportable.

Dis quelque chose, ma chérie !

Pour une fois, Eyja ne pipe mot, elle qui a coutume de tout raconter à sa grand-mère bien que plusieurs générations riches en péripéties les séparent. Elle ne peut tolérer son regard.

Oui, soupire-t-elle, tête baissée.

Oui, quoi ?

Impatience et espoir se mêlent dans la voix de la dame âgée.

Tu peux me donner l'argent.

Tu en es sûre ?

Le poulet lui reste en travers de la gorge, le miel du thé gonfle tout autour – ce n'est pas le moment de suffoquer, pas tout de suite. Elle déglutit avec difficulté. Sourit à sa grand-mère en lui avouant qu'elle vient de jeter son alliance dans l'étang de Reykjavík.

Il avait les moyens de t'offrir une alliance ?

Rappelle-toi, celle qu'il m'a donnée à Pilsen, répond Eyja, hésitante. Elle se souvient que l'anneau était en or blanc – l'or est abordable en République tchèque. Une aubaine, avait-il dit lorsque les employés de l'hôtel avaient débarqué avec une bouteille de champagne et qu'elle gisait là, à peine réveillée, comme dans un roman de Milan Kundera, à se demander où elle se trouvait. Oui, elle avait atterri à Pilsen, et son fiancé était déjà allé visiter la brasserie Pilsner où les touristes pouvaient s'inonder de bière. Le Coup de Vent était ivre de joie, au point de danser tout le long des rues baignées de soleil sur le chemin du retour, s'esclaffant virilement lorsqu'il eut l'idée d'acheter un bouquet de fleurs et une alliance ; à peine entré dans le vestibule de l'hôtel, il avait commandé du champagne, qu'on apporterait à sa bien-aimée dans un seau à glace sur une desserte recouverte d'une nappe blanche et suivie d'une équipe de serveurs qui la féliciteraient, tous vêtus de noir et d'un tablier blanc. Qu'elle soit l'héroïne d'un conte de fées, bague au doigt et flûte de cristal pétillante à la main ! Et lorsque l'unique serveuse du staff avait tiré le rideau lourd de la fenêtre, faisant tournoyer la poussière dans les rayons du soleil, des milliers de personnes réunies sur la grande place étaient apparues, et le maître d'hôtel avait expliqué dans un allemand boiteux qu'il s'agissait d'une manifestation d'ouvriers, ce qui exalta le Coup de Vent : oui, il aurait donné sa vie pour les prolétaires, surtout après quelques gorgées revigorantes de bière fraîchement brassée, de champagne et d'eau-de-vie rideau-de-fer, qui avait encore bon goût bien que les communistes aient quitté le pouvoir. Enfin, tout cela n'était plus qu'un souvenir. Et elle venait de jeter l'alliance dans l'étang aux canards boueux du centre-ville de Reykjavík.

C'est génial, s'exclame grand-mère, gloussant comme une gamine qui trouve formidable l'idée de balancer des bijoux de valeur dans une eau fangeuse. Elle retire le plastique qui entoure le sac banane avant d'y enfoncer l'enveloppe. Voilà, ma petite Eyja, voilà l'argent, et tu recevras les billets d'avion à ton nom dès demain. Et si je nous préparais des crêpes ?

D'accord, répond Eyja en s'emparant de la banane, encore plus bouleversée après les événements précipités des derniers jours qu'à la suite des faits dramatiques survenus un an et demi plus tôt. Elle se rappelle alors que Maman lui avait fait promettre de leur accorder sa confiance avant de la convaincre d'aller chez grand-mère. Oui, leur accorder sa confiance : à Maman et à la Reine du Ski.

# Tournant I

*Si tu veux appâter, chérie, vaudrait mieux enlever tes bagues.*

La phrase résonne dans sa tête.

La première qu'ils aient échangée. Elle piétinait dans la remise, jetant un œil timide à la photocopie d'un poster de Pamela Anderson, toute bronzée dans son maillot de bain échancré, au-dessus des barils d'appâts à côté de la fenêtre. Dans la cafétéria, on entendait la vieille cafetière crachoter ; quelques hommes traînaient là, fumant en chemise de travail et pantalon de neige.

Le Coup de Vent tira une pipe de la poche de sa combinaison dont la partie supérieure pendait sur ses cuisses – en haut, il portait un tee-shirt blanc sous une chemise rouge. Ses dents jaunies, dont certaines lui avaient été cassées, luisirent lorsqu'il la planta dans sa bouche. Ses cheveux bruns filandreux et hérissés étaient collés par des bouts d'appâts abandonnés là par ses doigts lorsqu'il les passait à travers des mèches récalcitrantes. D'autres morceaux parsemaient les poils qui piquaient son visage rond ; on percevait de jolis traits sous la barbe de trois jours et les lunettes – une monture arrondie à la Lennon mais aux verres non teintés qui agrandissaient ses yeux bleus comme l'océan un jour de soleil.

Elle les contempla et un frisson la parcourut. Un autre genre de frisson que celui qui la saisissait lorsqu'elle avait un coup de foudre. Quelque chose dans ce regard l'appelait. Comme s'il lui murmurait, presque indistinctement : Ici, ma chérie, tout est permis. Car, tu sais quoi ? Ce putain de monde est le pire trou paumé du système solaire. Alors, autant en profiter tant que tu le peux.

Elle le regarda, muette, mais se sentit investie d'une force nouvelle face à ces yeux. Elle remarqua comme il l'évaluait et en profita pour procéder de même. Il arborait une nonchalance insolente et semblait avoir dans le sang un irrespect total pour toute forme d'autorité. Il n'était pas beau à la manière des garçons qu'elle avait connus jusqu'ici. Pas vraiment charmant, plutôt rustre, presque repoussant même avec sa dentition, mais elle était attirée par lui comme l'abeille par le pollen.

Sers-toi donc un café ! lui ordonna-t-il avant d'éclater de ce même rire rauque et satisfait qu'elle ne connaîtrait bientôt que trop bien. Après, on verra, ajouta-t-il lorsqu'elle acquiesça sans un mot.

Et cinq mois passèrent.

## Cinq mois plus tard

Comment ébaucher un roman ? Elle n'en avait pas la moindre idée. Elle avala le vin rouge à toute vitesse. Deux verres en une lampée suivie d'un haut-le-cœur. Elle alluma une cigarette. Sentit l'émotion s'écouler en elle, cette émotion substantielle, délicatement amère, qui résulte de l'écriture, bien que les mots soient futiles, peut-être même grotesques. Elle aimait aller pêcher ces mots dans les limbes de son esprit, les ordonner en phrases de sorte que chacun d'entre eux repose à sa place – même si son œuvre littéraire se composait essentiellement de poèmes passionnés sur les peines d'amour et les chiens morts, d'une nouvelle sur des adolescentes que personne ne comprenait et d'un journal intime peuplé de chimères et à la fiabilité discutable. Les mauvais auteurs aussi ont le droit d'exister. Sinon, quel intérêt y aurait-il à en être un bon ?

Et le soleil illuminait les nuages qui défilaient à travers la fenêtre battue par le sel tandis que le vin glissait sur ses papilles profanes, et tous les chatons morts lui manquaient, ces petits chats qui faisaient tomber les coussins du canapé surchargé, lorsqu'on s'y attendait le moins, à l'instar de fantômes espiègles. Elles n'étaient plus que des fantômes, ces petites bêtes qui, quelques jours auparavant, étaient encore des chatons. Que pouvait-elle bien écrire ?

Elle avait envie de pleurer. Elle inséra le CD de Caruso dans le lecteur et se consola à l'écoute du vieil enregistrement qui craquetait. Elle haleta, enivrée d'émotion. Esquissa les premiers traits des personnages d'un roman.

Un véritable roman.

# Deux jours avant que grand-mère aille à la banque

Là-bas, il fait toujours beau et chaud ! beugla la Reine du Ski, originaire des fjords de l'Ouest, lorsqu'elle ouvrit à la volée la porte de la maison en bois de Maman, cachée derrière son mur de végétation et son tas de jouets rouillés.

Les événements ont commencé ainsi – du moins, c'est ce que se dit Eyja en déroulant la bobine de sa mémoire, des années plus tard. Ce n'est pas bien loin de la vérité, cela a dû se passer comme ça, si la Reine du Ski était en quelque point similaire à ce qu'elle se rappelle.

Cette femme, c'était l'esprit d'entreprise personnifié : passée au restaurant Le Lion rouge pour un cheese-burger, elle finit la soirée au sommet du glacier Snæfells-jökull, non sans avoir investi dans un setter irlandais et un bon terrain parsemé de maisonnettes au fin fond de la campagne suédoise. C'est en tout cas ce qu'avait cru comprendre Maman – la Reine du Ski n'était pas seule-ment la fière détentrice d'une collection de trophées en slalom, elle lançait également ses mots à la manière d'une mitrailleuse, plus agile qu'un renard avec ses yeux bleus perçants, son sourire à la fois suspicieux et abondant de promesses, sa chevelure flamboyante coupée à la garçonne et sa peau bronzée à longueur d'année. Aussi énergique qu'un surhomme ; pourtant gracile comme une fillette, vêtue d'un jean et d'une veste de tailleur saumon sur son tee-shirt blanc.

Eh bien, ma petite Rúna, marmonna la mère d'Eyja en se frottant les yeux. Laisse-moi le temps de m'habiller avant de servir le café.

Ne te presse pas pour moi, je passais simplement par là. Je reviens de Thingvellir, répondit Rúna en suivant des yeux la femme au foyer qui ouvrait la fenêtre pour évacuer l'odeur stagnante de cigarette.

Le rideau à carreaux rouges frémit dans la brise printanière et le parfum des épices plantées sur le rebord envahit la cuisine ; une tresse d'ail effilochée pendait au placard et le mur donnant au sud était recouvert de cartes postales sibyllines, dont la plus mystérieuse arborait le dessin d'un Arlequin en costume à losanges, une écriture indistincte et hésitante la destinant à une certaine Drauma.

Tout était si fabuleusement italien dans cette maison, même si une telle comparaison ennuyait la maîtresse des lieux au point qu'elle avait corrigé la Reine du Ski lors de sa dernière visite, expliquant que l'unique but de son existence était d'insuffler à son domicile l'âme d'un bordel français – elle était invitée à inspecter la chambre à coucher pour voir Jésus sur sa croix de plastique, au-dessus du lit Ikea qu'un des enfants avait reçu pour sa confirmation et qu'on avait décoré d'un jeté rouge bourgogne qui allait si bien avec les rideaux de laine marron caca. La Reine du Ski avait ri à s'égosiller, même de sa propre bêtise quand la maîtresse de maison avait fustigé toute la camelote baroque qu'on trouvait dans les films de mafieux. Cette dernière avait vraiment réponse à tout – quelle excellente compagnie !

Et tu reviens de Thingvellir en taxi ? demanda la femme au foyer sans essayer de cacher son ironie moqueuse.

Nan, grommela Rúna en regardant avec envie la bouteille de vin blanc entamée derrière la cafetière, avant d'ajouter qu'il était inutile de se plier en quatre pour elle, qui était de toute façon plutôt tentée par une goutte de ce breuvage-là, là-bas.

Fais comme chez toi, ma chérie, dit Maman qui, à une époque, portait un prénom, mais avait donné naissance à tant d'enfants qu'elle l'avait depuis longtemps perdu.

Pourtant, elle semblait si jeune, avec la lueur espiègle dans ses yeux brun clair, les traits forts mais harmonieux et les pommettes subtilisées à Sophia Loren ; de petite taille mais aux proportions parfaites pour avoir donné le sein et grignoté des morceaux de fromage chaque nuit.

Evidemment, le peignoir couleur violette était un rien sans-façon, mais l'invitée ne s'était pas annoncée – et, après tout, il s'agissait de la cousine Rúna ! Si Maman n'avait pas été exactement ravie, dix minutes plus tôt, de recevoir de la visite, ce n'était finalement pas une mauvaise chose – elle n'était pas contre un peu de compagnie, avec tous ces gamins et son concubin fou à lier qui ne se montrait que pour dîner, ou sur le point de sortir se bourrer la gueule.

La fille des fjords n'avait pas pour habitude qu'on se donne du mal pour elle.

T'inquiète pas, va, lança-t-elle, ignorant que les gens avaient cessé de se faire du souci pour elle depuis des lustres – elle retombait toujours sur ses pattes, bien qu'on ait été sous le choc dans le temps, quand elle s'était fracturé la nuque au cours d'un entraînement pour les jeux Olympiques.

Elle se servit une goutte assez généreuse pour se laisser happer par d'ambitieuses rêveries de transactions à six zéros parmi les ours bruns et les loups de la campagne suédoise, et tout ça semblait si charmant que Maman préféra elle aussi le vin blanc au café, et toutes deux se plongèrent dans un fantasme à portée universelle.

Elles rêvaient au nom d'Eyja qui – c'était à espérer – divorcerait de ce type que Rúna connaissait des fjords de l'Ouest. Eyja devait bien savoir que, parfois, aller prendre une bouffée d'air à l'étranger était nécessaire aux femmes pour comprendre que leur couple ne marchait pas.

Elle n'a qu'à m'accompagner en Suède ! annonça Rúna en tirant à leur grande joie une flasque d'argent authentique de son sac à main Gucci de contrefaçon. Pour une petite cure de désintox *à la*[1] Rúna Sigurgríms !

Désintox est vraiment le bon mot, répondit Maman dans un gloussement désespéré. Elle est devenue incontrôlable au fil des années.

Rúna inclina la tête. Elle ne l'a pas toujours été ?

Presque. Depuis la puberté. Elle était plus calme, avant.

Alors, on devrait pouvoir la sauver.

Hmmmoui, répliqua son interlocutrice, prenant le temps de faire renaître l'espoir dans sa voix. Tu en es sûre ?

Absolument, confirma Rúna, totalement au septième ciel lorsque Maman annonça avoir l'intention d'appeler sa propre mère, de l'autre côté de la rivière, et de voir si

---

1. En français dans le texte.

elle pouvait les aider à tirer sa petite-fille du couple qu'elle formait avec cet... alcoolique. Elle se tut, honteuse, puis ajouta qu'elle n'était pas du genre à utiliser ce terme sans raison. Pas du tout. Elle ne croyait pas à ce genre de méthodes – si l'on pouvait parler de méthode. Mais s'il existait un alcoolique sur terre, c'était bel et bien son gendre.

# Dix gouttes de Mogadon

En voilà une bonne idée ! Pour sûr. Une idée qu'elles feraient passer à table, lançant aussitôt une invitation formelle dans le vieux centre, à deux pas du port : vin blanc et pizza dans un restaurant italien. Toutes deux d'humeur estivale tandis que la pluie, soutenue par la mer déchaînée, battait les fenêtres, elles fanfaronnaient avec leur rouge à lèvres rose acheté lors des soldes de printemps à la pharmacie de l'avenue Laugavegur, juste avant de lui envoyer un taxi, à l'appartement du quartier Ouest où elle vivait avec le Coup de Vent depuis leur emménagement à l'automne.

J'ai réussi à traîner ta mère pour une virée en ville, annonça la Reine du Ski avec ses lèvres joliment rosies. Je reviens ce matin de Thingvellir et je n'ai pas pu m'empêcher de lui rendre visite. On va se voir si peu cet été : je vais le passer en Suède.

Maman sourit, elle aussi, de sa bouche toute rose, au grand soulagement d'Eyja, car la dernière fois qu'elle l'avait vue, sa mère lui avait lancé un bougeoir tandis qu'elle s'enfuyait, la tête pleine de réprimandes.

Comparer Maman au climat islandais ne semble pas exagéré. Elle l'avait aimablement conviée à dîner après avoir passé l'après-midi à suer devant les casseroles (en compagnie d'un cubi de vin aigre), pour finalement la mettre dehors à cause d'une malheureuse blague à deux sous qu'aucune des deux ne se rappelait ni ne voulait se remémorer.

Le sourire s'élargit sur les deux visages lorsque la Reine du Ski répéta qu'en Suède il faisait toujours beau et chaud, sans parler du lac où l'on pouvait nager, et Eyja logerait dans une maison de vacances privée-rien-qu'à-elle, où elle écrirait si ça lui chantait.

Et mes dettes ?

Eyja mâchonna rapidement la question, avec le pepperoni et la roquette baignée d'ail ; elle osait à peine songer aux ardoises qu'elle abandonnait au village, aussi bien à la coopérative qu'à la caisse d'épargne – à vrai dire, c'était le Coup de Vent qui était endetté, elle s'était simplement portée garant et devait désormais travailler pour combler son découvert.

Tu peux geler l'emprunt, ma chérie, suggéra Maman. Et si ce n'est pas possible, je suis sûre que ta grand-mère t'aidera.

Grand-mère ? interrogea Eyja.

Oui. Elles ne doutaient pas le moins du monde – elles échangèrent un regard entendu – que son aïeule volerait à son secours.

Elle vous l'a dit ?

Les deux femmes avalèrent quelques bouffées de cigarette, l'air mystérieux, et Maman répondit :

A toi de lui demander. Je l'ai informée de ta visite imminente. Peut-être pourras-tu rester quelques jours chez elle. Elle en serait ravie.

La proposition plaisait à Eyja. Elle partagerait leur taxi et laisserait grand-mère la choyer pendant que le Coup de Vent était en vadrouille. Il avait disparu depuis vingt-quatre heures, il ne rentrerait sûrement pas ce soir. Elle n'en pipa mot pendant que les deux copines planifiaient son avenir ; elle avait le cœur bien assez lourd à la pensée d'annoncer à son mari son départ à l'étranger – même si rien n'était encore décidé.

Il te faut avant tout quitter cet appartement miteux où les cartons s'empilent à l'infini, dit Maman, étourdie par le vin de table qui-se-laissait-boire.

Eyja se demanda quand elle avait pu remarquer la présence desdits cartons ; peut-être était-elle venue rendre visite à sa sœur Agga lorsqu'elle n'était pas là. Aucun des deux tourtereaux n'avait eu le courage de déballer leur contenu lors de l'emménagement à l'automne. Depuis, il ne s'était rien passé.

Depuis, il s'en était trop passé.

Là-bas, tu pourras écrire en paix pendant quelques semaines... et réfléchir, tout simplement, insista Maman qui habituellement ne pensait pas grand-chose des efforts littéraires de sa fille.

Eyja laissa la phrase se blottir contre ses tympans, présage d'un changement tant attendu.

Ah ! Ça, pour écrire, tu pourras écrire ! s'exclama Rúna, lumineuse d'espoir par procuration à la perspective d'une vie nouvelle, d'une vie meilleure, bien qu'elle ne soit pas fana d'écriture, étant dyslexique et aussi frénétique que le chien de race islandaise, à tel point que ses jambes tressaillirent lorsque Eyja posa les yeux sur les deux cousines, et leur demanda, hésitante, ce qu'il adviendrait du Coup de Vent. Grand-mère avait-elle l'intention de l'aider durant son absence – hypothétique ? Ou l'accompagnerait-il ?

J'aimerais être une petite souris au moment où tu lui poseras la question, dit Rúna dans un éclat de rire si sincère que Maman lui asséna un coup de coude. Elles devaient faire preuve d'empathie si elles voulaient que leur tactique réussisse. Rúna se tut, soudain timorée. Elle ignorait les émotions subtiles qui étreignaient cette petite cousine-là – tout ce qu'elle savait, c'était qu'il fallait l'emmener en Suède *illico prestissimo* !

Eyja se permit, avec insolence et imagination, de s'immiscer dans les pensées de cette cousine flambant neuve. Il était aisé de se glisser à travers la carapace : les traits de son visage étaient aussi expressifs que sa langue. Elle musarda un moment dans cet esprit étranger, captivée par sa bonne volonté mais à la fois confuse.

Je ne peux pas partir comme ça, dit-elle enfin. Qui va lui venir en aide ?

Il peut pas se prendre en charge lui-même ? demanda la cousine avec un tel naturel qu'on aurait pu s'imaginer qu'elles se connaissaient depuis l'enfance, quand en vérité il fallait faire preuve d'une opiniâtreté certaine pour la qualifier de cousine.

C'est mon mari, répondit Eyja. Et il a besoin de moi. Sinon…

Tu vas m'écouter, ma vieille ! s'écria Rúna, interpellant au passage le serveur afin qu'il apporte une nouvelle bouteille de ce vin de table qui-se-laissait-boire, que le trio puisse trinquer à ce précieux trésor qu'est la vie.

Jusque-là, Maman et la cousine ne s'étaient retrouvées que tard le soir, à la table de la cuisine, à peu près tous les six mois et en général, pour ne pas dire toujours, en l'absence d'Eyja. Qu'importe que cette dernière ne connaisse sa cousine des fjords que de vue – et encore –, puisque celle-ci n'aurait pu apparaître à un moment plus opportun, vu ses finances désastreuses et le désordre du foyer qu'elle partageait avec le Coup de Vent et Agga.

L'impétueuse cousine éloignée grimpa encore dans l'estime d'Eyja quand elle se proposa de prêter main-forte lors du grand ménage de son appartement du quartier Ouest. Elle accepta immédiatement l'offre sans même avoir décidé si elle avait vraiment l'intention de déménager. Partir éveillait en elle autant d'exaltation que d'angoisse, mais autoriser cette cousine à participer au nettoyage ne ferait de mal à personne – puisqu'elle le désirait si ardemment.

Elle remarqua l'expression sur le visage de sa mère, mais feignit de ne pas l'avoir vue. Maman s'inquiétait de l'étendue des dégâts après le jour où, lors d'une visite à Agga, elle avait pris la fuite le nez gorgé de pestilence. Il était plus facile de lire son regard que le *Donald Magazine*.

Ses deux filles avaient emménagé avec un homme de son âge, un homme qu'on assimilait au vent et qui vidait les flacons d'antalgiques du placard de la salle de bains chaque fois qu'il venait dîner chez ses beaux-parents.

Comment en était-elle arrivée là ? Quand, quel jour, à quel instant son enfant avait-elle cessé d'être une fillette calme et charmante qui grignotait des biscuits en dévorant dans son coin les romans d'Enid Blyton, pour devenir... ce... substitut ?

Elle alluma une cigarette et esquissa un sourire forcé à l'intention de Rúna. Voulut éloigner ces sombres pensées d'un geste mais n'en eut pas la force. La sonnerie du téléphone tinta à ses oreilles. Le jour où Eyja avait appelé depuis son trou à rats pour lui annoncer son mariage.

Juste après midi, probablement un lundi. Probablement, oui.

Je viens de me marier, avait claironné la jeune fille, sur un ton de défi.

Que pouvait répondre une mère en dehors de : Félicitations, ma chérie ? Avant de soupirer : Qu'est-ce que... euh... comment ça se fait ?

Eyja expliqua ne pas avoir eu envie de se rendre au travail et s'être mariée pour obtenir un congé. Et des cadeaux. Elle n'avait pas assez d'argent pour se payer des clopes. Si seulement elle l'avait appelée, elle sa mère, plutôt que le maire ! Elle lui aurait aussitôt envoyé trois cartouches de Camel filtre et un carton rempli de nourriture de la coopérative. N'importe quoi, du moment qu'elle ne se mariait pas. Mais voilà, c'était fait. Arrogante comme une adolescente, car, bien sûr, on avait invité les jeunes époux à un festin – entrée-plat-dessert – au pub du port, et on avait rempli de cigarettes toutes les poches du marié. La gamine avait eu le culot d'offrir au propriétaire du troquet le rôle de témoin.

Le bon Samaritain les avait conduits dans une purée de pois au-delà de la colline en direction de la mairie, en compagnie du second témoin, Valdi Pop, qui bâillait sur le siège passager. Maman ne savait pas que ledit propriétaire avait eu la grandeur d'âme de leur offrir une bouteille de champagne pour l'occasion. Eyja l'avait ouverte sur le chemin du retour, tremblant de froid dans sa robe de velours noir. Un, deux, trois : pop ! Elle avait siroté l'alcool qui s'écoulait sur sa poitrine et imbibait les restes de nourriture. Elle avait hoqueté. Puis son mari lui avait arraché la bouteille des mains.

Voilà qu'ils se tenaient parmi les ruines de l'avalanche ; on avait laissé les décombres afin que les gens aient une chance de retrouver leurs effets personnels ; tout ce qui importait aux rescapés, c'étaient les photos abîmées, même si quelques femmes au centre communautaire continuaient de trier les vêtements et les objets que les villageois récoltaient lorsque le temps le permettait. Des bris de murs et des fragments de meubles gisaient alentour ; la boue fangeuse et malodorante s'écoulait entre les habitations, reflet infini d'un ciel menaçant.

Le Coup de Vent agita la bouteille en l'air jusqu'à être terrassé par son propre poids, trébuchant et gesticulant dans tous les sens. Il eut un rire sanglotant lorsqu'il pointa du doigt une chaise pour enfant brisée, un morceau de table, un bout de lit conjugal. Déterminé à se rappeler qui avait possédé quoi. Quel enfant, quel parent. Il vida la bouteille d'un trait, fouillant l'air de la main, et Eyja l'aida à se relever et le soutint jusqu'à la maison. Elle sentit son haleine fétide quand elle se pelotonna contre lui, à demi avachi sur le canapé, et se rappela de l'emmener chez le dentiste. A présent, ils étaient mariés. Pourtant, rien n'avait changé.

Maman s'entend plutôt bien avec le Coup de Vent ; du moins, elle ne s'entend pas mal. Elle apprécie la chaleur rustre et singulière qui émane de sa personne. Elle aime discuter avec lui et s'amuse de le voir dessiner à la table de la cuisine, dans la plus parfaite innocence, comme ses enfants lorsqu'ils étaient petits ; la benjamine a été séduite dès le début, elle se levait exprès de bonne heure pour crayonner avec lui à l'époque où le couple s'était temporairement installé chez les beaux-parents, juste après leur arrivée en ville.

Dès le point du jour, pendant que les autres se reposaient des affres de la nuit, il était installé là avec la fillette, comme un pédagogue érudit et patient. Il lui murmurait qu'elle ne devait jamais suivre l'exemple des grands, car ceux-ci étaient condamnés à être plus nigauds que les enfants ; il préparait du chocolat chaud et griffonnait un éléphant chaussé de bottes en caoutchouc et tenant un parapluie.

41

Si elle ne s'en vante pas, Maman adore les anecdotes de son gendre. Ce sont des histoires atypiques, cyniques au point que personne n'en saisit l'humour à part elle. Pas même l'épouse qui lève les yeux au ciel lorsque belle-maman invite le Coup de Vent à aller se chercher une bière sur la terrasse pour se graisser les cordes vocales. Pourtant, l'idée que ses filles préfèrent vivre avec lui plutôt que chez elle la dérange.

Quelques mois auparavant, Agga a emménagé avec le couple, lassée de devoir s'occuper de la petite dernière, âgée de cinq ans, tandis que Maman se souciait de son nouveau concubin – qui est, comme l'affirment les sœurs, plus immature qu'elles trois réunies. A vrai dire, c'est juste un crétin, songe Eyja.

Elles, en revanche, elles se portent plutôt bien sous l'aile du Coup de Vent – pas d'enfantillages chez lui, ça non. Agga l'aime vraiment beaucoup, contrairement aux amis d'Eyja qui changent de trottoir s'ils la croisent en ville avec lui. Agga et le Coup de Vent se comprennent, à leur façon. Ils ont leurs secrets.

Eyja ne se doute pas que son mari fait constamment du troc avec la jeune fille. Si elle le savait, elle lui assènerait probablement un coup sur la tête avec un pichet en céramique, comme aux amants de Maman quand cette dernière s'apprête à les quitter et qu'elle a besoin d'une alliée au cours des disputes fielleuses.

Avec difficulté, Eyja parvient à oublier la benjamine de la famille, le nouveau compagnon, ainsi que son frère qui a quitté Maman pour emménager avec papa, de sorte qu'elle ne le voit presque plus ; mais jamais elle n'oubliera Agga. Agga la comprend mieux qu'elle-même. Celle-ci n'avait que onze ans quand elle envoya cinquante couronnes à son aînée, alors en pension en rase campagne, y joignant une lettre sur papier bleu ciel :

*Maman n'a plus de sous à t'envoyer, alors voici mon argent de poche. C'est cinquante couronnes. Tu me manques énormément même si tout le monde est en colère contre toi. Quand rentres-tu à la maison ? Je peux venir te rendre visite ?*
*Bises,*

*Ton Agga.*

Jadis, Agga était innocente. A présent, Agga paraît innocente.

Tout juste dix-sept ans, haute comme trois pommes, rondelette, des cheveux délavés attachés en queue-de-cheval. Des yeux fureteurs et vifs, des joues rebondies, un sourire farceur. Mignonne, à sa manière juvénile.

Rien dans sa tenue n'évoque la drogue. Surtout pas ses vêtements : un pull en coton, un pantalon de velours et un manteau épais. Des gants, une écharpe. D'accord, parfois, elle se trimballe en rangers. Et elle s'est déniché un foulard palestinien – provoquant l'admiration perpétuelle du Coup de Vent –, mais quand même, Eyja n'aurait jamais soupçonné que la petite Agga passe ses journées à se doper avec son mari.

Agga partage avec lui ses restes de speed, tandis qu'il mélange de la poudre de Mogadon à leur café lorsqu'elle est sans le sou, la seule règle du deal étant que la téléopératrice n'en sache jamais rien.

Eyja ne remarque pas le sourire en double lorsqu'elle rentre de la station de télévision, portant encore l'écho de sa voix de standardiste quand elle leur lance un salut fatigué, eux qui planent, bienheureux, au-dessus du plateau de Scrabble.

Agga adore boire dans la tasse que le Coup de Vent s'est amusé à décorer d'images de femmes nues arrachées à ses briquets. A la surprise affligée de sa sœur, la gamine est parvenue à convaincre le Coup de Vent de lui prêter l'œuvre porno une demi-journée afin de l'exhiber à ses camarades du cours d'arts plastiques au lycée, ébahissant les ados férus d'art moderne qui finirent la tête retournée d'avoir goûté l'exotique café-Mogadon dans une vieille tasse de cafétéria à carreaux bleus issue d'une remise à appâts des fjords de l'Ouest. Le Coup de Vent, lui, se satisfait d'un bouquin et de l'indescriptible liquide, le chat ronronnant sur son épaule ; devenu un homme parmi les hommes dans un coin bourgeois du vieux quartier Ouest, en face du cimetière où de grands noms reposent sous les arbres qui fleurent bon la nature, dès le retour du printemps et jusqu'à l'automne.

Ils avaient quitté les fjords après neuf mois de vie commune, dont quelques-uns comme couple reconnu aux yeux de la loi, tous deux persuadés que la vie urbaine rafistolerait leur relation, craquelée d'ennuis et d'ennui – on ne pouvait s'attendre à moins en réunissant deux êtres à fleur de peau sous un même toit. Aucun n'ayant le cœur à la querelle, ils s'étaient empressés de faire leurs bagages.

Eyja s'était hissée dans le bus des fjords avec ses effets personnels et avait écouté les jacasseries du chauffeur tandis que le véhicule cahotait au fil des chemins de montagne tortueux, le pied à fond sur l'accélérateur pour gagner cinq minutes de pause supplémentaires à la station-service.

Le Coup de Vent avait pris l'avion pour le Sud quelques jours plus tard ; il connaissait sans doute ledit chauffeur et n'avait pas voulu risquer sa vie pour un jus de chaussettes.

Lorsqu'il arriva sur place, elle s'était déjà trouvé un job de téléopératrice au standard d'une chaîne de télévision indépendante ; lui comptait jeter un œil aux offres d'emploi pour peintres en bâtiment ou dans la transformation du poisson à Grandi, à la pointe de Reykjavík ; il finirait bien par décrocher quelque chose – quand il y avait de l'orage dans l'air dans les fjords de l'Ouest, et qu'elle le houspillait de n'avoir pas un sou en poche, il se précipitait dehors, un dessin sous le bras, et revenait avec un sac plastique rempli de billets qu'il lui vidait sur la tête dans un éclat de rire.

Ils n'avaient toujours pas défait leurs cartons, en dehors de celui qui contenait les ustensiles de cuisine. Le poids de tout un hiver s'abattait sur le cimetière. Eyja se plongeait dans le travail, s'échinant nuit et jour, et ne songeait plus à l'endroit où le Coup de Vent pourrait trouver un emploi.

Chaque matin, il prétendait partir à la recherche d'un gagne-pain mais succombait le plus souvent aux injonctions de Dionysos : moi, avec l'alcool et le dessin, je jouis, alors que je jouis pas quand je t'ouïs, oui ? geignait-il lorsqu'elle rentrait, pantoise face à cet homme qui n'avait cessé de s'imbiber, la tête penchée sur ses esquisses à l'encre, depuis son départ au petit matin, alors qu'elle l'avait vu manteau sur le dos, tasse porno serrée entre les doigts – paré à l'attaque.

Et puis… oui, et puis il s'était passé quelque chose. Il n'avait rien pu y faire. C'était plus fort que lui. Si seulement elle voulait bien le comprendre ! Ne le comprenait-elle pas ? Le comprendre comme personne ne l'avait jamais compris. Toute sa vie, il avait cherché à la rencontrer, cette femme qui saurait le comprendre. Ne comprenait-elle pas ?

Si.

Eyja comprend qu'on a besoin de paix pour dessiner. Elle possède un souvenir, gravé sur une photographie en noir et blanc : Maman dans un fauteuil, son bloc à dessin à la main ; Eyja la regarde crayonner, émerveillée, une expérience magique aux yeux d'une fillette de cinq ans. Une feuille blanche et… abracadabra !

Sur le papier, un homme et une femme sont assis, leurs longues jambes étendues, et un serveur à l'allure bizarre et biscornue se penche vers eux, des verres dansant sur son plateau ; tous à vrai dire sont biscornus, et les jambes du couple roulent en vagues sur le sol. Elle a envie de pénétrer dans cette image, quelque chose en elle la pousse à vouloir vivre dans un monde biscornu comme ça.

Maman souriait et sirotait son gin tonic ; après, elle avait tendu à Eyja une feuille vierge. Eyja avait tracé un nombre infini de figures tandis que Maman faisait un seul dessin. Elle aurait tout donné pour faire naître cette œuvre unique et biscornue ; elle avait essayé, encore et encore, sans y parvenir.

Peut-être devait-elle se mettre à fumer ? Maman avait allumé une cigarette et, l'instant d'après, le photographe était entré dans la pièce car, sur la photo, une volute stagne dans l'air.

Le cliché avait été pris dans la maison louée en Angleterre cette année-là, tandis que son père étudiait les insectes et que Maman dessinait – avant de tout plaquer et de revenir en Islande pour accoucher d'Agga, de la même manière qu'elle avait cessé d'étudier la littérature et le français lorsque les nausées s'étaient mises à la torturer de l'aube au crépuscule, peu avant la naissance d'Eyja.

Eyja se souvient de la soudaine colère de papa lorsqu'elle avait dessiné un chien sur le mur blanc de la maison anglaise. Maman s'était contentée de glousser, puis avait loué la créativité de sa fille. En règle générale, elle gardait son calme face à ce qui choquait les autres, mais s'emportait pour des choses que tout le monde considérait comme parfaitement insignifiantes.

Revenue au présent, elle écrasa sa cigarette et soupira, résignée : Embrasse donc notre chère Rúna, elle se plie en quatre pour te venir en aide !

En effet, Rúna comptait bien donner tout ce qu'elle avait pour préparer la gamine au grand voyage. Agga ferait du baby-sitting pendant qu'elles s'aventureraient au péril de leur vie dans le bouillon de culture – il était hors de question d'emmener la benjamine à la décharge qui servait d'appartement à ses aînées. Maman en profiterait pour réunir les affaires d'Agga, faire en sorte que celle-ci revienne à la maison. D'une pierre, deux jolis coups !

Seulement si Eyja voulait bien se laisser convaincre.

Finalement, elle obéit à sa mère. Elle se jeta au cou de Rúna et colla un gros baiser sur la joue creuse avec une telle vigueur que Maman parvint tout juste à rattraper le verre de vin blanc qui valsait au bord de la table.

Ne me remercie pas avant de confirmer ta venue en Suède ! ronchonna Rúna, effaçant de la main la lueur de joie qui était apparue dans son œil droit. Pâle et timide, le petit bout de femme fuyait toujours ce genre de démonstrations.

# Le lendemain de la visite de grand-mère à la banque

Dans la tête d'Eyja, la Reine du Ski déborde de vie et d'énergie. Quand elle demeure immobile quelques secondes, ses jambes gigotent d'elles-mêmes, tandis que son regard reste désagréablement fixe : ses yeux envahissants et insatiables déshabillent les gens sans jamais flancher. Dans sa grande naïveté, Eyja avait toujours cru que l'on ne trouvait de telles personnes que dans les romans ; elle est fascinée à l'idée d'avoir rencontré cette force de la nature et d'y être de surcroît apparentée – était-ce du côté maternel de sa grand-mère ? Elle tend d'ailleurs à penser que les deux femmes se ressemblent. Postée à côté du meuble du téléphone, avec ses chaussures orthopédiques enfoncées dans le tapis persan, grand-mère paraît du moins inébranlable pendant qu'elle discute avec l'employé de la compagnie aérienne.

Oui, dit-elle avec autorité, elle doit se rendre en Suède… Oui, je sais juste que c'est quelque part dans le coin de Sundsvall. Sundsvall ! Eh bien, c'est une petite ville là-bas.

Grand-mère connaît la Suède comme sa poche, elle y a passé un moment, dans le temps, après que grand-père a reçu le fameux prix de littérature. Grand-mère et la Reine du Ski ont des opinions divergentes en ce qui

48

concerne le climat ; grand-mère ne croit pas que, là-bas, il fasse toujours beau et chaud. Elle parle d'un hiver polaire, et du tonnerre et des éclairs qui embrasent les gens et les habitations, sans parler des nuages d'insectes – tout y est baigné d'essaims de moustiques et de guêpes, *a fortiori* dans une zone comme celle-ci, entourée de forêts et de lacs.

Eyja est parcourue d'un frisson. C'est une chose de vouloir écrire, c'en est une autre d'être dévorée vivante par des insectes, seule dans une cahute en bois léchée par la foudre. Grand-mère a aussi parlé de serpents d'eau, si elle a bien compris. Tout ça ne la met pas exactement en appétit : se précipiter dans le lac au petit matin, pressée de se mettre à écrire, et devoir être emmenée d'urgence à l'hôpital à cause d'une morsure. Sont-ils venimeux ? Et en un lieu à ce point isolé, peut-on espérer la présence d'un médecin dans les environs ? Ne vaut-il pas mieux rester avec le Coup de Vent et l'aider à arrêter de boire ?

Stockholm ! Oui, c'est très bien.

Sa grand-mère coince le combiné entre l'épaule et la joue tandis qu'elle demande si ce ne serait pas la meilleure solution. Qu'Eyja atterrisse à Stockholm.

Si, répond-elle avec hésitation. Si, si...

Si, c'est merveilleux ! s'exclame Maman lorsqu'elle apparaît à la porte, un instant plus tard, le chien sur les talons, satisfaite que sa propre mère ait entériné le projet. Rúna prend elle-même l'avion pour Stockholm, explique-t-elle, la voix perçante et surexcitée, elles vont pouvoir voyager ensemble. Qu'en penses-tu, Eyja ? N'est-ce pas absolument merveilleux ?

Si.

Et ta grand-mère et moi allons t'offrir une crème à la carotte de premier choix, elles sont en promotion en ce moment chez Helga, à la pharmacie – histoire que tu nous reviennes bronzée jusque dans le creux des genoux. N'est-ce pas, maman ? demande Maman à sa maman.

Oui, ça ne lui fera pas de mal, répond l'intéressée d'une voix chantante en ajoutant une crème contre les moustiques et des sandales à la liste des courses.

Bien, poursuit Maman, impatiente, il faut aussi lui acheter un bikini pour qu'elle puisse nager dans le lac. Oh, tu vas être si jolie, toute bronzée, ma chérie !

Je ne suis pas sûre.

Eyja se pelotonne sur la chaise dure et joue avec le motif de laine rêche de sa tapisserie – que grand-mère avait achetée en Chine ou à Eyrarbakki.

Tu n'es pas sûre de quoi ? interroge Maman après un long silence.

D'aller nager dans le lac ou de faire bronzette. J'ai surtout l'intention d'écrire, dit-elle tandis que ses yeux cherchent refuge dans ceux du chien, qui l'observe, langue pendante, aux pieds de grand-mère.

Ecrire quoi ? soupire Maman, oubliant sa promesse d'un moment de calme propice à l'écriture, puis elle fait appel au surnom que les mères de la famille maternelle ont toutes donné à leurs aînées : Dame Joliette de France ! Fais-moi plaisir et arrête la déprime. Tu vas revenir toute bronzée.

Et avec quelques kilos en moins, Dame Joliette de France, ajoute grand-mère. Elle va aussi arrêter de fumer. Elle l'a dit.

Mais j'ai vraiment l'intention d'écrire ! s'exclame Eyja en jetant un regard implorant à son aïeule.

Chaque chose en son temps, répond Maman avant de répéter qu'Eyja doit donner une jolie teinte à ses creux poplités – ensuite, elle pourra peut-être reprendre ses études.

Oui, mais...

Eyja se tait lorsque Maman fronce les sourcils, froissée au nom des trois femmes qui se sont données à fond pour échanger un mariage contre une renaissance à l'étranger.

Laisse-la donc écrire, si c'est ce qu'elle désire.

Grand-mère élève tendrement le ton avec Maman qui hésite, et ne peut s'empêcher de marmonner : Tu trouveras bien une minute pour prendre un bain de soleil.

Oui, oui, bafouille la troisième génération.

Oui, oui ?

Oui.

# Tournant II

Un mois seulement a passé, deux tout au plus, depuis l'instant où, assise dans leur appartement du quartier Ouest, elle contemplait Pamela Anderson sur la plage : sa peau hâlée, ses rondeurs, son sourire. Jusqu'à ce que le Coup de Vent se jette dans le fauteuil devant le téléviseur et lui demande quel truc décérébré elle regardait encore.

*Alerte à Malibu*, avait-elle répondu, et il avait éclaté d'un rire satisfait, inconscient de la satisfaction qu'il lui procurait à elle aussi.

Quelques jours auparavant, alors que le Coup de Vent faisait une brève halte au centre de désintox Vogur, une ancienne camarade de classe qui se rappelait les cahiers qu'Eyja remplissait de nouvelles mélancoliques l'avait attirée par la ruse à une soutenance de thèse sur la littérature féminine. Le cœur d'Eyja s'était emballé lorsqu'elle avait ouvert la porte. Son amie de jeunesse se tenait sur le seuil, étrangère et familière à la fois, un visage du passé auquel elle n'avait pas pensé pendant une éternité, oubliant qu'il s'était écoulé bien peu d'années depuis l'époque où elle avait été une écolière comme les autres.

Le sang lui monta à la tête. Que faire ? Hors de question de l'inviter dans cet appartement où elle tenait le rôle d'une femme au foyer autoritaire au cœur d'un bordel sans nom. L'amie serait abasourdie à la vue du linge sale qui débordait de la baignoire, de la pile de vaisselle dans la cuisine, de la tasse porno du Coup de Vent – du cadre de son existence. La seule solution était d'enfiler un manteau et de l'entraîner à l'extérieur.

Eyja palabra sur le temps et la situation en Palestine, bien qu'elle ne fût plus vraiment rodée à débattre, hormis avec le Coup de Vent et certains parents. Essoufflée et consciente de l'odeur âcre de ses vêtements qu'elle avait tenté de laver dans l'évier, avec un résultat mitigé. De son jean constellé de taches et de la chemise de travail du Coup de Vent. De ses chaussures montantes éculées. De son visage cireux, trop de temps passé dans l'air confiné et enfumé de l'appartement.

L'amie, au contraire, irradiait de santé : une fille de fermiers du Nord, aux traits fins et au corps robuste, au teint hâlé et aux boucles noisette, élégamment vêtue d'un pull à col roulé vert pomme et d'une jupe d'hiver grise – en laine italienne, précisa-t-elle.

Elle souriait chaleureusement tandis qu'Eyja blablatait. Attendait l'occasion de glisser un mot dans la conversation. Elle expliqua qu'elle suivait un cursus de théologie, mais qu'elle avait envie d'assister à la soutenance de thèse de cette spécialiste de littérature, car elle avait entendu des choses intéressantes à son sujet – il est vrai qu'à la fac on entendait des choses.

Elles pénétrèrent dans le bâtiment universitaire et Eyja tenta de ne pas laisser paraître qu'il s'agissait de sa première visite des lieux.

Un groupe de femmes d'âges différents, une poignée d'hommes mûrs et d'autres plus jeunes étaient réunis devant la salle de conférence. Quelques minutes s'égrenèrent. Eyja continua de jacasser au sujet de la Palestine, espérant faire montre d'intelligence sous le regard compréhensif de son amie. Des yeux souriants qui l'observaient d'un air maternel. Elle soupira de soulagement lorsque les portes s'ouvrirent et que les gens se glissèrent à l'intérieur, en un long serpent.

Dès que la Doctorante commença sa soutenance, Eyja fut submergée. Les mots l'emmenèrent, comme autant de vieilles connaissances apparaissant dans un environnement inédit. Sans compter les mots nouveaux ! Des mots qu'elle n'avait jamais entendus auparavant bien qu'elle eût été élevée dans un foyer riche en vocables compliqués, rapport au grand-père littéraire. On l'appelait le Poète national, mais elle était à peu près sûre que ni grand-mère ni Maman n'avaient eu affaire à l'expression « études de genre ». Elle observa son amie qui, absorbée, contemplait une femme d'âge mûr avec un regard... eh bien, masculin, celle-là même qui avait utilisé la mystérieuse expression, « études de genre », dans une question à la Doctorante : « ... sous l'angle des études de genre » – elle avait dit quelque chose comme ça, Eyja s'en souvenait.

L'amie hochait la tête, habituée à ce langage et approuvant les deux femmes, celle qui interrogeait et celle qui répondait, bien que les deux fussent en désaccord.

Et soudain, la Doctorante s'était mise à parler de Pamela Anderson. Eyja jeta un bref coup d'œil à son amie qui riait discrètement, saisissant à propos le double sens de ses paroles. Avant que la Doctorante n'achève d'expliciter l'ironie de son discours jusqu'à réduire la plaisanterie à néant.

Eyja éclata de rire, pantoise face à l'impudence de l'oratrice, au point d'en oublier ses arguments. Elle se rappela simplement que ce qu'elle avait dit était drôle, si drôle que tous les universitaires s'esclaffèrent à leur tour avec leur rire d'intellectuels. Une blague littéraire ! Jamais l'idée de mentionner Pamela Anderson dans un tel contexte ne lui aurait traversé l'esprit.

Le Coup de Vent aurait dû comprendre qu'elle regardait *Alerte à Malibu* avec les yeux d'un docteur en littérature féminine, pas avec ceux d'un prince de la remise à appâts.

Mais il l'ignorait. Aussi continua-t-il ce jour-là de se moquer d'elle qui regardait cette série. Et se surprenant elle-même, elle s'était mise à rire aussi. Il se tut et la fixa, interloqué.

Et elle riait. Riait encore.

Ce printemps-là, elle apprit deux nouvelles expressions : études de genre et crème à la carotte. Parfois, en fumant, elle songeait à la soutenance, lorsque personne ne l'espionnait. Elle ne répondit cependant pas à la porte quand son amie revint quelques jours plus tard. Elle se dirait qu'Eyja avait déménagé. De toute façon, la fille qu'elle avait connue à l'école n'existait plus.

# Contrecoup

L'appartement de la capitale est différent de celui qu'ils louaient dans les fjords ; c'est un logement typique du vieux quartier Ouest : sous les combles, bas de plafond, avec des fenêtres décrépites. Mais lorsque Eyja contemple le vieux cimetière, elle songe parfois à la fenêtre du salon dans les fjords.

La vitre sale dans un cadre flambant neuf donnait sur la mer ; on voyait scintiller l'endroit où celle-ci s'achevait, ou plutôt où elle commençait. Le gouffre sans fond qui avalait les pêcheurs sur la langue de terre d'Eyri lorsqu'ils s'éloignaient à la rame dans le crépuscule gris, plus de cent ans auparavant. A moins que le soleil n'y eût brillé ?

Elle l'ignorait. Mais les vieux du village savaient tout du temps. Ils vivaient avec la nature et racontaient des histoires qui disaient ses immenses pouvoirs, afin qu'on ne les oublie pas. Ils connaissaient la tragédie. Eyja n'avait jamais vraiment pensé aux catastrophes naturelles avant d'emménager dans le village, deux semaines après l'avalanche, et de voir les décombres. Les murs de pierre endommagés, érigés dans la neige sale.

A cet endroit, il y avait eu des maisons – elle les avait vues, lors des étés où elle avait travaillé à l'usine de congélation pour financer ses folles errances hivernales la nuit, dans les bars de Reykjavík ; un jour, elle n'avait pas pu se résoudre à rentrer, alors elle s'était procuré un chien et avait loué une chambre au-dessus du pub du port jusqu'à Noël.

Elle se retrouvait néanmoins le plus souvent dans les fjords parce qu'une copine du village l'avait emmenée dans sa Saab bleue et avait mis les gaz pour fuir leurs malheurs, sentimentaux ou financiers. Parfois les deux. Tout avait commencé le fameux été où Eyja avait appelé en larmes ladite amie qui s'était alors écriée : Papa, Eyja peut venir bosser à l'usine de congélation ?

Elles passaient tout leur temps ensemble, l'une étant l'ombre de l'autre, même si Eyja avait abandonné l'école, et sa copine, non. L'une brune, l'autre aux boucles dorées, comme sa mère, une infirmière qui s'épuisait à la tâche et accueillait sans cesse les promeneurs dans sa maison sur la colline que surplombait une montagne, avec une voix si puissante que les gens d'Eyri, en contrebas, s'étranglaient avec leur café quand elle appelait ses enfants.

L'amie, aussi dynamique que sa mère, s'assurait qu'Eyja arrive comme elle à 5 heures tapantes à l'usine et l'accompagne, la journée finie, boire un coup ici ou là, car il fallait bien passer voir tout le monde sur le chemin du retour. Le village, c'était chez elle, et Eyja était émerveillée – un univers inconnu d'aventures où ciel et océan coulaient dans le même bleu infini et où le soleil brillait sur les bottes blanc immaculé des ouvriers qui pouvaient fumer deux – certains trois – cigarettes au cours des cinq minutes de pause. Il y avait des thermos de café partout. Et dans les maisons vivaient des gens qui racontaient des histoires aussi viriles que leur café était fort.

Des instantanés défilent dans son esprit.

… devant la fenêtre au-dessus de l'évier de la cuisine, un rideau jaune frémit, jouant avec les feuilles verdoyantes du basilic, tandis que, de l'autre côté de la vitre, un géranium éclot ; en bout de table, dans une coupelle posée sur une nappe crochetée, des fruits mûrs sur le point de blettir ; le quotidien *Morgunbladid* est ouvert au bord de la table, exhibant ses articles ; une bougie tremblote sur une étagère sculptée aux motifs enfantins, et la flamme danse dans la brise qui s'insinue par la fenêtre avec le soupir de l'océan ; par terre, des pirates Lego gisent autour d'un poupon. Dans le salon, la photographie d'un garçonnet en aube est accrochée au mur. Son sourire est empreint d'espérance. Ses yeux regorgent de vie, une lueur de confiance brille sous les cheveux châtain clair : on les a coiffés pour l'occasion. Elle se remémorera son regard lorsque le petit garçon sera enterré.

Lorsque.


Quand ça arrive, ça vous tombe en pleine poire, geignit Halli-toujours-partout, le roi de l'appât, avant d'empoigner la cafetière et de verser quelques gouttes bouillantes dans sa propre tasse porno, qui deviendrait un jour une œuvre aussi éminente que celle du Coup de Vent, mais il avait encore quelques briquets à collectionner avant d'atteindre ce résultat.

C'est comme ça, c'est tout, mon brave Halli, répondit le Coup de Vent en enfournant avidement sa pâtisserie ; les gâteaux étaient délicieux, le cuisinier avait offert des sucreries de l'Avent aux courageux qui travaillaient le lendemain de Noël.

Selon qui ? demanda Halli-toujours-partout ; il faisait penser à un malade chronique avec sa touffe de cheveux gris et ses lèvres boudeuses entre ses joues tombantes.

Le Coup de Vent secoua la tête en signe d'abdication et se tourna d'un air suppliant vers le troisième larron : un gamin pétillant de vie qui ne cessait jamais de sourire. On voyait toujours une incisive briller au cœur de ce visage joyeux, aux traits plissés, et lorsqu'il hochait la tête, sa frange remuait, raide et méchée comme chez les break-dancers de la décennie passée.

Je ne dirai rien, opposa le Glaviot – car, si l'homme souriait à longueur de journée, il souffrait également de quelque mal de gorge chronique. Mais je vais quand même vous dire une chose !

Eyja se tourna mollement vers le Glaviot – s'il songeait avoir quelque chose à dire, c'était déjà mieux que rien. Le Coup de Vent pensa la même chose : il lui adressa un clin d'œil ironique et laissa échapper un grognement de satisfaction.

Je mens pas, ça, je vous le garantis. C'est aussi vrai de vrai que moi qui suis assis là, devant vous, insista le Glaviot en les observant de ses yeux pétillants.

Allez, accouche ! s'exclama le Coup de Vent.

Le Glaviot tremblait d'excitation, déterminé à maintenir le suspense à son comble.

Si tu nous balances pas ton histoire sur-le-champ, je laisse tomber, menaça Halli. Je me casse !

Eh ben, casse-toi, dit le Glaviot en pouffant de rire avant de glisser un regard entendu à Eyja.

Clignant de l'œil, il essayait tant bien que mal de jouer les gros durs, comme le Coup de Vent, avec son incisive brillante. Maintenant, on peut leur téléphoner ! murmura-t-il.

Téléphoner à qui ? demanda le Coup de Vent.

Le Glaviot continua de regarder la jeune fille et roula les yeux, raillant la stupidité de son supérieur, mais son sourire s'affaissa lentement lorsque Eyja répéta la question. Oui, qui donc pouvaient-ils appeler ?

Eh ben, les morts, pardi !

Le Coup de Vent toussa et se leva d'un bond, vociférant qu'il n'allait pas passer la journée à jacasser sur des conneries pareilles.

Je vous jure !

Il veut rien savoir de tout ça, il veut juste faire hum-hum avec elle, affirma Halli avec une expression suffisante. Comme si ça se voyait pas !

Eyja ne souleva même pas un sourcil, devenue dangereusement imperméable à la pluie d'insinuations obscènes qui s'abattait sur elle du matin au soir, à l'instar des quelques rares femmes qui se risquaient à pénétrer dans la remise à appâts, refuge des travailleurs saisonniers n'ayant nulle part où se poser, car la société s'évertuait à les rejeter, eux et leur culture. Ils étaient apparus comme par magie après que l'avalanche eut balayé les familles du village – ceux qui n'étaient pas morts vivaient pour la plupart dans le Sud, certains ne reviendraient jamais. Et cette espèce d'oiseaux mystérieux qu'on croyait éteinte – itinérants à la recherche d'une usine de congélation, d'un bateau ou d'une remise à appâts – était devenue le moteur du bourg.

Ces hommes avaient en réalité toujours demeuré au village, bêtes curieuses amoncelant l'or saisonnier ; à présent, quelle que soit leur origine, ils étaient le visage des lieux.

Je suis allé voir un médium, dit enfin le Glaviot en tirant de sa poche un morceau de papier plié. En lui téléphonant, je peux entrer directement en contact avec eux. Voilà le numéro !

Le silence fut assourdissant. Le Glaviot fut le premier à le rompre, tremblant de la tête aux pieds en annonçant avoir hâte d'aller frapper chez les gens, numéro en main – un peu de joie ne leur ferait pas de mal !

Tu es sûr que ton médium est honnête ? bafouilla Eyja.

Le Coup de Vent grinça des dents et frappa sa pipe contre le cendrier avant de répliquer : Tu ferais mieux de garder tes sous pour inviter une jolie fille à boire un coup, mon petit Glaviot.

La pause était terminée.

Eyja avait mal aux mains et aux épaules lorsqu'ils recommencèrent à appâter – des plaies douloureuses sur les doigts et les muscles tétanisés par le froid. Une émission sur les livres de Noël passait à la radio nationale, elle prêta l'oreille mais se laissa peu à peu emporter par le mouvement de ses mains et n'entendit plus rien. Il était 15 h 30 ; dehors, l'obscurité était totale.

Quelqu'un avait dit qu'il avait cessé de neiger. On avait vu moins de flocons que d'habitude après l'avalanche, qui avait eu lieu huit semaines auparavant.

# Des temps nouveaux

Qu'est-ce que c'est que cette putain de feignasse ? On a à peine le temps d'aller mouiller les chiffons qu'elle s'est déjà affalée avec une cigarette ! Elle est toujours comme ça ?

Non ! a envie de crier Eyja à ces incarnations de la féminité omnipotente. La Reine du Ski et Maman sont venues faire le grand ménage dans l'appartement.

Toutes deux minces et résolues : femmes parfaites, parées à décaper comme elles seules en ont le pouvoir. Et à échanger des histoires dont Eyja donnerait cher pour connaître le secret : pourquoi écrire un roman quand d'une simple anecdote elles s'offrent un petit bout de paradis ? Elles ont la parole plus incisive qu'un prédicateur du Sud américain et ont chacune commis l'impensable : mettre au monde un être humain.

Elles exhalent toute la force du sexe faible, si pleines de vitalité, là dans le cadre de la porte, qu'Eyja meurt d'envie de fuir – mais elles lui bloqueraient le passage, armées de leurs balais et de leurs seaux fumants. La vapeur se dissipe dans la poussière qui stagne au-dessus du salon comme un brouillard stellaire.

Maman a attaché ses cheveux avec une pince et Rúna a noué un foulard autour de sa tête, à la pirate, puis lacé à sa taille un tablier et étiré jusqu'aux coudes des gants en caoutchouc jaune poussin. Une cigarette entre les lèvres. Elle est prête à tout : récurer les toilettes, le réfrigérateur, le mur derrière la cuisinière, sans parler des coins et recoins auxquels la mère et la fille n'osent songer – allez, tout ce que vous voudrez !

Où se cache le mecton ? aboie-t-elle, et Eyja hausse les épaules. Son mari traîne les pieds quelque part. Elle ne sait pas où, ne sait même pas s'il a bien compris qu'elle partait à l'étranger.

Elles observent Eyja, puis lui demandent par où commencer.

La salle de bains, songe-t-elle tout haut, et à peine a-t-elle laissé échapper ces mots que les deux autres s'y précipitent, lui offrant tout le loisir de replonger dans ses pensées. La seule chose qu'elle aime, c'est gratter la saleté du radiateur avec sa brosse à dents tandis que son esprit vagabonde.

L'écho de la conversation entre Maman et Rúna s'insinue dans ses oreilles. Une voix enrouée et vive vibre au rythme des coups de brosse assénés au mur. C'est la fille des fjords qui a la parole :

… ça me dépasse. J'ai pas envie de trouver des excuses à l'autre lavette, là, mais il faut bien avouer que c'est invivable, pour qui que ce soit. Même pour lui. Ça peut se comprendre. On a beau penser ceci ou cela, et mademoiselle a beau s'être comportée comme une sauvage depuis sa confirmation, qui sommes-nous pour juger ? Perso, je préfère tenter de piger plutôt que juger. Nan ?

Oui, si, répond Maman avant de répéter aussitôt : Oui, si.

Ouais, je suis bien d'accord, murmure Rúna. Ce genre d'horreurs dépasse tout entendement, tu vois – et pourtant, je suis pas née d'hier.

Tu connaissais du monde, là-bas ? demande Maman.

On vient pour ainsi dire du fjord voisin, alors… ouais. Bien sûr, on connaissait les gens. Après tout, on est tous des gamins des fjords de l'Ouest, ma chérie. Et là-bas, des parents ont perdu leurs enfants. Et des enfants se sont retrouvés orphelins.

L'autre soupire : De penser qu'une chose pareille puisse arriver en Islande !

Mais ça arrive, ça arrive, confirme Rúna, soudain acerbe lorsqu'elle ajoute qu'elles feraient mieux de ne pas perdre de temps à cancaner si elles veulent sortir de ce nid de bactéries avant minuit.

Oui, ma chérie, oui, approuve Maman, puis elle hésite avant de reprendre : Comment c'était ? Avant que la catastrophe ne s'abatte sur ces pauvres gens.

Eh ben, tout baignait dans l'huile… de foie de morue, rétorque Rúna avant de frotter de plus belle, avec une telle vigueur qu'Eyja croit entendre le savon mousser.

Les enfants savouraient du vin de pissenlit saumâtre l'été précédant l'avalanche. L'hiver antérieur, un éboulement avait frappé un village voisin et emporté plusieurs vies. A présent, la belle saison était arrivée et les gens du coin s'étaient redonné du courage, déterminés à faire face au monde depuis leur petit bout de cordon littoral saillant dans l'océan, une crevette à l'ombre des immenses montagnes. On voulait vivre comme on avait vécu depuis des centaines d'années dans ces fjords rocailleux. Sous ces monts abrupts. Au pied de ces volcans boucliers abyssaux. Sous ce ciel étoilé l'hiver et d'une clarté aveuglante l'été.

L'été, la lumière est si brutale que tout semble recouvert d'un voile ; dans le fjord, les grains de sable blanc échappant à l'océan se montrent au jour et scintillent au soleil tandis que sur les sommets, la brise grignote les congères ; des coquillages rose clair baguenaudent jusque dans les prairies et le serpolet jaillit de sous les vagues écumeuses. Les jours d'été, la présence de la mort est aussi insupportable que le battement d'ailes de la sterne arctique. On la perçoit, par-delà l'existence, pareille à la brume glaciale qui cerne la région de Hornstrandir. Les marins la contournent, conscients qu'un jour, ils ne pourront lutter et seront avalés par la nuée. Omniprésente.

Un soir d'été, des gamins essayaient de faire fumer des Salem light aux agneaux pendant que leurs copains montaient à cru dans le fjord, riant aux éclats de voir les chevaux patiner sur le sable. Au même moment, un homme à la carrure robuste, assis dans son fauteuil relax à la maison de retraite, contemplait les filles en bikini sur MTV – il venait d'investir dans une antenne parabolique, car il est agréable d'avoir quelque chose sous les yeux quand on accroche des hameçons à sa ligne, comme il l'expliquait à la jeune intérimaire qui lui apportait ses médicaments et son verre de lait. Comme d'habitude, il la demanda en mariage ; comme d'habitude, elle se proposa plutôt de lui masser les pieds – tout variqueux mais souples, on aurait dit qu'ils appartenaient à un homme beaucoup plus jeune, le gamin de la maison voisine, par exemple.

Ce dernier jouait au golf dans son jardin et, de temps à autre, dirigeait son regard vers l'épouse délaissée d'à côté, occupée à cueillir la morgeline, un œil sur ses enfants qui batifolaient avec un chiot parmi les pissenlits. A la piscine, de joyeuses petites vieilles faisaient de l'aquagym pour soigner leurs rhumatismes en entonnant des tubes de l'Eurovision. Plus bas sur la lande, dans son bureau de verre surplombant la chaîne de traitement du poisson, le contremaître feuilletait la biographie du poète Steinn Steinarr tandis que les travailleurs acharnés passaient la salle au jet d'eau. Enfin seul – disons plutôt seule, car le contremaître était une femme, connue pour son regard déprimé. Et là, seule, en paix, elle riait. Ce dont ne la croyaient pas capable les Jeunes et les Etrangers – par ailleurs amusés par la distinction qui leur était appliquée, car la plupart des étrangers étaient jeunes et la plupart des jeunes avaient des façons d'étrangers.

Ils venaient des quatre coins du monde : l'Organisation des Nations Zarbi, c'était le surnom que donnaient les farceurs aux employés de l'usine de congélation. La plupart des ouvriers parlaient anglais comme des diplomates à quelque sommet international sur la paix ; la caissière de la coopérative passait le temps en dénombrant les accents, mais finissait toujours par perdre le compte et abandonna la partie lorsque les villageois organisèrent un festival d'art international au troquet du coin, décoré de filets et de drapeaux divers pour l'occasion. La manifestation avait été un tel succès que, peu après, se tint un marché où l'on troqua moufles tricotées main contre pain polonais. Plus tard, l'ensemble du village fut invité à un mariage en Afrique du Sud après qu'un enfant d'ici et un enfant de là-bas eurent décidé de convoler en justes noces. Depuis, les fenêtres de chaque salon arboraient des souvenirs sud-africains.

Un homme était surnommé « le Russe » parce que sa femme l'était. Une Islandaise et une Thaïlandaise échangeaient des cours : l'Islandaise apprenait le thaïlandais et la Thaïlandaise la comptabilité jusqu'à ce que toutes deux soient devenues des expertes-comptables aux connaissances linguistiques exceptionnelles. A l'usine, les hommes débattaient pacifiquement des religions du monde devant leur assiette de haddock mariné à la graisse de mouton, avalant leurs conclusions avec une gorgée de café. Deux Lapons avaient ouvert une discothèque clandestine ; on y dansait dans un sous-sol enfumé jusqu'à tituber dans l'aube qui lavait de tout péché. On y trouvait ceux qui se battaient pour aller à la douche avec l'Espagnol(e) de la cabane de pêcheurs baptisée Australie – on racontait qu'il/elle était hermaphrodite. C'était en tout cas une personne bien qui, un jour à l'usine, avait prêté ses gants à Eyja afin que ses doigts ne collent pas aux morceaux de poisson congelé.

Cette Mecque internationale avait ainsi bourgeonné jusqu'à ce que nature et politique unissent leurs forces pour anéantir le village, à l'instar de toutes les cultures et sociétés qui ont grandi, prospéré avant de s'effondrer le moment venu. Ils finissent toujours par arriver, les temps nouveaux.

Quinze années s'écoulent. Les premières, on perçoit quelques lueurs d'espoir. Malgré tout. Le village dispose d'un quota de pêche, et un radar de longue portée pour la détection des avalanches est installé sur les bâtiments. Le patelin et les bourgs environnants sont regroupés afin d'optimiser les ressources et l'on promet aux habitants que tout sera plus moderne, mieux qu'avant. Un instant, on oublie que le village est en train de perdre son identité dans cette histoire, comme un jeune homme confus qui s'avance vers un mariage de convenance.

La population s'échappe, s'écoule par le nouveau tunnel creusé dans la montagne, s'infiltre dans les villages voisins avant de partir vers de nouvelles terres. Et l'atmosphère suit le même chemin. Mais, ici, on a une autorisation de pêche, ça devrait s'arranger – avec un peu de chance. Les années passent, les villageois continuent d'espérer. Ne sommes-nous pas en deux mille et des poussières ? En plein essor, bien qu'on n'en ait pas encore vu la couleur ici dans l'Ouest ?

Finalement, l'autorisation de pêche est vendue.

Tandis que s'égrène la première décennie du nouveau siècle, quelques familles d'origine polonaise s'obstinent à faire vivre le bourg, elles se présentent au travail à l'usine de poisson, qui tient à la seule force du poignet. Quelques âmes demeurent également au village, des âmes nées ici, qui ne souhaitent aller nulle part ailleurs bien que les maisons voisines se remplissent de graines d'artiste à la recherche de vacances bon marché, criant sur les toits de Reykjavík que la vie à la campagne, c'est de la balle, pendant que des entrepreneurs téméraires mènent une bataille contre le temps – jetés dans un combat perdu d'avance, luttant pour maintenir l'usine en marche, avec l'espoir de louer des autorisations de pêche ou de se voir allouer un quota supplémentaire.

Un jour, il s'agit d'affréter des avions russes pour refiler du poisson en Afrique du Sud ; le lendemain, on invite des Catalans affables au bout du bout du monde pour un barbecue, un doigt de cognac et quelques havanes de première fraîcheur : on parle affaires dans la clarté nocturne, près d'un feu de camp qui crépite et s'essouffle, comme l'espoir des hommes assommés par une gueule de bois carabinée à leur réveil. Depuis fort longtemps déjà l'avalanche a balayé l'innocence.

Et enfin, les cigares sont consumés.

Le lupin grimpe le long de la barrière de sécurité qui jalonne le flanc de la montagne. Des pêcheurs à la ligne allemands s'en vont ramer en quête de leur quota quotidien au lever du soleil – du haddock qu'ils feront griller le soir même. Une femme originaire de Reykjavík reprend la vieille librairie et cède ses bouquins au poids. Quelqu'un a l'idée de vendre des biscuits à l'orge bio au bar. La morgeline envahit un immeuble de bureaux abandonné qui, à l'époque, était le cœur de la bourgade et désormais se délite, les fenêtres barrées de planches. Les temps modernes étendent leurs racines ; la première décennie du nouveau millénaire passe en un tournemain.

Ils avaient beau essayer, les entrepreneurs ne pouvaient assurer la prospérité comme avant – l'été précédant l'avalanche.

Mais demain sera un jour nouveau. Et qui dit jour nouveau, dit nouveaux fantasmes.

Qu'est-ce qu'une bataille dans une longue guerre ?

Le Coup de Vent n'a jamais eu l'idée de croire au lendemain. Pas dans ce village, encore moins avec ses habitants.

Tandis que la bourgade prospérait, lui maudissait les rois des quotas, déterminé à renverser le capitalisme qui dirigeait ces putains de chariots élévateurs déambulant dans la lumière artificielle des quais comme autant de guêpes errantes dans le jour déclinant de la fin septembre.

Le Coup de Vent ne percevait que l'obscurité. Qu'attendre d'autre ? Il ne voyait jamais le soleil, vu qu'il se réveillait avant 5 heures du matin pour aller travailler et n'en revenait que longtemps après le crépuscule – s'il avait de la chance, le jour bleuté venait lui caresser le crâne lorsqu'il se rendait à la cafétéria à midi, mais il faisait déjà noir au moment du café. Ainsi passait la majeure partie de l'hiver – c'était tout de même mieux que partir en mer, il avait eu sa dose de cet enfer.

Le rayon de soleil qui réchauffait le Coup de Vent au plus fort de l'hiver, c'étaient les verres qu'il mettait sur son compte au bar. Puis on avait fermé ledit compte. Lorsque Eyja emménagea avec lui, elle parvint à en ouvrir un nouveau, et ajouta un quatrième job à son emploi du temps : elle grillait des hamburgers et servait des bières pour effacer leur ardoise.

Dieu la bénisse, bien que ce ne soit pas le genre du Coup de Vent, plutôt païen.

Comme il l'avait rappelé à Eyja lors de leur mariage.

Elle s'en souvient, alors qu'elle repense à lui, dans un tout autre monde, une dizaine d'années plus tard.

Le Coup de Vent se battait contre les maîtres des ténèbres – ainsi les qualifiait-il : le ciel dominant les fjords et les rois de l'usine de congélation. Il était tellement de gauche que ses opinions ne s'accordaient à aucune force politique moderne en Islande. Cette nation d'ignorants avait depuis longtemps cessé de le surprendre ; en revanche, il ne comprenait pas comment l'éminent pays qu'était la République tchèque avait pu décider de démonter toutes les statues de Lénine, et ne s'en cacha pas lorsqu'ils s'immiscèrent dans un voyage du Parti socialiste à Prague. Des conditions spéciales étaient réservées aux militants, aussi s'était-il laissé convaincre par les supplications d'Eyja et avait rejoint les rangs du parti plutôt que de se complaire dans un différend insignifiant lié à une affaire prétendument de la plus haute importance.

Là-bas, assis dans un bus, ils écoutèrent une Tchèque parler en islandais de la toute nouvelle économie de marché avec un enthousiasme qui mit les voyageurs à rude épreuve – comment une statue de Lénine irait-elle faire de l'ombre à l'enseigne de McDonald's ? Le Coup de Vent se gratta la tête, visiblement indigné, et murmura à Eyja que leur très chère guide touristique ferait bien de se renseigner sur le putain de conservatisme rural qui touchait leur iceberg national avant de chanter ses louanges de sa voix de casserole.

Le lendemain, il éprouva un choc immense face aux effets de l'hégémonie américaine sur la capitale du romantisme, et ses lamentations ne cessèrent que lorsqu'ils trouvèrent un train pour la ville ouvrière de Pilsen, où l'on pouvait visiter une brasserie mondialement connue, et qu'il alla débusquer les vieux communistes sous les voûtes de bars souterrains.

Il éclata de rire lorsqu'elle protesta. Evidemment, elle préférait errer dans le château, là-haut sur la colline, avec vue sur les maisons de poupées praguoises – on n'était pas tous les jours dans un conte de fées. Et puis finalement, elle se laissa convaincre de rejoindre son conte à lui. Le Coup de Vent était après tout un vrai héros de roman. Or, elle voulait vivre comme dans un roman. Quand bien même son protagoniste faisait tout, dès la première bière du matin, pour ressembler à Don Quichotte, à l'Ignatius de *La Conjuration des imbéciles* ou à Steinthor, le pêcheur ivrogne de *Salka Valka*.

Dans le bus de retour vers Prague, elle s'endormit, tout juste fiancée, sur l'épaule d'un militaire, et se réveilla en sursaut, la joue humide de la salive qui avait coulé sur l'uniforme. Le soldat, confit de politesse, ne cilla même pas, tandis que le Coup de Vent ronronnait sur le siège d'en face. Il rayonnait de bonheur, pour la première et unique fois, alors que le bus traversait des alignements d'arbres et que le soleil dessinait un motif sur son visage rabougri, un buisson dans un théâtre d'ombres.

Comme le spectacle auquel ils avaient assisté dans une rue de la ville ouvrière, la veille au soir. Sur scène, Chaplin dansait avec Cendrillon ; les poupées étaient belles à leur manière grossière, et le marionnettiste si

71

virtuose qu'elle avait lancé quelques pièces dans son chapeau et fermé les yeux sur les soupirs agacés de son
fiancé – quel gâchis d'aller ainsi jeter de l'argent aux
mendiants, savait-elle combien de bières on pouvait
s'offrir ici contre cette mitraille ? Serait-elle en train de
draguer cet abruti avec ses fanfreluches ?

Elle entend les deux femmes essorer les chiffons. Rúna
murmure quelque chose à sa mère. Eyja interrompt soudain ses coups de brosse à dents et prête l'oreille. Les
mots des prêtresses du destin sont inintelligibles tandis
que celles-ci jouent avec son avenir. Y a-t-il des choses
qu'elle n'a pas le droit d'entendre ?
... trahissait tout le monde, cet homme. On ne pouvait
croire un traître mot de ce qu'il racontait. Elle l'avait
appris de ses proches, elle avait passé quelques coups de
fil et rien-de-ce-qu'ils-avaient-pu-dire-ne-l'avait-surprise
– et pourtant. Eyja ne devait pas retourner avec lui.
Un bon à rien.
Un indigent.
Plus mordant qu'un vent du nord, d'une froideur à
vous glacer les sangs.
A tous.
Tout le temps.
Bien sûr, elles comprenaient, il avait vécu toutes ces
horreurs. Il avait eu une vie, comme tout le monde. Il
n'était pas foncièrement mauvais, de ce point de vue, et
sans doute même aussi doux qu'un agneau, installé à la
table de la cuisine. Mais il n'avait pas le droit de s'approcher de la pauvre petite. Plus jamais. Elle s'en porterait
garant, Rúna Sigurgrímsdóttir – quoi qu'il lui en coûte.

# Bavardages au bercail

Il y a un produit qui ne soit pas périmé depuis plus d'un mois, dans ce frigo ? demande la Reine du Ski en soupirant si fort qu'Eyja se fait toute petite. Si seulement elles pouvaient partir maintenant et... et oublier tout ça. Elle ne répondra pas, peu importe que le fromage soit moisi. Elle doit écrire. Elle ravale ces pensées. Elles en riraient, ça ne fait aucun doute. Ces deux-là, gonflées à bloc des qualités qui font la femme ! L'intuition terriblement aiguë et la riche expérience de mère célibataire. Bien sûr que les deux FEMMES la railleraient si elles tombaient sur son carnet de notes ; elle est à deux doigts d'aller le brûler alors qu'elles réapparaissent.

Elles ont passé deux heures à récurer la salle de bains mais sont encore loin du compte. L'envie d'un café se fait sentir. Elles versent de l'eau dans la bouilloire, qu'on transférera dans la cafetière bleu clair tachée de rouille, puis toussent après avoir reniflé le lait aux allures de fromage blanc. Bientôt, l'eau frémit.

Le sifflement de la bouilloire rappelle à Eyja le Coup de Vent et, soudain, elle se souvient qu'elle doit encore lui faire comprendre que son épouse part à l'étranger, pour de vrai. Il semblait croire qu'elle plaisantait, hier soir. Pas d'humeur téméraire, elle s'en était contentée.

Les deux femmes vont et viennent entre les différentes pièces mais semblent lire les pensées qui l'étreignent de l'autre côté du mur, car, à présent, Rúna demande d'une voix perçante : Elle lui a annoncé, à son gaillard, qu'elle comptait partir ?

Je pense que oui, répond Maman. Enfin, qu'en sais-je ? Tu ne crois pas ?

Je ne fais que demander ! dit Rúna, et Eyja sent ses entrailles se resserrer.

Je pense que c'est le cas, réplique Maman avec peu d'assurance.

Ça ne coûte rien de lui poser la question, non ? propose Rúna avant de rappeler à son interlocutrice qu'il est encore possible qu'Eyja change d'avis si le Coup de Vent la supplie de manière assez convaincante.

Tu crois ? souffle Maman.

Je ne crois rien, je veux juste savoir, marmonne Rúna avant de se taire. Puis, elle reprend la parole : A qui sont tous ces flacons de pilules ?

A lui, pardi.

Comment le sais-tu ?

Il passe son temps à vider les placards des salles de bains, où qu'il se trouve.

Silence.

Elles s'esclaffent. L'une a un rire rauque et aspiré, l'autre celui d'une petite fille, grave, presque plaintif.

Eyja se roule en boule tandis que les deux femmes se délectent dans leur sagesse existentielle. Elle enfonce sa brosse à dents à l'intérieur du radiateur, frotte la poussière qui tourbillonne sous son nez. Elles auraient dû goûter les sandwiches du Coup de Vent, au pain blanc, au bleu et à la saucisse fumée, ceux qu'il préparait lorsque les deux amoureux cocoonaient et qu'il lui racontait ceci ou cela au sujet de la Seconde Guerre mondiale, de Beethoven, du caractère noble du chat, du peintre Alfred Flóki Nielsen ou du plaisir qu'il avait pris à parcourir à une époque la campagne turque – un périple à réitérer quand leurs finances le leur permettraient.

Parfois, ils causaient de l'impossibilité de faire son devoir en mer et de garder le cap sur ses factures à terre alors que la vie n'était qu'un tourbillon infernal sans fin – Dieu sait s'il en avait fait l'expérience ; il était à présent conscient que la seule valeur de l'existence résidait dans ces moments de paix, assis à dessiner, de la bonne musique dans les oreilles – ou bien à gribouiller quelques mots dans son carnet, tout comme elle – et Eyja opinait du chef, oui, comme elle le comprenait ! Et combien les Islandais étaient stupides de ne pas apporter leur soutien aux Palestiniens en détresse, surtout après qu'elle eut vu les coupures de journaux exhibant des corps d'enfants mutilés que lui avait montrées le Coup de Vent qui se lamentait, après avoir versé du schnaps dans la bière sans alcool[1] qui accompagnait leurs sandwiches au pain blanc, que l'on puisse faire du mal à des êtres si jeunes.

La boisson ouvrait tant l'appétit qu'il lui préparait un deuxième sandwich et tirait un KitKat de la poche de son manteau – peu importait au Coup de Vent qu'elle soit grosse ou mince. Il la respectait, son Eyja, et s'adressait à elle comme à une adulte lorsqu'il lui racontait l'absurdité de la société. C'était autre chose lorsqu'il vivait en Suède, quelques années auparavant. Il bossait dans une brasserie pourvue d'un gymnase. Un salaire

---

1. La bière au degré d'alcool supérieur à 2,25 a été interdite en Islande jusqu'en 1989. Les Islandais avaient pris l'habitude de verser du *brennivín*, eau-de-vie nationale à base de pommes de terre, dans leur bière dite « sans alcool ».

décent, un appartement bon marché et tous les droits des travailleurs, bon sang ! Il n'aurait jamais dû quitter la Suède ; là-bas, les gens savaient vivre – c'est ce qu'il affirmait, avec une telle sincérité qu'elle avait du mal à croire ses paroles de la veille au soir, lorsqu'il avait craché que la Suède était aussi aigre qu'un vagin mycosé.

Evidemment, il n'était pas sérieux – ça se comprenait, il la savait sur le départ, songe Eyja en se levant d'un bond alors que Rúna se penche soudainement sur elle et menace de partir si leur hôtesse ne file pas leur chercher du lait pour le café.

Elle se précipite dehors.

## La Fille aux yeux d'oiseau marin

Salut !

Elle sursaute. S'empresse de sourire. Salut !

Elles échangent un regard, luttent contre l'envie de baisser les yeux. Impossible quand on se croise ainsi, au fond de l'épicerie du coin. On ne peut pas dire qu'elle soit du coin pour la Fille aux yeux d'oiseau marin – elle qui habite dans la partie bourgeoise du quartier. L'épicerie est plus près de chez Eyja, en face de la maison de retraite. Elle aurait eu plus vite fait d'aller à la boulangerie boulevard Hringbraut, mais elle avait envie de marcher un peu avant d'acheter du lait, envie d'un peu de paix pour se perdre dans ses pensées. Espoir finalement parti en fumée.

Quoi de neuf ? demande la Fille d'une voix épouvantablement légère, l'observant de ses yeux attentifs, bleu océan comme ceux d'un oiseau marin. Elle est bleue de part en part. Toujours au volant de sa Saab bleue, assortie à ses Dr Martens bleues, à son pull en laine islandaise bleu ciel et à sa robe bleu marine décorée de fleurs blanches en bouton ; la robe est tendue sur ses épaules carrées. Une crinière lumineuse cascade sur ses yeux et une mèche pend sur son nez retroussé. Les lèvres aussi sont imperceptiblement ourlées. Les dents se chevauchent d'une étrange manière quand elle sourit jusqu'aux oreilles. Eyja la connaît assez bien pour savoir que c'est lorsqu'elle est furieuse qu'elle a l'air le plus heureuse.

Est-ce une bonne idée de lui annoncer qu'elle part en Suède ? Cela la mettrait certainement en joie. Mais dans quel but ? Pourquoi faire plaisir à qui n'a pas donné de ses nouvelles depuis des mois ? Pas depuis qu'elle l'a emmenée sous un mauvais prétexte dans l'appartement que sa famille loue en ville.

Leur véritable domicile se trouve au village, Eyja en a souvent fait son repaire. Elle y était allée pour la dernière fois après s'être lassée des fêtards invétérés du dépôt de l'Entretien des Routes, une collection de parallélépipèdes verts aux cloisons minces où, de manière surprenante, elle s'était longtemps plu, avec les autres travailleurs itinérants apparus après l'avalanche – elle s'était assez vite rendu compte que les fêtards sont de meilleure compagnie que les personnes en deuil. Mais quelques jours avaient suffi pour qu'elle fuie de nouveau la tristesse plâtreuse qui étreignait chaque pièce de la maison, comme un boa constricteur en pleine digestion. Elle était alors retournée au dépôt poisseux et froid, et de là dans les bras du Coup de Vent.

C'est à ce moment que la Fille aux yeux d'oiseau marin s'était mise en colère.

Bien sûr, Eyja avait souri, elle s'était même esclaffée. Un rire si éclatant qu'elle en était essoufflée une fois arrivée aux rochers qui bordaient le rivage – c'était peu de temps après que le Coup de Vent et elle se furent mis ensemble. Une bourrasque leur avait soufflé au visage lorsque la Fille avait relevé le col de sa veste pour allumer sa cigarette et avait dit : Je ne comprends pas que tu préfères vivre avec lui plutôt qu'avec nous.

Non, balbutia Eyja en baissant les yeux. Une question lui brûlait les lèvres : Pourquoi te mêles-tu de ça, toi l'étudiante de la capitale qui ne me parles plus depuis une éternité ? Mais elle ne la posa pas, et n'apprit pas que son amie ne désirait rien de plus que quitter cette foutue faculté et revenir vivre dans l'Ouest.

D'abord, tu as préféré repartir dans cet horrible dépôt de l'Entretien des Routes avec tous ces timbrés plutôt que rester chez nous. Et ensuite, aller chez cet homme ! dit la Fille, tout sourire, puis elle aspira une longue bouffée de cigarette avant de tourner les talons et de s'enfuir d'un pas lourd.

Eyja savait quel regard son amie portait sur le Coup de Vent et, inversement, elle savait le regard que portait le Coup de Vent sur la Fille et son père : le politicard, investisseur de l'usine de poisson qui avait élu domicile sur la colline dominant le village, avec vue sur le cordon littoral. Les copains des fjords de l'Ouest d'Eyja se complaisaient dans un monde où communistes et conservateurs se cramponnaient à leurs noms. Peu importait ce qui se passait sur le reste du globe en ces années quatre-vingt-dix.

Salka Valka s'épanouissait dans le vieux monde, elle venait de quitter le marchand pour Steinthor, car lorsque l'existence devient trop réelle pour être supportable, la seule issue est de vivre comme dans un roman.

Elles s'étaient à peine revues depuis. Parfois, elle entendait dire que la Fille était de passage dans l'Ouest – Eyja évitait alors soigneusement la grand-rue. Car c'était son village à elle.

La Fille avait tout perdu – pas ses plus proches parents, mais son monde – et que faisait Eyja ? Elle se mettait en ménage avec un coco qui détestait son père. Le Coup de Vent ne s'en cachait pas quand il titubait ivre mort dans les rues, serrant le poing et gueulant vers

la maison qui trônait sur la colline : Sales merdeux !
Négriers ! Voleurs !

Le Coup de Vent se moquait d'Eyja pour avoir vécu
chez l'homme qu'il surnommait le Négrier – quand la
plupart des gens l'appelaient le Sauveur de la nation, lui
qui avait su amener les différentes classes de travailleurs
à un compromis et à l'union. Les plus convaincus main-
tenaient qu'il avait empêché la banqueroute nationale.
Mais personne n'était devin. Les villageois étaient loin de
s'imaginer la tragédie financière qui s'abattrait sur le
pays la décennie suivante.

Le Sauveur était un homme râblé et vigoureux, souvent vêtu d'un imperméable de couleur claire flottant au
vent, tête nue sauf les mauvais jours où il se coiffait
d'une chapka. Il souriait toujours d'un air ironique, sa
large bouche collant comme du caramel mou à l'esprit
de ses interlocuteurs. Il riait, bavardait et jamais ne cessait de cogiter.

Il avait les mêmes yeux d'oiseau marin que sa fille, les
mêmes épaules de pêcheur, qui paraissaient avoir ramé
un siècle durant. Le cou s'enfonçait entre ses omoplates
de sorte que sa coupe de gamin ressortait du col de sa
chemise. Des cheveux gris souris. L'œil aviaire aussi vif
que lorsque la bête ailée aperçoit un poisson dans les
eaux du fjord.

Le soir, le Sauveur s'asseyait, téléphone en main,
manches de chemise retroussées, verre de whisky à portée, cigarette aux lèvres, et il dictait la marche à suivre
aux journalistes, au Premier ministre et aux dirigeants du
Parti de l'indépendance.

Sa voix claquait. Un ton déterminé et posé. Puis le
silence. Il pensait. Il calculait le taux de change et ses
possibles dévaluations sur cinq doigts. Massait son

alliance. Allumait une nouvelle cigarette. Et abattait une nouvelle carte.

Quand il arrivait quelque chose d'important, il s'envolait pour le Sud. Si le vol était annulé, il mettait sa chapka, appelait le seul pilote capable de décoller dans les plus folles tempêtes et le payait grassement pour qu'il se faufile entre les bourrasques – aller et retour, même si cela signifiait devoir mentir aux contrôleurs aériens, tandis que le pilote expliquait qu'il y avait toujours une brèche, un peu comme pour l'économie nationale ; le Sauveur acquiesçait, capable de lire les aléas de la finance et du climat ; il s'agrippait alors à sa chapka et le pilote tirait sur le manche à balai jusqu'à ce que l'engin frôle les vagues et s'enfonce dans la brèche du fjord avant de disparaître des écrans du radar, devant les contrôleurs aériens qui se grattaient la tête.

De retour à la maison, avant de s'endormir devant le téléviseur, il partageait une plaisanterie que le pilote lui avait racontée. La famille n'entendait parler de la mission qu'une fois la radio allumée au petit matin.

L'été, il était aisé de filer à une conférence à Reykjavík et de revenir pour le dîner, dans la maison sur la colline où le soleil, frappant de ses rayons les baies vitrées, inondait les murs de lumière.

Alors, les copines se blottissaient l'une contre l'autre sur le canapé à fleurs et buvaient leurs bières à la bouteille, bien décidées à aller dépenser leur salaire hebdomadaire au bar avant de finir en *after* dans le fjord voisin. Elles dînaient avec la famille, du saumon grillé, faisaient trempette dans le fjord et un de ces soirs d'été, avaient hurlé en heurtant sur la plage le cadavre d'une vache, tombée d'un rocher.

C'était avant que la Fille aux yeux d'oiseau marin ne se mette en colère.

Une colère insondable – son sourire n'avait jamais été aussi large.

Jusqu'à maintenant.

Eyja baisse les yeux face à ce sourire. Son regard erre dans la boutique qui rappelle la coopérative de l'Ouest. Elle sait pourquoi la Fille se rend ici. Mais elle, qu'est-ce qu'elle fait là ? Dans la juridiction de la Fille, qui la déteste de s'être comportée comme une poule sans tête après l'avalanche.

Pourquoi n'était-elle pas allée la réconforter ?

La Fille attend ce réconfort, elle qui n'en a jamais donné. Adolescente, elle s'était fait engager comme cuisinière sur un chalutier, affirmant mot pour mot que chier dans un seau sur une barque ne lui faisait pas peur ; elle s'était révélée si mauvaise que les marins l'avaient envoyée sur le pont et avaient préféré mettre un garçon pâle aux fourneaux. La Fille s'épanouit sur le pont et devint un membre établi de l'équipage, chaque fois qu'elle était en vacances, jusqu'à ce qu'elle décroche son diplôme d'histoire à l'université.

Un sacré bout de femme. Qui connaissait les fjords comme sa poche, roulait sur leurs chemins tortueux à demi endormie et deux fois plus vite que quiconque. Ses mains, étonnamment courtaudes pour une virtuose du piano, tapant le rythme sur le volant. On ne console pas les gens de cette trempe. Ils se consolent eux-mêmes sur le bord d'un chemin montagneux ou seuls, la nuit tombée, devant leur instrument.

Sauf cette fois :

Elle lui demanda de venir. Et Eyja obtempéra, une boule de la taille d'une baleine au ventre. Elle se présenta à l'appartement du quartier Ouest et sonna, contrairement à l'habitude. Depuis qu'elles se connaissaient, elles avaient toujours déboulé comme des chiens fous dans leurs domiciles respectifs. Après le divorce numéro 2, l'amie n'avait pas hésité une seconde et s'était installée chez la mère d'Eyja. Elle avait empêché Maman de perdre la raison : Tout brillait comme dans une pub Ajax, l'air fleurait bon le linge repassé et le café fraîchement moulu quand je rentrais le soir ; je crois bien que je serais morte si elle n'était pas venue vivre ici, dit Maman régulièrement, d'un ton légèrement accusateur, car où était Eyja ? Oui, où se trouve-t-elle quand les mamans et les amies ont besoin de réconfort ?

Enfin arrivée.
Dans le vestibule, la Fille aux yeux d'oiseau marin la prit dans ses bras. Elle ne dit rien. Elle la maintint serrée contre elle jusqu'à ce qu'elle ait du mal à respirer. Alors, elle lui demanda de la suivre. Elles se dirigèrent vers sa chambre de jeune fille : un grand lit, un bureau et une étagère avec quelques livres mais surtout une collection de vieilles poupées vêtues du costume national islandais. Elles s'assirent sur le lit, comme un jeune couple en plein flirt jusqu'à ce que la Fille se roule en boule sur le matelas et dise à Eyja de s'allonger à côté d'elle sur la parure rose. Mets ton bras autour de moi ! ordonna-t-elle. Elle voulait qu'elles se réconfortent l'une l'autre. Elle avait quelque chose à dire.
Rongée de culpabilité, Eyja obéit à chaque injonction. Elle se serra contre elle, prête à écouter. Elle sentit son souffle court, comme si la Fille était sur le point d'éclater en sanglots. Entendit un murmure : Quitte-le !
Eyja sursauta. Elle se redressa et soupira.
Je ne peux pas.
Si, chuchota la Fille. Fais-le pour moi !
Eyja se leva d'un bond et observa son amie. Pensait-elle vraiment qu'elle quitterait son mari juste pour lui

faire plaisir ? Pour qui se prenait-elle ? La princesse du village ? Finalement, le Coup de Vent avait peut-être eu raison, elle n'était qu'une peste pourrie gâtée.

Tu ne comprends donc pas que ça m'est impossible ? cracha Eyja.

Pourquoi ?

Tu ne comprends rien.

Toi non plus.

Elles se regardèrent, l'air mauvais, échouées, sans la moindre lumière à l'horizon. Que dire après ça ? L'autre rompit le silence : Tu le quitteras. Un jour ou l'autre.

Je ne peux pas, répéta Eyja – elle entendit sa voix se briser.

Pourquoi ? Dis-moi ! Pourquoi ?

Il...

Oui.

Il m'apporte toujours une tasse de café au lit le matin.

Tu plaisantes ?

Non. Je veux dire, quand il est à la maison. Il m'apporte du café quand il est à la maison. Tu ne comprends pas ? Je ne peux pas le laisser seul, il ne lui restera plus rien.

La Fille se précipita dans un coin comme une enfant. Elle enfonça son visage dans un oreiller et pleura de colère. Mais Eyja ne pouvait la réconforter.

Elle partit.


A présent, elles se tiennent là comme si Dieu montait une tragédie grecque avec des poupées Barbie. L'une achète du fromage en tranches. L'autre du lait et une douceur pour accompagner le café. Le marchand les regarde, un sourire aux lèvres. C'est un homme aux traits délicats, au bec d'oiseau et à la voix puissante ; il a les mains dans les poches de sa blouse bleue. Ces demoiselles m'autoriseraient-elles à leur offrir une *flatkaka*[1] au lichen d'Islande ? Un vrai petit morceau de paradis, si je puis me permettre.

Eyja attrape une bouchée.

Avec plaisir.

Avec plaisir, répète la Fille aux yeux d'oiseau marin et son sourire se mue en une grimace ironique. Elles mâchonnent le pain sec au goût douceâtre. Elles le trouvent effectivement délicieux. Oui, elles en achètent volontiers un paquet. Puis, elles se dirigent d'un commun accord sans mot dire vers le domicile d'Eyja.

Maman embrasse la Fille comme s'il s'agissait de son enfant prodigue. Elle refuse toute emphase poétique dans sa vie, aussi s'abstient-elle de l'appeler la Fille aux yeux d'oiseau marin. Non, elle la serre contre elle et l'entraîne jusque sous le nez de Rúna avec les mots suivants : C'est notre chère Bimba !

Bimba ! siffle Rúna.

Oui, la fille du Sauveur. Elle m'a elle-même sauvé la vie après ma séparation d'avec l'autre, tu sais, l'Allemand.

Eyja lève les yeux au ciel. Et c'est reparti pour un tour ! Encore à nous bassiner sur la façon dont trèschère-Bimba a protégé sa mère d'une mort-presquecertaine à coups d'Ajax.

Rúna est enchantée de rencontrer une autre hyperactive des fjords de l'Ouest ; elles se sont à peine regardées que, déjà, elles échangent des nouvelles de Jón et de Gunna de ce fjord-ci, de ce fjord-là – des connaissances communes. Bientôt, la Bimba adorée de Maman se poste à l'évier de la cuisine. La brosse à récurer mousse tandis

---

1. Petit pain plat au seigle.

qu'elle s'attaque à la vaisselle biologique, caquetant face à la repartie de Rúna qui se laisse gagner par son rire – toutes deux ont le même rire aspiré. Bimba est égale à elle-même et ne peut avoir à sa portée des produits nettoyants sans se lancer dans un décrassage intensif.

Rúna et elle se moquent d'Eyja, cette indécrottable mollassonne, pauvre chérie ! Elles soufflent la fumée de leurs cigarettes dans le nuage toxique de détergent, exultant de s'être trouvées au point d'en avoir perdu l'appétit pour le café et les gâteaux, aussi Maman se propose-t-elle de filer chez le marchand de vin acheter de quoi se rafraîchir.

Il faudra bien ça pour éliminer les microbes ! lance Rúna dans un éclat de rire avant d'être prise d'une joyeuse quinte de toux. La Fille aux yeux d'oiseau marin est tellement enthousiasmée par l'idée du chalet en Suède qu'elle ne sourit pas un seul instant.


Les deux amies partagèrent leur ultime moment de sérénité le soir où elles allèrent voir Bruce Willis à la dernière séance et rentrèrent au volant de la Saab sous de lourds flocons. Elles parlaient de garçons et de rêves lointains de grands voyages – jusqu'à ce qu'Eyja soupire : Bon sang, j'aimerais être n'importe où plutôt qu'ici, sous cette neige.

Tu appelles ça de la neige ? avait dit la Fille aux yeux d'oiseau marin.

C'est quoi, dans ce cas ?

Rien. Tu devrais voir la neige de l'Ouest à l'heure qu'il est.

Eyja se retint de répondre ; elle n'avait pas envie de se chamailler avec son amie qui ne démordait jamais du fait que tout était plus gros, plus grand et meilleur dans l'Ouest. L'instant présent, c'était cette neige – elle devait la faire sienne, comme si jamais un Islandais n'en avait vu, comme si jamais un Islandais ne pouvait la faire sienne.

Eyja ferma les paupières et s'appuya contre la fenêtre glaciale. L'autre augmenta le volume des Pogues. Elle fredonna, tapa en rythme contre le volant, appuya sur le champignon. La nuit du lendemain, ou du surlendemain, peut-être même trois nuits plus tard – Eyja ne s'en souvenait pas exactement –, la neige avait tout emporté.

# Jusqu'à la veille

Elles étaient allées au cinéma puis, d'un coup, elles se trouvaient là, dans la maison d'inconnus, entourées de gens qui pleuraient de toutes leurs larmes, hoquetant ou en silence ; certains regardaient droit devant, inertes. Le hasard avait sauvé quelques femmes et enfants partis pour le week-end et qui rejoignaient à présent les rangs des villageois alors au sud, à l'école ou en voyage : les uns pour assister à un enterrement, les autres pour un cours à la Croix-Rouge – sinon, la liste énoncée par le prêtre aurait été encore plus longue.

Elle l'était déjà. L'homme d'Eglise prenait régulièrement place devant son auditoire et récitait les noms de ceux qu'on avait exhumés et qui n'avaient pas survécu à la neige.

Des mères hurlaient.

Puis, elles serraient les lèvres et prenaient dans leurs bras les enfants qui les avaient accompagnées en week-end, loin d'ici. Eyja observait l'assemblée, apathique ; les circonstances avalaient chacun – elle ne se souviendrait de personne ; elle ne se souviendrait pas de la femme qui, assise tête baissée sur une chaise d'école, avait le regard dans le vague, ni de l'enfant qui interrogeait sans relâche sa mère aux yeux baignés de larmes au sujet de son père et de ses frères et sœurs ; elle ne se rappellerait que sa propre inertie au cœur de la tragédie.

L'instant était si irréel, que faisait-elle en ce lieu ? Elle ne savait pas comment se sentir, quelle émotion accueillir dans la salle d'attente de la mort. Là-bas, il y avait un téléviseur, comme dans un café des sports de cauchemar, et cycliquement un silence électrique s'abattait tandis qu'apparaissaient les dernières nouvelles à l'écran – pas les résultats d'un match mais ceux d'un combat entre la vie et la mort : quels enfants avaient été emportés, quels enfants avaient été retrouvés et montraient un faible signe de vie.

Entre deux, les présentateurs racontaient impassibles la folle tempête, les gens ne distinguaient plus leurs propres mains dans l'épaisseur des flocons déchaînés, trop affairés à déblayer pour craindre le danger d'une seconde avalanche, et la mer violente empêchait les équipes de sauvetage d'amarrer.

Le chagrin réduisit le téléviseur au silence. Des sanglots inconsolables.

Eyja avait une conscience inhabituelle de son visage. Quelle expression y mettre face à cette horreur sans nom ? songeait-elle, inquiète à l'idée de blesser davantage les uns ou les autres en élevant trop la voix ou en arquant les sourcils, honteuse d'être ici alors qu'elle n'attendait aucune nouvelle de ses proches – mais elle ne pouvait décider aucun mouvement. Elle aidait les volontaires de la Croix-Rouge à placer des thermos d'eau chaude, des sachets de thé et du café sur la table – cela paraissait si étrange de s'occuper de telles trivialités, mais il fallait bien continuer à vivre, il n'y avait pas le choix. Les bénévoles rappelaient aux gens d'avaler une gorgée, de remuer le sucre dans le thé, afin de gagner un peu d'énergie, de s'enrouler dans une couverture.

Eyja perdit son amie de vue, mais la retrouva un instant plus tard, pétrifiée dans les toilettes. Elle avait du mal à respirer. Eyja appela à l'aide. De plus en plus fort jusqu'à ce qu'une femme au visage serein portant le sigle de la Croix-Rouge apparaisse, prenne la main de la Fille et s'éloigne avec elle.

Eyja n'avait rien à faire ici. Elle n'était bonne qu'à boire le café de ces gens qui avaient tout perdu. Elle demandait çà et là : Voulez-vous un peu de lait ? ou bien : Je vous apporte une tasse de thé ? Elle prenait dans ses bras des personnes quasi inconnues et suivait du regard son amie qui faisait de même, sauf qu'elle les connaissait toutes.

Eyja osait à peine lui parler mais s'entêtait à être de cette tragédie, car la Fille aux yeux d'oiseau marin était sa meilleure amie. Désormais, elles se tenaient chacune au bord de sa falaise tandis qu'une force redoutable et impitoyable les séparait.

Elle aurait beau essayer, jamais elle ne pourrait se mettre à sa place. A une époque, elles avaient partagé la même réalité. Jusqu'à la veille. Epoque révolue. Face à sa meilleure amie elle ne savait plus quoi faire ni dire. Eyja n'avait pas de rôle dans cette tragédie-là.

Au milieu d'âmes endeuillées, on n'est plus rien.

# Le quinzième jour

Deux semaines passèrent.

Chaque matin, elle se réveillait vide. Elle tentait de consoler son amie mais se remplissait de néant lorsque la Fille lui souriait, distante, et se retournait vers ceux qui avaient tout perdu. Un néant si pesant qu'Eyja finit par fuir son cagibi de la capitale pour se rendre chez Maman. Et Maman la prit dans ses bras et lui dit ma chérie mais ne comprit pas son enfant plus qu'Eyja ne comprenait la Fille aux yeux d'oiseau marin.

Maman et son conjoint décapsulèrent quelques bières à la table de la cuisine et s'accordèrent à affirmer qu'il s'agissait d'une horreur sans nom tandis qu'Eyja vomissait son dîner avant d'avaler un des somnifères de sa mère, bien qu'elle ne soit pas du village et que ce soit foutrement déplacé de sa part de se montrer ainsi... oui, ainsi, il n'existait aucun terme pour dire cet état.

Le seul moyen de boucher ce néant était de monter sur scène et de se trouver un rôle. Elle embarqua à bord d'un avion pour l'Ouest le quinzième jour. Elle prit place à la chaîne de l'usine au matin du seizième. Partout, on manquait de main-d'œuvre. Elle avait l'embarras du choix entre les emplois et les futurs amis. Des visages inconnus à chaque fenêtre : celle de l'épicerie, de la coopérative, de la poste. Des gens qui n'avaient jamais auparavant posé le pied ici et y avaient désormais élu domicile. Des aventuriers, des chercheurs d'or, des vautours.

Eyja ne pénétrerait dans le village d'avant l'avalanche qu'environ un an plus tard, lorsqu'elle comprit qu'une machine à écrire suffit pour remonter le temps.

# Toilettes des dames

Maman savait se transporter dans une autre réalité, même si elle préférait le stylo-bille à la machine à écrire et prit la fuite à l'apparition des ordinateurs. Si elle commençait à toucher aux nouvelles technologies, elle courait le risque de se faire aspirer loin de ses enfants.

Ces derniers étaient suffisamment jaloux à l'époque où elle faisait des interviews, à l'époque où, contrairement à ses habitudes, elle avait l'esprit ailleurs. Ils ne supportaient pas son air concentré et distant.

La situation s'arrangea un peu quand les filles grandirent et quand Eyja put se mettre à lire les entretiens en question. Elle les récitait à Agga qui entrait alors dans le monde des personnes interviewées, la maison aux chats de la Cantatrice entre autres.

La Cantatrice était une vieille dame aux lunettes épaisses qui évoquait malgré son grand âge une star de cinéma : les lèvres d'un rouge intense et les cheveux en vagues, une fourrure de vison autour du cou – peut-être une authentique, sans doute une fausse. Les vieux se la rappelaient jeune, rue Holtsgata à Reykjavík, alors qu'elle n'était qu'une gamine libérée et que la ville grouillait de militaires britanniques.

Un jour, les amies de la Cantatrice la poussèrent à la fenêtre en gloussant tandis qu'elle se mettait à chanter au-dessus des crânes des passants. Des soldats s'arrêtèrent et tendirent l'oreille. Le lendemain, ils revinrent – et revinrent encore. Bientôt, les soldats avaient pris l'habitude de se réunir, fumant comme des sapeurs, sous la fenêtre de la donzelle afin d'écouter sa mélopée. Pantois, ils avalaient fumée et voix, les volutes emportant les notes au loin, au cœur du Gulf Stream où elles planaient.

La Cantatrice possédait vingt chats. Elle était cernée de siamois qui scrutaient les environs comme d'arrogants gardes du corps, lorsqu'elle donnait de la voix. Les deux sœurs rêvaient de vivre sa vie. Aucune ne savait chanter, mais il y avait le plumier de Maman.

Son matériel d'écriture ressemblait à une collection de baguettes magiques. Eyja et Agga donnaient forme à des mondes inconnus, s'y glissaient avec leurs poupées Barbie, collectionnaient les chats siamois, entonnaient des opéras et commandaient des cocktails ornés de petits parapluies en papier à des serveurs biscornus.

Eyja s'imaginait habitant seule entourée de chats et de chiens – ainsi s'était-elle condamnée à rentrer de l'école en sanglotant : le professeur avait demandé aux élèves de décrire leur avenir idéal en cent mots, et Eyja avait été la cible de l'hilarité générale lorsqu'il avait dit que l'odeur d'une telle ménagerie serait insupportable et que personne ne voudrait lui rendre visite.

Bon sang, ce que les gens peuvent être barbants, soupira Maman en essuyant les larmes de sa fille.

Je suis grosse et en plus, voilà que je pue, hoqueta la fillette. Et les garçons ont dit que j'étais une chienne et que j'aurais des chiots au lieu d'enfants.

Dame Joliette de France, je croyais justement que tu voulais être un chien, répondit Maman avec un sourire entendu et indulgent. Tu te rappelles la fois où Agga et toi avez aboyé durant toute une journée ?

Oui.

Elle se rappelait, elle sourit. Elle embrassa sa mère, chaude, affectueuse, parfumée – source d'empathie et estuaire de vérité. D'entre tous, probablement la plus à même d'accepter ce qui ne peut être changé. Elle avait participé à la première marche des femmes à son époque. Jeune mère, alors qu'elle avait tout juste commencé à vivre la vie de sa propre mère, sans la sécurité financière procurée par un mariage à un poète national dans la quarantaine. Puis, elle avait eu d'autres enfants et jeté ses écrits aux toilettes, avec le contenu du pot de chambre – elle n'était pas assez romantique pour écrire, de toute façon, avait-elle affirmé dans un gloussement.

Non, seul l'Ancien l'avait suffisamment été. Papa – ainsi que grand-mère nommait son mari, puisque père de ses filles. Il était si romantique que trente ans plus tard, lorsque Eyja eut publié un roman à l'étranger, un journaliste littéraire dépressif lui demanda si elle écrivait grâce à son aïeul.

Elle réfléchit. Etait-ce le cas ? Etait-ce ainsi que tout avait commencé, s'était-elle mise à l'écriture parce que tout le monde voulait toujours rencontrer son grand-père ?

Elle se rappelait vaguement avoir reçu deux ou trois bonbons en récompense de son ascendance, mais elle n'avait tout de même pas passé toutes ces années à écrire juste pour des sucreries. Le journaliste savait-il ce que c'était qu'écrire ?

Soudain, elle avait eu une furieuse envie de répondre : J'écris parce que j'ai passé ma vie entourée de gens souffrant d'une soif insatiable. Ils se gorgent d'alcool comme un nourrisson de lait maternel. Et je voudrais comprendre pourquoi. Ne vous méprenez pas, je suis reconnaissante envers eux. Ils m'ont tout donné ; sans eux, je ne serais pas qui je suis.

Le journaliste littéraire fronçait les sourcils. Cet être amorphe face à elle était donc bien vivant. Une autre idée lui vint : Je ne suis pas écrivain parce que mon grand-père a eu un grand prix littéraire mais parce que ma mère est alcoolique.

Mais elle n'en dit mot.

Tu as bientôt fini avec les radiateurs ? s'écrie Rúna, à cause du boucan de Bimba qui malmène l'évier à coups de paille de fer avec une telle force qu'on peine à s'entendre parler.

Oui, répond Eyja, d'un ton qui se veut déterminé tandis qu'elle se demande si Bimba se promène toujours avec de la paille de fer dans les poches. C'est probablement Rúna qui l'a apportée – elle en garde sans doute toute une cargaison dans son sac d'imitation Gucci.

Quoi ? gueule Rúna.

Eyja pousse l'élasticité de ses cordes vocales à son comble et lance : Oui !

Dépêche-toi avant que ta mère rapporte la collation.

Oui.

Quoi ?

Oui !

T'es vraiment empotée, ma pauvre chérie. N'oublie pas qu'il y a un radiateur dans la salle de bains, aussi ! Et dans la cuisine.

Oui, s'écrie Eyja, cette fois de manière mécanique.

Un instant auparavant, tandis que ses comparses s'activaient à la salle de bains, elle s'était subrepticement installée au bureau d'où elle avait déterré un carnet de notes sous une pile de papiers. Ce jour-là, elle en avait trop entendu pour s'abstenir d'écrire, quand bien même elle ne pouvait rien coucher sur le papier qui équivaille aux plaisanteries au ras des pâquerettes des deux autres. Elle était pleine de rien, ce rien qui pèse plus lourd que tout le reste. Seule issue : pleurer. Ou écrire – n'importe quoi.

*Maman est elle aussi pleine de rien*, gribouilla-t-elle dans son carnet. *Alors elle se remplit. Elle va chercher des rafraîchissements. Elle revient avec une bouteille dans un sac en papier kraft et met les torchons à bouillir en deux temps trois mouvements. Tout est beau, tout brille.*

*Je connais ma mère depuis l'époque où nous n'étions toutes deux que des enfants. Jamais elle n'écrirait pendant que les autres font le ménage. Tout devait toujours être immaculé avant – avant qu'elle devienne indifférente à tout, qu'elle se mette avec Ken et se contrefiche de l'écriture. Avant l'arrivée de Ken, le sol de la cuisine étincelait. Le chien avait la panse pleine. Les enfants étaient joliment vêtus. Le plus jeune avait la couche propre.*

*Quatre enfants à la couche propre.*

*Sauf le jour où les femmes sont allées en ville.*

# Deux décennies avant que grand-mère aille à la banque

D'en haut, ils observaient la vallée. Le vieil homme tapait du pied. Allaient-elles enfin arriver ? S'il le pouvait, il tendrait l'oreille comme son chien. Elles étaient bien assez grandes pourtant, ses oreilles ; il se tripota le lobe, puis passa le pouce et l'index sur ses joues rasées de près, contourna le menton proéminent et immobilisa ses doigts au niveau de la mâchoire, interrogatif. Ses yeux bleus étaient le reflet du ciel.

Eyja était appuyée contre son genou ; l'odeur pestilentielle de ses excréments lui chatouillait les narines, et parvenait jusqu'à l'imposant nez de l'homme. Elle tenta d'inspirer dedans ce monument, et à chaque inspiration, elle plongeait un peu plus profond dans l'esprit de l'ancien, comprenant qu'elle n'aurait pas droit à une couche propre – elle se sentit alors envahir par un incommensurable désespoir.

Il ignorait comment changer un nourrisson et n'avait certainement pas l'intention d'apprendre, quand bien même son épouse et sa fille étaient parvenues à le convaincre de garder l'enfant alors qu'elles couraient célébrer en ville la Journée de la femme[1]. Il n'y en a que pour deux heures ! avaient-elles promis.

---

1. *Kvennafrídagur*, la journée chômée des femmes, eut lieu le 24 octobre 1975.

Elles en avaient fait, des promesses – et pourtant, pas la moindre trace de la voiture. L'heure était largement passée. Qu'est-ce que ça voulait dire ? Où se trouvaient-elles ?

D'où leur était venue l'idée folle qu'il puisse s'occuper d'une enfant ? Agité, il jeta un œil à la petite chose grimaçante à la bouche tordue. Signe annonciateur d'un éclat de rire ou d'une crise de larmes ? Il se caressa le menton avec autant de zèle qu'un malade obsessionnel.

Oui, une sacrée folie de leur part, de vouloir toutes partir en même temps. A toi de la surveiller, papa, s'étaient écriées ses filles. La benjamine gloussait, avec sa veste en peau de mouton, une lueur de défi dans ses yeux marron clair, un foulard noué autour de ses cheveux, sa fossette au menton lui donnant l'air encore plus déterminé que d'ordinaire ; elle vibrait d'énergie, comme d'habitude. L'aînée, elle, se mouvait avec lenteur, une ridule nerveuse entre les deux sourcils, dans son grand pull à rayures vertes qui lui tombait jusqu'aux genoux – un pull que sa sœur ou sa mère lui avait tricoté.

Tu peux le faire, papa. Maman a tout écrit sur une feuille de papier et la petite est sage comme une image, avait dit l'aînée. Oui, et puis le chien reste avec vous, avait dit la benjamine, une pipe entre ses lèvres rieuses alors qu'elle grimpait dans la voiture côté passager. La mère de famille était assise au volant, prête pour une virée en ville, chapeautée, un sourire de bravade et à la fois aimant sur ses lèvres rouges comme les ongles fraîchement vernis qu'elle dissimulait sous ses gants en cuir de chèvre. Après ça, une éternité avait passé.

Ils demeuraient là accroupis, échoués, solitaires : le vieux, l'enfant et le chien. Désemparés sans les femmes du foyer.

Comment avaient-elles osé prendre la poudre d'escampette ?

Ils patientaient dans la cour depuis que l'horloge avait sonné la demie. Depuis le moment où la fillette et l'animal avaient vidé le sucrier – avec la complicité du grand-père qui ne suivait qu'une ligne de conduite quand il s'agissait de s'occuper d'un gamin : le gaver de sucreries. Il ne s'était pas préparé à ce que ce dernier se défèque dessus, il avait complètement oublié que cela arrivait aux enfants, lui qui ne portait aucun intérêt à la biologie infantile. La cloche sonne l'heure.

Si quelqu'un comprend le désir qu'ont les femmes de voter, d'exercer ce droit citoyen, c'est bien lui, le poète révolutionnaire depuis ses premiers pas dans la maison de son enfance, de l'autre côté de la nationale.

Il a écrit des pavés entiers consacrés à des héroïnes aux cheveux courts et en pantalon qui triment sur les eaux et défient l'existence. C'est juste qu'il ne sait pas s'occuper de leurs enfants. Que se passera-t-il s'il perd la fillette, s'il lui brise les os ? Il a tout juste eu l'audace de la soulever de la table, pâle, le sang ayant fui son visage, terrifié par l'odeur nauséabonde. Des excréments humains à deux doigts de sa veste en tweed qui sent bon l'eau de Cologne.

Peut-être était-ce là l'instant le plus tragique de sa vie. Il trembla, bouleversé, devant la grimace qui venait déformer le visage tout rond du bambin. S'apprêtait-elle à sangloter ? Dieu lui vienne en aide !

Allons, allons, et si nous dansions ? gémit-il, farouche, attrapant les petites mains potelées, les balançant prudemment et chantant d'une voix douce :

*En me glissant dans le corridor*
*Je me cogne au moulin à céréales*

*Je brille comme un sapin de Noël*
*Je suis défenseur local*
*Je suis danseur vocal*
*Je brille comme un sapin de Noël*
*Je suis danseur vocal*

La grimace s'effaça. L'enfant tout humide et malpropre babilla en dansant, et le chien remua la queue jusqu'à ce que la voiture de ces dames apparaisse le long du sentier ; elles riaient et agitaient les mains, vigoureuses et lumineuses, puis une femme élégante sortit du véhicule en s'exclamant : Dame Joliette de France, Maman est là ! Le chien aboya par-dessus les pleurs d'enfant teintés de joie et le grand-père éclata de rire.

Avec un peu de chance, il se passerait des années avant la prochaine Journée de la femme.

# Tuer la mère

Maman a rapporté une surprise : une bouteille de rhum vieux. Les filles des fjords n'en sont pas mécontentes. La bouteille ouverte, le liquide s'écoule dans quatre verres avant d'être recouvert de Coca-Cola. Les Cuba Libre pétillent quand y glissent les rondelles de citron. Maman raconte blague après blague, heureuse, solaire tant la-vie-est-belle et oublieuse du grand ménage qu'elle avait dans la tête depuis le réveil ce matin.

Son humeur est aussi vacillante que celle du Coup de Vent qui s'envole au septième ciel à la minute où quelqu'un ouvre une bouteille alors qu'il était accablé de chagrin l'instant d'avant. L'angoisse les sort tous deux du lit à l'aube, l'oubli les y berce le soir venu.

Les bouteilles s'amoncellent peu à peu autour d'eux, avec un fond de liquide transparent. Ce n'était cependant plus le cas de Maman : si auparavant elle buvait de l'alcool distillé maison le week-end, après sa rencontre avec l'Allemand elle se mit à accompagner ses repas gourmands d'un savant cocktail *Bier und Schnaps* – c'était avant la chute du mur et la légalisation de la bière en Islande. Après, ils trinquèrent avec une bien meilleure mousse, jusqu'à ce que leur couple batte de l'aile – c'est alors que survint ce qui survint.

Peut-être la mémoire d'Eyja lui joue-t-elle des tours ; la sœur de Maman assurait que cette dernière buvait raisonnablement, seulement quand elle n'en pouvait plus des jérémiades du père d'Eyja dans ses moments d'ivresse, et qu'il se perdait dans une forêt d'émotions ; mais alors papa rétorquait que c'était une putain de conspiration familiale, que sa mère ne se contentait pas de boire son vin rouge, qu'elle l'avait poussé aux limites de l'instabilité mentale avec ses crises d'hystérie, à être toujours sur la défensive, et en plus elle n'avait jamais voulu l'aider à construire une resserre à pommes de terre ou à planter des arbres, elle passait son temps assise à fumer comme un sapeur... et... quel sale hypocrite, répliquait Maman, il a troqué son gilet de laine contre un costume trois pièces et la recherche universitaire contre un comité de direction, et maintenant il se prend pour un autre homme, hein ?

Eyja taisait le fait qu'il était heureux avec sa nouvelle épouse : une blonde aux yeux bleus perçants, délicate comme Maman, mais robuste ; mère de deux enfants résidant à l'étranger et femme politique qui consacrait sa vie à changer la société, et à soigner les plantes exotiques de son jardin. Eyja fit mine de ne rien entendre lorsque Maman lui enjoignit de demander à son père qui avait pissé sur un bus rempli de représentants de l'OTAN quelques années auparavant.

Elle ferma les yeux ; elle avait mal au cœur quand ses parents se vitupéraient l'un l'autre avec cette rage sans scrupule, éternelle politique du divorce, rivalisant d'insistance à ce qu'elle approuve leur venin. Car elle les aimait autant l'un que l'autre ; ils sortaient à peine de l'adolescence lorsque la parentalité vint barrer la route aux habitudes festives des années 80, et pourtant ils se montrèrent plus responsables que leur progéniture au même âge. S'ils voulaient seulement comprendre qu'elle n'en pensait pas un mot quand elle parlait dans le dos de l'un ou de l'autre, suppliait-elle face au vide en brûlant ses bras du bout d'une cigarette, façon qu'elle avait apprise de sa sœur Agga.

Le Coup de Vent ne cherche pas à dissimuler les bouteilles et, ces derniers temps, Maman aussi a abandonné ce jeu de cache-cache ; à un moment indéterminé, peu après le divorce d'avec le producteur allemand, elle cessa de tout vouloir contrôler au sein de son élégant-hippiesque-petit-nid-douillet dans leur maison sur la colline.

Les bouteilles s'entassent aux yeux de tous car Maman et le Coup de Vent ont ceci en commun de jouer franc jeu. Ils se sont accordés à ce sujet à l'époque, peu avant que Maman jette un bougeoir sur son empotée de fille, lui hurlant qu'elle était le portrait craché de son sale bourgeois de père – après quoi elle avait éclaté en sanglots, selon les dires du Coup de Vent qui était resté assis et avait consolé sa belle-mère de son mieux : en remplissant son verre.

Eyja aimerait qu'il soit possible de les consoler par quelque autre moyen mais elle ignore lequel, aussi s'exclame-t-elle simplement : Santé !

Bimba et elle vont boire un petit fond, même si Eyja a pour ainsi dire arrêté, sauf pour consoler les autres. Elle a mis son goût immodéré de la fête entre parenthèses à peu près au moment où elle est devenue épouse.

C'est lui qui déambule au fil des nuits, loup solitaire en quête d'une proie, tandis qu'elle patiente à la maison, égrenant les heures, consciencieuse comme un comptable alors qu'elle les consigne dans son petit registre de factures. A présent, elle doit apprendre à boire normalement, explique la Reine du Ski, et pas d'autre choix que de s'y plier, si elle veut être une femme parmi les femmes. Ou bien est-elle un homme ?

La boisson gazeuse pétille dans les verres alors que les ménagères transportent les baquets d'eau poisseuse dans la cuisine, maugréant quant à l'état lamentable de la tuyauterie dans la salle de bains, complainte à laquelle Eyja ne répond pas.

Elle a terriblement envie de demander à la Fille aux yeux d'oiseau marin si elle a lu son article au sujet du village dans le Quotidien.

Elle est certaine que Bimba l'a fait mais n'ose lui poser la question, car vu comme elle sourit, l'article l'a sans doute piquée au vif, bien que ce texte ait été pure louange. Parfois, il est impossible de satisfaire Bimba, songe Eyja, le Cuba Libre tournoyant dans sa bouche.

Elles boivent quelques gorgées ensemble, toutes les quatre, avant de retourner à la tâche. Eyja écoute Bimba qui martèle, plongée dans les placards de la cuisine, et se retient de se jeter sur elle pour la questionner. Elle s'agenouille par-dessous le chauffage avec sa brosse à dents souillée ; elle n'avance à rien, comparée aux trois tornades.

Les cousines se sont remises à bavarder ; elles échangent des blagues ravigotantes et éclatent de rire en alternance. Eyja se rappelle l'époque où Bimba et elle étaient encore elles-mêmes : quand son amie passait Led Zeppelin à fond et qu'elles filaient direction Thingvellir, à une allure assurément illégale, pour faire des dérapages au bord de la faille sismique puis mettre Kissin si fort que le troisième concerto pour piano de Rachmaninov résonnait dans toute la campagne environnante, avant de repasser à Led Zeppelin et de retourner en quatrième vitesse à la maison pour le dîner, une came céleste dans les veines.

Elle se rappelle tant de choses qu'il lui est impossible de dérouler en elle une pensée cohérente. Survint un jour différent des autres cependant : ce jour où elle se résolut à capturer le passé – et à le vendre.

Seule dans son appartement, libre de tapoter sur sa machine le regard fixé droit devant, à une vitesse bien supérieure à la limitation. C'était du temps où le Coup de Vent était entré en désintox, avant d'en ressortir quelques jours plus tard. Elle n'aurait probablement jamais écrit cet article si son mari s'était trouvé à la maison. Peut-être un autre, mais pas l'article concernant le village. Elle pressentait qu'il énerverait le Coup de Vent.

Il en allait autrement du Directeur de la caisse d'épargne de la bourgade. Elle l'avait croisé à Reykjavík, avenue Laugavegur ; il gardait la coupure chiffonnée dans la poche arrière de son pantalon. Un banquier surbooké qui besognait dans la capitale, séduit par ses mots au point de sortir sa bafouille et de la déplier avant de lui coller un baiser bruyant sur la joue et de s'écrier : Voilà, je peux l'affirmer haut et fort : j'habite une marmite bouillonnante de vie !

Il était écarlate d'extase. Ses joues rondes comme des pommes pointaient sous une marée de boucles et d'épaisses lunettes faisaient briller ses yeux comme autant de soleils brûlants. Comment as-tu eu l'idée d'un titre aussi amusant ? dit-il d'une voix presque chantante. Elle ne lui répondit pas que le titre lui était venu en dernier, lorsque la Rédactrice culturelle l'avait appelée et lui avait demandé, de sa voix grave, si elle ne voulait pas baptiser son article.

Face au Directeur de la caisse d'épargne, elle se rendit soudain compte que le village n'était plus une marmite bouillonnante de vie. C'était devenu autre chose. Elle ignorait quoi. Elle resta muette, rongée de culpabilité. La Rédactrice culturelle ignorait que l'article était une commande. Cinq cents mots au sujet d'un patelin international où l'enthousiasme et l'amour du travail ne connaissaient aucune limite, sur ce cordon littoral béni où, au milieu d'une nature splendide, les Nations unies devenaient une réalité concrète. Car, en Islande, il y avait deux nations : les fjords de l'Ouest, et le reste du pays.

Cette femme affable à l'intonation profonde s'était réjouie d'avoir trouvé une jeune fille capable à la fois de tenir un stylo et de parler le langage de la campagne. Comment aurait-elle pu imaginer qu'Eyja vivait dans un roman ? Prête à s'emparer du passé comme de n'importe quelle vision fantasmagorique ?

Ou plutôt, comme elles voyaient le monde, le soir où son amie la reconduisit chez elle après la séance de cinéma et où il s'était mis à neiger et où elle avait été assez idiote pour plaisanter au sujet de la neige dans l'Ouest – jamais elle ne trouverait les mots pour se faire pardonner son manque de tact.

La Rédactrice culturelle ne pouvait non plus se douter que l'auteur de cet article était coupable d'un crime.

Eyja était entrée dans la salle de rédaction du Quotidien avec Maman. Cette dernière devait rendre un article sur disquette et, avec ces nouvelles technologies selon elle si instables, elle craignait de voir ses mots disparaître à tout jamais. Elle se tenait, nerveuse, face à la Rédactrice culturelle tandis que celle-ci introduisait la disquette dans le lecteur.

La Rédactrice eut un sourire aimable et indéchiffrable. Les lunettes agrandissaient ses yeux inquisiteurs, aux aguets, et pleins d'énergie. Ses mouvements étaient délicats, à l'instar de son visage encadré d'une coupe au bol ;

ses doigts faisaient penser à ceux d'un pianiste tandis qu'elle maniait le disque. L'article s'y trouvait-il bien ? Toutes ces heures volées où Maman avait ravalé sa culpabilité et ignoré les lamentations de ses enfants alors qu'elle luttait avec ses pensées.

Elles patientèrent en silence. La mère et la fille. Et soudain, les mots que le grand-père écrivain avait piégés dans un de ses romans prirent forme réelle. De mère et fille, elles devinrent deux femmes que rien ne lie lorsque Eyja posa la question : Je peux écrire une chronique ?

Maman se figea.

Elle avait longtemps réprouvé cette forme d'écriture, ou du moins tous ces nouveaux outils, toutes ces nouvelles sciences info-techno-je-ne-sais-quoi – elle avait bien assez à penser, elle n'allait pas en plus se lancer dans l'astronomie. C'était une chose d'écrire, c'en était une autre de dactylographier et de sauvegarder sur un ordinateur. Et puis elle s'était laissé convaincre, malgré les piles de linge et l'emploi à temps partiel à la coopérative, malgré les poils du chien qu'il fallait cueillir quotidiennement sur les draps et malgré les cris des enfants ces vingt dernières années. Rendre ce billet chaque semaine avait son importance. Eyja le savait, elle qui désirait voir ses propres mots imprimés.

Maman ne dit rien. L'expression de son visage était suffisamment éloquente. Ses lèvres se pincèrent. Elle fronça les sourcils. Inclina la tête.

Alors que la Rédactrice culturelle les observait toutes les deux, Maman bouillonnait. Rouge de honte face à l'effronterie de sa fille, elle bafouilla quelque mot d'excuse, comme si elle venait de faire un strip-tease surprise et avait glissé ses sous-vêtements dans le lecteur de disquettes.

# Bientôt

Comment ça se passe ? T'es toujours à écrire dans les journaux, non ? s'écrie la Reine du Ski depuis la baignoire ou la tête dans la machine à laver en panne, à en juger par le son.

Plus vraiment, non, répond Maman d'un ton haché qu'Eyja connaît bien et qui signifie : ça ne sert à rien d'en parler.

J'ai pourtant cru voir une photo de toi l'autre jour. Tu as bien écrit quelque chose, non ? demande Rúna, aussi sourde aux inflexions vocales qu'elle est dyslexique.

Ce n'était rien, marmonne Maman, avant d'ajouter, hésitante : Je crois que je suis passée à autre chose. Autant profiter des rares minutes qu'il nous reste pour trinquer et bavarder plutôt qu'à se laisser emporter par notre imagination. C'est des trucs de jeunes, ça... comme pour Eyja.

Bientôt, Eyja sera partie.

Il lui suffit de fermer les yeux – et hop ! Partie.

# Merci

Elle a tué sa mère. Et elle ne la ressusciterait pas même si elle le pouvait. La coupure de journal est tout ce qu'elle possède.

Maman a son lot de coupures. Elle les conserve dans une vieille boîte à confiseries dorée, probablement un cadeau de Noël destiné à grand-père de la part d'un éditeur ou d'un ambassadeur étranger. Les articles jaunis ont le goût d'une pizza italienne : ils sont croustillants et encore frais. Chaque mot juteux et sapide, au bon endroit du simple fait d'être au mauvais, comme ces gens sur les dessins de Maman, bien droits dans leurs rôles biscornus. Le pire, c'est que t'en es même pas consciente – avait un jour dit Eyja à sa mère qui l'avait giflée avant de lui ordonner de se taire. Qu'est-ce qu'elle y comprenait, elle qui ne savait que tourmenter ses proches, morts d'angoisse à son sujet ?

Lorsque Eyja lisait Fay Weldon, elle songeait à Maman ; lorsqu'elle lisait Isabel Allende, elle songeait à Maman ; lorsqu'elle lisait Marilyn French, elle songeait à Maman. Maman avait lu toutes ces femmes, et bien d'autres encore. Après, elle filait à la coopérative inscrire de la pâtée pour chien et des couches-culottes sur un compte qu'elle parvint à garder ouvert en se faisant engager à mi-temps.

Grand-mère fut fière d'elle ; fière qu'elle soit enfin parvenue à dénicher un vrai boulot et qu'elle ait arrêté de tourner en rond. Tous étaient fiers ; tous ses proches, même ses enfants ; tous aux anges que Maman ait trouvé sa place dans la vie.

Sauf la Rédactrice culturelle. Elle ne savait sur quel pied danser – que voulaient-elles donc, cette mère et cette fille entêtées ?

Le silence raya l'air ambiant comme une pierre dure lorsque Eyja se faufila dans l'esprit confus de la Rédactrice culturelle. La journaliste avait autrefois ingéré une dose éléphantesque de réalisme magique, et elle sentit le givre se former sur l'arête de son nez. Ses paupières s'alourdirent comme elle regardait les deux femmes – ni mère ni fille, de parfaites inconnues, l'une figée de honte, l'autre insupportablement présomptueuse. Que dire à ces pauvres créatures ?

Elle frotta le givre de son nez avec son annulaire, essuya ses lunettes avec le bas de son pull en laine claire et, forte de son expérience de supérieure hiérarchique, sourit poliment d'abord à l'ex-mère, avant de dire à l'ex-fille : Il faut que tu écrives une chronique pour que je puisse te répondre.

Sans déconner ! s'écria Eyja, s'empressant de lire un oui dans ces mots que d'autres, plus sensés, auraient pris comme un refus diplomate, voire un sarcasme.

La Rédactrice culturelle eut un sourire impénétrable en rendant à Maman sa disquette. Merci bien, dit-elle de sa voix profonde et obligeante avant de se retourner vers l'ordinateur.

Mère et fille s'assirent dans la voiture glaciale. Dehors, il y avait du soleil et du givre – une clarté pascale. Maman enfila ses lunettes teintées, démarra le moteur après trois ou quatre tentatives et quitta enfin Reykjavík.

Elles avaient déjà parcouru quelques kilomètres dans la campagne, fumant à la chaîne et crachant des volutes de condensation, lorsque celle qui avait jusque-là été la mère dit :

Et si tu passais ton bac ?

Grand-père n'a pas fini ses études, lui.

Tu n'es pas ton grand-père.

Ásta Sigurdardóttir[1] n'a jamais fini le lycée non plus. Elle était plus jeune que toi lorsqu'elle a obtenu son diplôme de professeur. Et tu n'es pas Ásta Sigurdardóttir non plus. Loin de là.

Le ton rude de sa mère lui rappela d'autres conversations au cours d'autres voyages sur ces mêmes routes. Le voyage où elle demanda à sa fille si elle ne voulait pas arrêter de s'empiffrer de sucreries comme une vieille campagnarde, et où Eyja lui avait jeté au visage qu'elle avait de toute évidence une vie sexuelle bien plus épanouissante que sa mère, alors qu'elle arrête de s'inquiéter pour elle. Le voyage où Eyja avait dit à brûle-pourpoint que ce qu'il y avait de vraiment fondamental chez Woody Allen, c'était son sens de l'autodérision hors du commun, et que Maman avait menacé de descendre en marche si sa fille ne mettait pas un terme à cette insupportable manie d'enfoncer des portes ouvertes.

Maman avait souvent le dernier mot. Comme chaque fois qu'Eyja avait tenté de rattraper les erreurs dans la vie de sa mère. La plupart du temps, elle l'incitait à écrire davantage, mais ce jour-là, cérémonieuse, elle affirma vouloir retourner au lycée pour pouvoir étudier plus tard la littérature et le français – comme Maman l'aurait fait si elle n'était pas tombée enceinte. Maman écrasa sa candeur comme un mégot de cigarette lorsqu'elle souffla

---

1. Ecrivain et artiste peintre islandaise.

avec sa rudesse habituelle : A toi de voir, si tu veux être une de ces lèche-bottes du prof de littérature.

Elles avaient fait bien des trajets ensemble.

Le pied à peine posé chez Maman, Eyja engouffra des spaghettis à la bolonaise et lui vola assez de Winston pour se rendre en ville en stop et terminer son article. Les mots lui vinrent quelques jours plus tard, peu après le retour du Coup de Vent qui avait abandonné la cure de désintoxication.

Il faut être soit une gamine pétrie de chimères soit un vieux décrépit de droite sans complexes pour qualifier ce trou à rats de marmite bouillonnante de vie, grommela le Coup de Vent avant de se gausser de son insupportable rire rauque tandis qu'elle lui racontait sa rencontre avec le Directeur de la caisse d'épargne qui gardait son article en poche.

C'est peut-être un mec de droite, répondit-elle, blessée. Mais pas l'autre, celui qui m'a envoyé le fax. Lui, il est socialiste.

Il veut juste te mettre dans son plumard, lança son époux dans un éclat de rire encore plus sincère, et cette phrase ferait d'elle une héroïne de roman de nombreuses années plus tard. Elle ne pouvait cependant pas encore le remercier pour l'idée, furieuse, comme il portait une flamme à sa pipe, à la fois honteux et hautement satisfait d'être rentré à la maison.

Certainement pas, il ne me connaît même pas, réfuta-t-elle avec détermination en balançant sous ses yeux le fax – une photographie représentant des montagnes aux flancs abrupts. J'ai juste parlé à son cœur de l'Ouest, il m'en remerciait dans sa lettre – il est originaire des fjords.

Tu parles à mon cœur de l'Ouest, à moi aussi, geignit son époux en versant une goutte de vodka dans son café. La tasse jurait avec leur salon. Par la fenêtre apparaissait le soir reykjavikois : le panneau lumineux de l'hôtel Borg, avec son O au néon mort, la butte de Thingholt, les familles qui allaient et venaient dans le cimetière, les félins aux yeux chassieux. Et lui, avec cette affreuse tasse porno. Le chat était étendu sur ses larges épaules, ronronnant, et le vieil enregistrement de Caruso hoquetait à l'intérieur de la platine poussiéreuse. Sur la table, un livre de poche ouvert : *Le Maître et Marguerite*. Il le lut du début à la fin et faisait régulièrement gronder un éclat de rire, comme s'il avait une boule de poils coincée dans la trachée. Entre deux, il attrapait son crayon et dessinait. Une femme nue. Un serpent. Des vulves. Un truc à la Alfred Flóki Nielsen.

L'article lui avait déplu. Elle le connaissait assez pour s'en rendre compte.

Quelques jours passèrent et la Rédactrice culturelle téléphona. Surprise et heureuse, Eyja appela son ex-mère, les mots s'écoulant de sa bouche : la Rédactrice avait été si enthousiasmée par son article qu'elle avait offert à Eyja sa propre rubrique. Les journaux avaient besoin de la voix forte d'une femme jeune.

Bien sûr, son ex-mère eut la réaction habituelle : elle partagea son bonheur et redevint Maman qui lui donnait de l'argent de poche pour aller s'acheter des collants en nylon et des demi-paquets de cigarettes.

Ce ne fut que quelques semaines plus tard qu'Eyja apprit que Maman avait démissionné du Quotidien. Plus moyen de faire machine arrière.

Une génération avait cessé d'écrire. La suivante avait pris la relève.

Des années plus tard, alors qu'Eyja ouvrait la vieille boîte à confiseries qui avait depuis erré de maison en maison, elle comprit qu'elle ne pourrait jamais, malgré toutes ses tentatives, faire une pizza aussi croustillante que celles de Maman.

Elle dévora chaque article, bouts de papier jaunis froissés illustrés d'une photo de Maman jeune. Auteur : mère au foyer. Auteur : mère divorcée de quatre enfants, vendeuse au rayon boucherie de la coopérative. Auteur : fille du Poète. Auteur : calibrée pour battre quiconque à plates coutures au jeu de l'écriture.

Trop tard.

Pardon.

Elle a envie de dire pardon.

Mais alors, les mots sont si nombreux qu'ils s'enroulent les uns autour des autres, muets et vides. Elle dit : Pardon.

Maman répond : Cesse donc ces manières ampoulées d'écrivain.

Et de ça, elle est reconnaissante envers sa mère pour l'éternité.

Merci.

Dit-elle, bien plus tard.

# Affaires à faire

Elle s'isole pour passer un appel. S'estime chanceuse que grand-mère ait mis la main au porte-monnaie pour la facture téléphonique, comprenant bien qu'Eyja a un paquet de choses à régler. Si soulagée que la gamine s'en aille qu'elle remboursera assurément elle-même le prêt si le Directeur de la caisse d'épargne dit non.

Le téléphone sonne dans une maison délabrée où les mouettes plastronnent dans les gouttières, à l'ombre d'une montagne.

Le Directeur de la caisse d'épargne n'oppose aucune résistance pour geler l'emprunt, afin qu'elle puisse aller prendre le soleil en Suède. On a tous besoin d'un peu de soleil de temps à autre, ça ne fait de mal à personne, dit-il de sa voix qui chantonne et elle l'imagine à l'autre bout de la ligne : ses pommettes rondes qui paressent sous son regard chaleureux. Et si tu ne reviens pas...

Je vais revenir !

Oui, mais mettons, si un ours te dévore ou...

Vous croyez vraiment que ça peut arriver ?

Eh bien, tu te rends dans une de ces régions... non ?

Quoi ?

Pas de panique. Nous autres, les gens de l'Ouest, nous imaginons toujours le pire, je ne fais que bavarder, c'est ma façon de te faire comprendre que je me ferai payer d'une manière ou d'une autre.

Ah bon ?

Oui, notre bon ami a promis de peindre un tableau pour la caisse d'épargne, en guise de remboursement. Après tout, c'est son prêt à lui.

Que je me fasse dévorer par un ours ou pas ?

Quelque chose de ce genre, oui.

Il s'esclaffe de bon cœur et bafouille entre deux éclats de rire que l'article demeure encore tout chiffonné dans la poche arrière de son pantalon – c'est chouette de voir des gamines débarquer dans l'Ouest pour bosser dans une pêcherie. Savait-elle que la chanteuse Björk avait travaillé ici ?

Non... ou bien si, elle n'est pas sûre, elle ne peut s'empêcher de songer au tableau que leur bon ami a promis au Directeur de la caisse d'épargne. Elle imagine des vulves géantes accrochées dans le hall de la banque, sur les murs de chaque côté du guichet, là où les ouvriers s'appuient lorsque la file d'attente est trop longue, le vendredi. Mais oui, d'accord, le Directeur de la caisse d'épargne doit savoir ce qu'il fait.

Ça vous va, donc, en attendant ?

Oui, je pense que oui, si tu perds cette habitude de te porter garant pour tout le monde.

OK, on fait comme ça, alors, bafouille-t-elle avec quelques remerciements.

Oui, ma petite, on fait comme ça, chantonne l'homme des fjords, comme seuls les gens de là-bas le font. Tu peux dormir sur tes deux oreilles.

# Moi et Dostoïevski

Eyja pénètre dans la salle de bains et examine Rúna et Maman. Toutes deux sont penchées sur le lavabo à frotter les robinets rouillés et encrassés. Elle leur apporte la bonne nouvelle : le prêt a été gelé.

Ah ! J'te l'avais bien dit ! s'exclame Rúna en se redressant et en adressant un sourire victorieux à Maman.

Cette dernière semble avoir complètement oublié ce détail mais sourit enfin, soulagée, lorsqu'elle se le remémore.

Quand on veut, on peut, dit Rúna – elle est bien placée pour le savoir, elle qui s'est retrouvée dans une prison pour femmes en Amérique, après avoir été prise pour l'épouse d'un membre des Hells Angels, à l'époque où elle était partie voir du pays.

Son séjour là-bas s'en trouva prolongé – mais ne finit pas à perpétuité, car si quelqu'un sait se tirer d'un mauvais pas, c'est bien elle : R. Sigurgrímsdóttir *from the Head of Iceland*[1].

Et quoi ? lance Maman, salivant de curiosité, avant de se redresser pour s'asseoir sur le siège rabattu des toilettes, son verre à demi vide dans la main.

---

1. De la tête de l'Islande : les fjords de l'Ouest.

Et c'est tout, j'étais là à me faire griller un steak en toute innocence quand ces crétins embrouillés de flics ont débarqué. J'avais beau leur dire que les Hells Angels logeaient dans le bungalow d'à côté...

C'était une maison de vacances, aussi ? demande Eyja, tentant de dissimuler sa crainte, car Bimba vient de débarquer à côté d'elle et s'étouffe de rire en entendant sa question.

Les maisons de vacances en Amérique n'ont rien à voir avec celles de Suède ! affirme Rúna, se voulant rassurante en ajoutant que, dans la campagne suédoise, on ne trouve pas de Hells Angels – rien que des ours.

Eyja est prise d'un frisson. Est-ce un signe, que la Reine du Ski et le Directeur de la caisse d'épargne aient tous deux lâché ce mot de leur voix chantante à quelques minutes d'intervalle ? Impossible : la vie serait trop romanesque, même pour elle.

Certes, l'écriture a son influence sur la réalité. Son article a permis le gel d'un emprunt auprès d'une banque de campagne. Quand parviendra-t-elle à réécrire des mots enchanteurs ?

L'enchantement a fonctionné la première fois, pas la seconde. Elle le remarqua au visage de la Rédactrice culturelle qui ne le lui dit cependant pas explicitement – elle lui demanda juste de lui rendre quelque chose dans la veine du premier article.

Et grand-mère n'avait pu se contenir – pas plus que la veille.

Eyja eut la sensation d'avoir trahi son aïeule, alors que cette dernière l'avait toujours soutenue quand les autres baissaient les yeux et les bras. Elle avait encensé Eyja tandis que d'autres avaient ri, lors de la publication de son tout premier article.

C'était deux ans auparavant, dans un bulletin d'information sur l'épilepsie. Le billet s'intitulait : Dostoïevski et moi. Ou bien peut-être : Moi et Dostoïevski ?

Dans la bibliothèque de grand-mère, elle avait trouvé un volume usé contant la vie et les amours de l'écrivain russe, et appris que l'intéressé n'était pas seulement poète, mais également épileptique, comme elle. Enfin un peu de gloire à être un phénomène de foire !

Eyja se trouva si heureuse d'apprendre la condition du poète qu'elle ne cessa de le rabâcher jusqu'à ce que soit publié son article à ce sujet dans le dépliant sur les épileptiques – grand-mère lui prépara des crêpes pour l'occasion.

La vieille dame était aux anges de voir Eyja enfin faire face à sa maladie, car elle n'était pas moins angoissée que sa fille qui se morfondait quand la gamine se réveillait aux urgences, de la bave coagulée au coin des lèvres et une mèche de cheveux ensanglantée après s'être cogné la tête sur le bitume ou s'être effondrée dans une cage d'escalier. Chaque fois que Maman recevait un appel de l'hôpital, elle perdait l'appétit pendant trois jours et le sommeil pendant trois nuits. A ce rythme, elle aurait elle-même des spasmes, sans compter le divorce et toutes ces dettes – Eyja pouvait faire preuve d'un peu d'empathie, même si elle préférait dormir dans les doux draps du service d'urgences plutôt que se rendre au travail. Grand-mère non plus ne dormait pas, morte d'inquiétude.

Et bien sûr, elle rayonna lorsque Eyja lâcha les brochures sur la table. Elle était si contente que la gamine put fumer en paix les semaines qui suivirent.

Peut-être aurait-elle dû dire quelque chose à Eyja – à ce moment-là. Si elle lui avait demandé de fumer moins à cette époque, deux ans auparavant, alors peut-être, oui, possiblement, les événements auraient suivi un autre cours. Elle aurait mis fin à son tabagisme et aurait usé plus intelligemment du temps qu'elle avait passé à fumer. Elle n'aurait pas épousé cet homme. Oui, il faut toujours dire ce qu'on a à dire.

Mon Dieu, ce que ton écriture est fade, soupira grand-mère lorsque le second article d'Eyja parut dans les pages culturelles du Quotidien.

Elle avait ouvert le journal devant une part de génoise et une tasse de café et observait à présent d'un regard neutre sa petite-fille qui ingurgitait le liquide brûlant.

Que voulait dire grand-mère, son unique supporter sur le terrain de l'écriture ?

Je ne savais pas que tu pouvais écrire de manière aussi... prosaïque, ma chérie. Il n'y a rien là-dedans.

Comment ça ? demanda Eyja, les larmes aux yeux.

Ben... Je peux juste te dire que ta mère ne laisserait jamais publier des propos aussi insignifiants, expliqua grand-mère, sincèrement désolée. C'est le contraire de ton dernier article – lui, il était riche en contenu !

Eyja avait la plus grande difficulté à avaler le gâteau moelleux, fraîchement décongelé. Elle n'avait jamais pensé que l'on pouvait écrire de manière fade. Son seul objectif avait été de faire imprimer ses mots. Quant au reste, aucune importance. Mais voilà qu'à présent, oui, tout était foutu. Elle n'avait pas soupçonné une telle déconvenue.

Les papiers de ta mère sont si évocateurs, poursuivit grand-mère en versant quelques gouttes de café dans la soucoupe, qu'elle absorba à l'aide d'un morceau de sucre. En les lisant, on perçoit combien elle est amusante et vive d'esprit. C'était aussi le cas des essais de Papa.

Quoi ?

Ils étaient riches de sens – c'est le propre des gens qui savent écrire.

Grand-mère ferma les paupières, comme elle le faisait parfois en parlant de son époux : le papa de ses filles.

En quoi est-il si mauvais, mon article ?

Eh bien, il ne fait pas réfléchir. Il est juste terriblement ennuyeux. Tu devrais y prendre garde, si tu as l'intention d'en écrire d'autres pour cette fort aimable dame, répondit grand-mère qui connaissait bien la Rédactrice culturelle et voyait déjà l'humiliation à venir si Eyja lui présentait à nouveau un mauvais article. Est-il possible que tu fumes trop ?

Eyja réfléchit.

Maman fume aussi, répondit-elle après un instant d'hésitation.

Grand-mère soupira : Dans ce cas, bon Dieu de bon Dieu, j'ignore d'où vient le problème.

Est-ce que je suis stupide ? fit Eyja, la gorge sourde et serrée.

Il faut que tu écrives davantage pour que je puisse te répondre, dit son aïeule avec douceur avant de lui demander d'aider à débarrasser la table. Eyja s'exécuta, fit même la vaisselle, s'abstenant d'allumer une cigarette avant d'être arrivée sur la nationale où elle fit du stop pour se rendre en ville.

J'allais oublier, dit Rúna en agitant un flacon de médicaments vide sous le nez d'Eyja. Je fais quoi, si t'as une crise ?

Je ne sais pas, répond l'intéressée. Je ne me suis jamais vue en pleine crise.

Maman et Bimba ont un gloussement nerveux, mais elle est sérieuse : lorsqu'elle souffre d'une attaque d'épilepsie, sa conscience s'éteint. Le corps se cabre : il hurle, il pisse, il bave. Elle quitte ce monde, elle quitte tout monde – le moment où elle se ressaisit est comme une renaissance, elle observe autour d'elle des visages à la fois inconnus et familiers. De douces voix la questionnent : Comment t'appelles-tu ? Elle sourit. Ça veut dire quoi, s'appeler ?

Elle ne fait pas de crise si elle évite les hamburgers, intervient Bimba en riant, se remémorant la fois où elle s'était arrêtée au drive d'un fast-food et où Eyja s'était mise, à peine la première bouchée mâchonnée, à hurler à pleins poumons. En tout cas ceux de chez Aktu Taktu ! ajoute Bimba, hoquetant de rire, tant elle se trouve hilarante.

Maman et Rúna s'esclaffent, Maman de manière forcée, Rúna joyeusement ; il faut qu'elles se payent une cigarette.

Non, dit Maman en soufflant une volute de fumée. Il n'y a qu'à espérer qu'elle ne fasse pas de crise. Elles ont le plus souvent lieu après un grand choc. Si jamais ça arrive, tu la mets sur le côté, en position fœtale, et tu m'appelles. Ah, une ambulance aussi, appelle d'abord une ambulance. Ensuite, tu me téléphones à moi.

C'est vraiment nécessaire ? demande Rúna, le front plissé.

Oui, tu dois TOUJOURS appeler les secours, ces spasmes sont terribles, répond Maman d'une voix serrée et Bimba acquiesce comme si sa vie en dépendait.

Que fait son mari lorsqu'elle a une crise ? Rúna tourne un regard interrogateur vers Eyja qui bafouille que celui-ci lui donne une barre de KitKat et un verre d'eau. Et qu'elle finit par s'endormir. Ça ne lui fait pas peur, à lui, l'épilepsie.

Il ferait sans doute mieux d'en avoir peur, lance Bimba d'un ton sévère.

Je ne sais pas, réplique Eyja – sincèrement. Rien ne l'effraierait davantage que d'avoir un fiancé normal avec une coupe de cheveux juvénile, un baccalauréat en poche, et qui se chierait dessus en la voyant baver et uriner ainsi. Mais ça, pas besoin de leur dire. Elles n'ont pas non plus à savoir que, parfois, elle se sent mieux dans les bras du Coup de Vent que nulle part ailleurs. A cet instant, il lui manque.

Elle le cherchait, il lui fallait du réconfort pendant que grand-mère tentait de digérer l'indigence de la plume de sa petite-fille.

Mais il n'était pas à la maison.

A la maison, il n'y avait que la machine à écrire.

Alors, elle prit place devant, déterminée à ce que sa troisième chronique soit bonne. Elle se fit porter pâle à la télévision, ignorant son patron qui lui rappela qu'une vague de promotion commerciale venait d'être lancée et que de nouveaux abonnés s'agglutinaient au standard téléphonique. Elle se prépara un café instantané dans la tasse porno du Coup de Vent. Il n'y avait pas de ruban dans la machine à écrire. Elle n'avait pas d'argent pour en acheter un. Elle retrouva un stylo-bille.

Cinq tasses plus tard, elle reprit connaissance dans la pénombre. Sur la table s'étalait un article flambant neuf. Il lui fallait le dactylographier sur l'ordinateur du conjoint de Maman.

Demain.

Une porte claqua et le Coup de Vent déboula. Elle se précipita au lit et prétendit dormir, les frères Karamazov sur le visage.

Dès le lendemain, elle se rendit compte que l'article dissimulait une histoire. Il s'intitulait : Enfants de hippies. Le premier chapitre de son roman avait pour titre : Enfant de hippies. Si elle emmenait les Enfants de hippies dans la Marmite bouillonnante de vie, saupoudrait le tout de Dostoïevski, elle avait là un scénario pour les personnages qu'elle avait créés en compagnie d'une bouteille d'authentique vin français lorsque le soleil brillait, un dimanche de grand froid dans l'Ouest.

Elle ne rendit plus d'articles. Cinq cents mots ne suffiraient pas à saisir la Vérité de l'univers. Car il est aussi complexe de s'emparer de la réalité que d'introduire un sac de pommes de terre dans la gueule béante d'un chaton. Les histoires s'avalent les unes les autres, en faisant naître de nouvelles dans le mouvement. Mille mots nagent dans le cerveau, dans chaque mot réside la même volonté intrinsèque d'atteindre son but, comme chez le spermatozoïde.

Le voyage a débuté, il s'engage jour après jour lorsqu'elle s'assied face à une feuille blanche.

Il s'agit désormais d'écrire un roman, un roman riche de sens.

# La voleuse de vie au Café Beurre

Eyja a le souvenir d'une poétesse.

La poétesse était la mère d'une de ses amies, et les deux l'invitaient souvent à des virées en ville le week-end – cela lui donnait le sentiment de vivre à Reykjavík. Elle jalousait amèrement son amie d'avoir pour mère une poétesse. Elle-même était habituée à ce que l'on s'extasie qu'elle ait pour grand-père cet éminent écrivain mais la Poétesse était autrement plus exotique. La Poétesse avait un amant, et elle autorisait sa fille à manger des côtelettes froides pour le petit déjeuner, car elle devait s'occuper de son amant jusqu'à midi.

C'était cette vie-là qu'Eyja voulait mener ! Des amants et des côtelettes froides ; les hormones allaient bon train dans ce ventre de douze ans et elle ne savait pas si elle avait faim de nourriture ou d'autre chose. Elle avait juste un désir ardent, sans en connaître l'objet. Elle avait l'impression que la Poétesse, elle, savait de quoi il s'agissait.

Eyja faisait le vœu que ses parents comprennent sa situation, afin que Maman devienne elle-même poétesse, et ce vœu ne fit qu'amplifier lorsqu'elle tomba sur une publicité à la télévision – qui était passée, à un point indéterminé dans le temps, d'un monde en noir et blanc à un spectre de couleurs agressives. Dans le spot publicitaire, la Poétesse était occupée à écrire – blonde avec ses traits au tracé délicat. Occupée à écrire jusqu'à ce qu'elle se ressaisisse, se tourne vers l'objectif d'un air distant et retrousse les narines ; lève un bras et sente son aisselle avant de reprendre son activité.

Les couleurs dansaient sous les yeux d'Eyja. Jamais son poète de grand-père ne ferait une chose pareille, lui qui avait le souffle coupé de terreur quand, par accident, il ouvrait la porte des toilettes sur sa petite-fille. Les odeurs corporelles et la littérature semblaient aussi incompatibles qu'un plat de spaghettis et du haddock bouilli. Enfin, qu'en savait-elle ? Peut-être que les spaghettis avec du haddock bouilli, ce n'était pas si mal – n'avait-elle pas déjà goûté des pâtes aux fruits de mer, lors d'un voyage au soleil ? Elle avait certes entendu parler d'odeurs corporelles dans les bouquins de son grand-père, mais c'étaient toujours de mauvaises odeurs émanant de grosses bonnes femmes ou de vieux fermiers. Pas de lui-même, surtout pas dans une belle publicité à l'écran d'un téléviseur couleur.

Il était poète. La mère de son amie était poète avec un suffixe. Si Eyja parvenait à écrire un livre, elle voulait également être suffixée. Elle ignorait alors qu'un jour elle se scandaliserait d'être qualifiée de poéte-sse, de roman-cière, comme si tous ses bouquins étaient publiés par Always Ultra. Et ce même jour, elle ignorait qu'elle retrouverait la Poétesse dans un vieux café typique de Berlin haut de plafond, à l'abri d'arbres feuillus, et qu'à cet instant, un déluge s'abattrait sur la ville – une pluie diluvienne, des coups de tonnerre, des éclairs ; elles commanderaient un thé rouge et de l'eau-de-vie de baies pendant qu'Eyja raconterait la culpabilité qu'elle avait ressentie lorsque ses parents avaient enfin divorcé : n'avait-elle pas écrit leur histoire d'avance, dans le simple but d'avoir des côtelettes froides au petit déjeuner ?

A cet instant de l'avenir, elle aime sentir l'eau-de-vie lui brûler la gorge et entendre le doux rire de la Poétesse qui vient de lui expliquer qu'elle vit là où se trouvent sa plume et son mari, et qu'à présent les deux se situent à Berlin, et c'est là qu'Eyja se rappelle, après toutes ces années, qu'elle a toujours voulu devenir poétesse.

# Les mots dans l'infini

Elle est devenue poétesse depuis longtemps lorsqu'elle réfléchit à ce qui couve sous l'acte d'écrire. L'écriture ouvre la porte sur le domicile de la dame aux chats qui entonne des opéras par-dessus les miaulements pour donner naissance à un chant céleste.
Une sorte de premier jet.
Ce sentiment.
Sens.
Qui échappe sous les doigts comme le mercure mais se condense dans la bouche de Maman.

Lorsque Maman raconte les petits riens, elle lance par-ci par-là un mot et donne à l'ensemble de l'histoire un goût plus prononcé. Quand Eyja relate une anecdote de Maman, elle dit : Ensuite, les deux femmes se sont rendues avec l'enfant à l'église près de l'étang. Maman, elle, dit : Puis on fila, la petite dans les bras, rendre visite au révérend Jón à l'église libre.
Il en est de même lorsqu'elles préparent des spaghettis. Eyja émince dix variétés de légumes qu'elle jette dans la sauce à laquelle elle mêle toutes les épices à portée de main jusqu'à obtenir un potage incolore. Maman écrase de l'ail dans l'huile d'olive et râpe quelques copeaux de parmesan. Elle dispose le sel et

le poivre sur la table ; la nappe à carreaux rouges, si elle est propre.

Les détails. Font l'histoire.

Mais Maman n'aime pas écrire. Sauf quand quelqu'un meurt. Alors, elle assemble les mots avec le même doigté patient que lorsqu'elle berçait ses enfants sanglotants et ses chiens hurlants. Les mots basculent, tranquilles.

A venir :

... une rédactrice anglaise appelle depuis son office londonien. Elle dirige un magazine international d'horlogerie maniant des sommes astronomiques et publié en sept langues, dont le chinois. Elle demande à parler à Eyja avec son patronyme[1]. L'accent des hautes classes dégoutte de chaque mot et fait résonner l'écho de la royauté britannique dans ce petit appartement du quartier Ouest de Reykjavík où Eyja se tient près d'un évier rempli de vaisselle sale, suivant des yeux par la fenêtre le chat au pelage rayé qui suit lui-même des yeux un bruant des neiges dans le jardin de la maison recouverte de tôle ondulée de l'autre côté de la rue.

La rédactrice aurait besoin de huit cents mots sur le cheval islandais, contre un salaire plus élevé que ce qu'offre l'allocation mensuelle du fonds national pour les écrivains. Eyja accepte sans hésiter, aux anges lorsque l'oiseau s'envole sous le museau du chat.

Jusqu'au moment où elle s'assoit devant l'ordinateur et se rappelle qu'elle n'a pas songé au cheval islandais

---

1. Ne possédant pas à proprement parler de nom de famille (mais un patronyme généralement composé du prénom du père suivi du suffixe -*son* pour les garçons ou -*dóttir* pour les filles), la plupart des Islandais ne s'appellent usuellement que par leur prénom.

depuis que celui-ci l'a jetée par terre, dans une autre vie, affolé d'entendre l'écho de ses sabots sur le vieux pont dans la vallée de chez Maman, alors qu'il venait d'arriver du comté de Húnavatn avec Agga et sa copine passionnée d'équitation qui avaient débarqué, la bête dans leur giron, et avaient persuadé Eyja de lui monter sur le dos. Pas d'autre solution que d'appeler Maman – elle avait possédé un cheval dans le temps.

Elle dit : Parle des chevaux d'eaux.

Des chevaux d'eaux ? demande Eyja, intriguée, et sa mère lui raconte. Elle déborde d'histoires qui n'ont jamais été dites et Eyja peut à loisir repêcher ces anecdotes et les gribouiller sur une feuille de papier, car Maman n'a pas l'intention de les écrire. Alors, elle griffonne :

*Les chevaux d'eaux – à vrai dire, tous les chevaux* (dit Maman) *– ont le cœur si sensible que tirer des feux d'artifice dans la campagne le soir du Nouvel An relève de la pure cruauté. Un poulain est ainsi tombé de Dettifoss, la chute d'eau la plus puissante et la plus brutale d'Islande. En dépit de toute logique, il a atterri sans une égratignure. Et il a fallu encore un autre miracle pour que les hommes parviennent à sa rescousse. Mais après cet incident, le poulain refusa le moindre brin d'herbe. Il passait son temps à regarder dans le vague, comme un malade mental, et on dut l'abattre.*

La voix de Maman continue de s'écouler dans les oreilles d'Eyja, profonde et douce :

*Les chevaux sont des animaux si réceptifs que, en tout lieu et par tout temps, l'étalon sait nous ramener à la maison. Mais les chevaux d'eaux de Höfn, dans le*

Hornafjördur, étaient spéciaux, une race éminente de la côte orientale de l'Islande. Ils étaient grands, à la robe généralement baie ou noire. Ils pouvaient traverser à la nage les rivières glaciaires. Ainsi gardaient-ils les fermiers de l'isolement avant la construction des ponts. Les habitants des autres régions voulurent se procurer des chevaux d'eaux (à cet instant, l'empathie de la narratrice s'exacerbe), mais ceux-ci à peine arrivés prirent la tangente. Ils revinrent des quatre coins du pays. Toutes les barrières cédèrent, rien ne les arrêta jusqu'à ce qu'ils soient de retour chez eux.

Eyja note chaque mot, y joignant quelques commentaires pour atteindre son objectif. Et voilà ! Huit cents mots sur les chevaux d'eaux qui galopent jusqu'aux cieux.

La rédactrice trouve qu'Eyja a saisi la mystique islandaise à 101 %. Elle envoie un photographe mondialement connu sur ses terres, et celui-ci capture des images de chevaux parqués sur une falaise par les employés d'une agence publicitaire locale.

La rédactrice ignore que le pouvoir mystique de l'auteur puise dans la verve de sa mère. Une femme aux doigts ramassés par l'arthrose, de sorte qu'elle ne peut plus tenir un stylo, mais qui s'exprime en accrochant des coupures de journaux sur son réfrigérateur où Sartre, sous la forme d'une poupée de papier, pointe le bout de son nez, clope au bec, entre une liste de courses et des photos de petits-enfants. Voici la femme qui écrit comme elle parle aux gamins et aux animaux. Mais seulement quand quelqu'un meurt.

Plus tard, bien plus tard, le téléphone sonne à nouveau. Cette fois, il s'agit d'Agga, la petite sœur, qui se trouve dans la cuisine enfumée de chez Maman.

On a un petit problème, dit-elle, la gorge serrée.

Comment ça ? s'enquiert Eyja.

En ce qui concerne la nécrologie de Maman, explique Agga, de plus en plus taciturne. Le *Morgunbladid* ne publie pas les articles de plus de 3 179 caractères. Celui de Maman en fait 4 860 et elle refuse de le raccourcir.

Eyja soupire. Sa sœur est capable de diriger cent hommes sur un plateau de tournage au sommet d'un glacier, mais il lui est radicalement impossible de contrôler Maman. Et Maman sait qu'Agga est si prévenante, jamais elle n'oserait faire une scène en sa présence. Agga se montre particulièrement attentionnée car, il y a quelques jours, Maman a perdu une dame qui était à la fois sa cousine et son âme sœur dans le domaine de l'humour.

Elles en ont parcouru du chemin, ensemble, toutes les deux : mères de quatre enfants, ayant avalé quelques tonnes de livres de chez Penguin et encore davantage de magazines à scandales en diverses langues ; ayant fait des biscuits épicés pour les chiens, comploté au son assourdissant d'un jazz endiablé, et conversé quotidiennement au téléphone pendant une heure et demie.

Chaque jour une nouvelle histoire.

Les âmes sœurs ont toutes deux manqué de prometteuses occasions, car elles étaient trop talentueuses pour la vie, selon certains – d'autres arguent qu'elles étaient stupides, des rombières alcooliques qui avaient juste le sens de la formule. Quelques tout petits mots, et la phrase était une histoire à elle seule : Non, je dis ça comme ça, avait dit quelqu'un et elles trouvaient ça proprement hilarant, mais il y avait encore plus drôle :

l'anecdote de leur cousin. La voici : Je ne me sens bien que mal, disait-il. Les petites histoires sauvaient les longues journées : la vie de l'un, la brève favorite de l'autre.

Aucune d'elles ne voulait lustrer les bancs de la fac, mais elles apprenaient beaucoup l'une de l'autre : Sais-tu comment débarrasser un chien du ver solitaire ? demandait l'âme sœur, toute gênée, penchée au-dessus de l'animal qui aboyait et de la soupe de betterave qui bouillait – elle avait appris à la préparer en Russie, plus jeune, à peu près de la même manière qu'elle avait apprivoisé le jazz dans les bars enfumés des Etats-Unis, trop indépendante pour se soumettre à autre chose qu'à ses propres décisions, particulièrement lors de ses voyages autour du monde. L'autre sentit sa gêne. C'était un sentiment qu'elle connaissait bien. Elle compulsa d'un geste déterminé ses livres de femme au foyer, encore reconnaissante pour la recette de la soupe à la betterave.

Chacune dans sa cour de ferme, chacune près de sa maison en bois. Maman cernée de jouets rouillés semés entre des buissons hirsutes. L'amie cernée de roses cultivées par le fermier aux cheveux plus rouges que les pétales de ses fleurs, un sourire doux caché sous sa moustache, et l'écho de ce sourire dans les yeux ; une oie pendait au pignon de la serre et les chiens venaient renifler, tout fous, les pétales de rose qui flottaient dans la mare de sang de la venaison pendant que les gamins galopaient à cheval, évitant de justesse les graines d'artistes de Reykjavík. A cette époque, il n'y avait pas de café exotique dans la capitale – on allait à la campagne pour jouer les élitistes.

Les femmes du coin aimaient bien ces bourgeois bohèmes. Ils faisaient de leur mieux avec leurs deux mains gauches. La mousse de canard, le vin rouge et le *laufabraud*[1]. Betteraves, gigot d'agneau et gelée de menthe. Schnaps frappé et bibine pétillante – et illégale.

L'âme sœur était souvent surnommée l'Enfant de la République, car elle était la première Islandaise indépendante : elle était née juste après l'instauration de la République d'Islande. Elle était destinée à être grande et à se tenir droite. Saisissante, avec ses yeux vert sombre qui scintillaient. Toujours chaussée de bottes en cuir ornées d'un bijou imposant. Une tunique persane et une jupe qui papillonnait. Elle riait rauque et fumait à la chaîne des Capri d'une finesse extraordinaire. La république avait alors elle aussi le souffle court. Elle avait grignoté tous les petits pains que les optimistes nommaient période de prospérité mais auxquels l'Enfant de la République n'avait elle-même jamais cru. L'idée d'une république autosuffisante mourut. Puis ce fut le tour de l'Enfant de la République.

Presque un demi-siècle avait passé depuis la randonnée à travers les vallons vêtue d'un poncho, le nourrisson pelotonné dans son landau, avec le fermier aux roses, manches retroussées jusqu'au coude et fusil sur le dos, au cas où ils croiseraient un oiseau. Au volant de sa Jaguar, le fermier aux poèmes fit une embardée qui le mena presque dans le fossé lorsqu'il aperçut la jeune famille qui longeait la nationale.

L'Enfant de la République mourut lors d'un voyage au Maghreb ; elle s'éteignit comme une bougie, en plein printemps arabe. Et Maman demeura derrière, se préparant à

---

1. Pain de feuille : pain généralement consommé pendant les fêtes de Noël, très fin et rond, de la taille d'une crêpe, sur lequel on dessine un motif géométrique évoquant une feuille d'arbre avant de le faire frire à la poêle.

changer en mots une amitié d'un demi-siècle, après avoir pris rendez-vous chez le physiothérapeute pour réapprendre à tenir un stylo. Elle songea avec tristesse à la façon chaotique dont elles dirigeaient leur foyer. Comment faire autrement, avec des journées si riches de sagesse et de recettes de cocktails coucher-de-soleil trouvées dans des magazines étrangers, dont elles pouvaient tirer 50 fois 365 anecdotes croustillantes ? Mais nous sommes en 2012 – en phase avec son époque, la femme du *Morgunbladid* explique au téléphone qu'une nécrologie ne doit pas dépasser 3 179 caractères, auquel cas elle ne paraîtra que sur le site du journal.

Fais les coupes toi-même ! lance Eyja à sa sœur, vexée que Maman ne lui ait pas demandé de venir éditer l'article.

C'est déjà fait, s'exclame Maman dans le haut-parleur avant de faire couler le vin blanc de son cubi en carton dans un verre en ajoutant qu'Agga a passé la journée là-bas, pour la soutenir.

Oui, réplique Agga pesamment. J'ai réussi à raccourcir un peu. Mais à présent, elle dit que son article est… tel qu'il doit être.

Dame Joliette de France, dit Maman, la voix sanglotante et théâtrale, je n'ai même pas réussi à mentionner qu'elle était née pour devenir pianiste concertiste, si seulement elle avait eu un peu de courage et d'ambition.

Eyja hausse le ton : Maman, il faut élaguer !

Le silence emplit le combiné jusqu'à ce qu'Agga s'éclaircisse la gorge : Elle ne comprend pas comment on peut marchander quelques petits mots quand c'est tout un être humain qui est mort.

C'est sans doute plus que quelques petits mots, soupire Eyja.

Comment oses-tu dire une chose pareille ? se lamente Maman, offensée au point que le seul moyen pour Eyja d'obtenir l'absolution est de téléphoner au *Morgunbladid* – peut-être qu'un journaliste prendra en considération que la défunte était la république faite femme et que sa mort est symbolique de l'Islande face à la crise financière.

Eyja tente de joindre la rédaction mais personne ne décide de rien là-bas, en dehors de la femme qui s'occupe de la rubrique nécrologique. Elle est à deux doigts d'appeler le rédacteur en chef – ancien Premier ministre de la république et coupable selon certains de la mort de cette dernière – lorsqu'un journaliste compatissant lui donne l'adresse électronique de l'éditeur, actuellement en plein meeting à New York. Eyja lui envoie un mail ayant pour objet, en lettres capitales : IMPORTANT.

Une fraction de seconde plus tard, un smartphone bipe dans un gratte-ciel. Cinq minutes plus tard, un mail apparaît sur l'écran d'un ordinateur dans un petit appartement du quartier Ouest de Reykjavík.

L'éditeur affirme ne pas douter du poids poétique des mots mais, malheureusement, il est impossible de faire une exception, car les autres lecteurs, ceux-là mêmes pour qui exception ne fut pas faite, seraient furieux au point d'accuser l'ancien Premier ministre de cette débandade, comme de tout le reste.

Eyja doit apporter la mauvaise nouvelle à sa mère et à sa sœur : des coupes sauvages !

Maman tente de négocier.

Parfois, les choses sont telles qu'elles doivent être et on gâche tout si on prétend y apporter le moindre changement, dit-elle avec solennité, ajoutant qu'on ne peut pas enlever des mots qui sont exactement là où ils doivent être. Eyja ne pourrait-elle pas rappeler la dame du journal ?

Non, répond Agga. J'ai réussi à lui faire supprimer vingt mots.

Agga joue les dures mais Eyja sait qu'elle est tout aussi désemparée. Ce serait comme arracher des pages à la dernière copie disponible de *La Saga de Njáll le Brûlé*.

Non, je ne veux pas couper ça, gémit Maman. Et un instant plus tard : On ne peut pas enlever autre chose ?

Enfin, elle lâche avec dédain : Comment une personne âgée en plein deuil peut-elle rendre une nécrologie si elle écrit toute une œuvre littéraire que deux super-professionnelles à plein temps vont de toute façon réécrire ?

C'est vrai, approuve Agga. Les nécrologies bien écrites devraient avoir une place d'honneur dans le journal. Les autres, celles qui sont composées par les jeunes, pourraient aller sur Internet.

Je suis bien d'accord, grogne Maman. On devrait se baser sur la qualité des mots, pas sur leur nombre. C'est vraiment moche, de marchander avec les gens en deuil.

Eyja n'essaie pas de cacher le bâillement qui lui échappe lorsqu'elle leur demande si elles pensent vraiment qu'il vaut mieux dire à un gamin que son écriture est trop pauvre pour que le journal publie la nécrologie de sa mère.

Oh, Eyja, lâche Agga, et l'intéressée comprend au ton de sa voix qu'elle devrait savoir que, pour Maman, un article en ligne n'existe pas, tandis que l'adolescent mesure la réalité à l'aune de sa machine éternelle.

Eyja bâillait au téléphone mais elle est émue aux larmes lorsque la nécrologie paraît dans sa presque totalité. Maman donne le ton, à l'image de la pianiste concertiste qu'elle voyait en son âme sœur : *Comme la musique enchante, comme les livres fascinent et comme l'humour donne naissance à une irrécusable béatitude, elle est mon amie, près de moi, dans la peine et dans la joie.*

Leur dernière conversation téléphonique eut lieu alors que l'une se trouvait dans les fjords de l'Ouest et l'autre en Egypte. Celle située à Isafjördur raconta que la vie y était belle ; celle située à Louxor assura qu'elles s'y rendraient ensemble, la prochaine fois.

*Et ainsi prit fin la croisière de la petite dame et de la grande dame,* écrit Maman.

Et cette seule phrase est la vocation de tout écrit.

# Ajax

Le moment était revenu de remplir les verres de la brigade ménagère. Le rhum étanche et réchauffe.

Le regard est chaleureux lorsque Eyja et Bimba échangent un sourire dans la cuisine. Après tout ce temps. D'humeur à dire quelque chose d'indéniablement important – mais l'échange est rompu.

Alors comme ça tu t'es mise à vendre des articles aux journaux ? Hein ? s'exclame la Reine du Ski en riant, avec amour et sévérité, tandis qu'elle chancelle dans la cuisine, une bassine d'eau grise dans les mains qu'elle vide dans l'évier que Bimba venait de finir de polir, avec tant d'ardeur féminine qu'Eyja en est embarrassée.

Tu les as lus ? demande cette dernière en jetant un rapide coup d'œil à Rúna.

Eh bien, il me semble avoir parcouru un entretien signé de ton nom l'autre jour, répond l'intéressée en ouvrant grand les paupières, ridant sa fine peau. Elle s'empare de son verre, avale une généreuse gorgée et ajoute : Comme si ça ne suffisait pas d'écrire un roman, voilà que tu suis les traces de ton bon vieux grand-père. Et que je t'écrive partout dans les journaux comme si ma vie en dépendait !

Non, bafouille Eyja, confuse, les yeux rivés sur sa brosse à dents. Celle-ci est noire de poussière, mais quel autre outil peut bien servir au récurage d'un radiateur ?

T'as toujours pas fini avec les chauffages ?

Non, enfin… j'en ai terminé un.

Je vais te dire une chose : ta grand-mère nous aurait décrassé ça en moins de deux, dit Rúna en se tournant vers Maman qui arrive en pleine conversation. Elle furète à la recherche de son verre et sursaute lorsque Rúna se met à aboyer : J'étais en train de lui demander si elle allait pas finir comme ton vieux !

Arrête de la taquiner, soupire Maman en trinquant. Santé, ma chère Rúna ! Santé, Eyja ! Santé, ma chère Bimba !

Santé ! s'exclame Bimba, s'écartant de l'évier afin que Maman puisse y vider son seau et le remplir d'eau propre.

C'est la taquiner que de parler du bonhomme ? s'étonne Rúna.

Maman ne répond pas, concentrée sur le seau tandis que l'eau tombe en jet sur le produit, et bientôt la fumée s'échappe de la mousse. Elle soulève alors le récipient et sa petite Bimba secoue sa bouteille d'Ajax, prête à nettoyer l'évier pour la troisième fois.

Bon sang, Rúna, lâche Maman. Tu sais de quoi je veux parler.

Enfin, le bonhomme ne passait-il pas son temps à écrire ?

Si, mais…

Maman jette un œil furtif à Eyja avant d'aiguiser son regard vers Rúna qui fait claquer sa langue. Elle comprend et claque des dents. Hésite et dit enfin : Elle sait bien qu'elle est loin du prix Nobel.

Comme si on ne le lui avait pas assez souvent répété, lâche Maman avec bassesse et d'une voix aiguë, tentant vainement d'affûter son regard.

Mon Dieu, ce que ce cocktail est bon ! s'exclame alors Bimba devant l'évier qui scintille d'Ajax, car elle n'est pas seulement un tâcheron hardi, elle possède également le sens de la situation, à l'instar de ses deux aînées ; bien qu'elle n'ait jamais divorcé ni donné le jour, elle demeure, à son insupportable manière, *femme* : elle lit *Hello* et achète du rouge à lèvres en promotion et se lance dans un régime après chaque Noël et avant chaque congé estival.

Rúna attrape le commentaire au vol : Ouais, *total lifesaver*, ma chérie !

Eyja jalouse Bimba de savoir ainsi parler le langage des femmes alors que les trois autres échangent un sourire et que Rúna allume la radio. Un invalide dans la cinquantaine demande à l'animateur de bien vouloir passer « Fernando » d'Abba, aussi se précipitent-elles pour augmenter le volume, malgré les interférences, avant de laisser leurs hanches se délasser au son des notes mélancoliques. Et se crisper lorsque la sonnette retentit. Eyja fonce vers la porte.

# A l'instant

*Fernando !*
*Allez, remets Fernando !*

Maman leva les yeux de son carnet de croquis et fouilla son sac à la recherche de petite monnaie afin qu'Eyja puisse relancer le juke-box : *There was something in the air that night...*
Elle décrivait cercle après cercle dans ses Kickers solides et sûres, les pouces enroulés autour des bretelles de sa salopette, et regardait subrepticement sa jolie Maman avec ses cheveux bruns et lisses qui cascadaient sur son pull en laine blanche décoré de petits cœurs gris. Ce qui était amusant, c'était que Maman ne voyait pas qu'elle l'observait, plongée dans ses dessins tandis que les ouvriers sirotaient leurs pintes et que les bonnes femmes, en robes de polyester qui leur descendaient jusqu'aux genoux, se goinfraient bruyamment de tarte aux haricots. Dans le jardin, il y avait une chèvre avec laquelle elle comptait bien jouer lorsque papa rentrerait de l'école des insectes et qu'il s'offrirait une bière avec Maman – et qu'Eyja aurait fini de danser avec Fernando.
Quand elle s'arrête de danser, ses parents ont cessé de se connaître ; quand elle s'arrête de danser, trente ans ont passé. Elle est assise face à des gens abattus dans un

groupe de parole et dit : Je me rappelle avoir souvent joué avec une chèvre dans un pub de la campagne anglaise. Il y avait aussi un juke-box. Et je commandais de la tarte aux haricots et du jus d'orange.

Un homme d'âge moyen grogne avec un tel dédain que le conseiller lui demande s'il a un commentaire à partager avec Eyja. Ouais, crache le type. Je voudrais juste dire que j'avais la vingtaine bien tassée quand j'ai eu pour la première fois le privilège de voir une chèvre étrangère.

Fernando ! Elle tourbillonne de nouveau, emportée par la danse. Elle fait un pas en arrière, un pas en avant, un à gauche, deux à droite. Boum !

Maman pose la bouteille givrée d'aquavit sur la table du petit déjeuner ; on y dispose également saucisses, œufs, légumes tranchés, fromages, petits pains, müesli, fromage blanc, café et jus de fruits. La table s'affaisse sous le poids des plats gastronomiques depuis que papa est parti et que le producteur de cinéma rouquin au pull crocodile par-dessus sa chemise Boss occupe son siège. L'homme du groupe de parole n'a probablement jamais mangé un petit déjeuner aussi opulent.

Oui, Maman a enfin trouvé l'amour.

Papa et elle avaient passé plusieurs années à se disputer, avec une violence quasi hystérique, incapables de s'entendre sur la direction désordonnée de leur foyer, l'entomologiste et la fille au carnet de croquis, malgré leurs trois enfants et la maison en bois qu'il avait construite pour la famille, à la seule force de ses bras, malgré la délicieuse salade de thon qu'elle préparait pour les réunions du club d'échecs – que mère et filles surnommaient le club des schnocks.

Ils avaient accompli leur devoir : poursuivi leurs études, Maman ayant eu son bac haut la main et papa son doctorat, passé de longues journées à enseigner, à écrire, à faire de la recherche, sous contrat ou en free-lance, tout en participant à des débats pour un monde plus juste avec d'ardents idéalistes. Mais ils demeuraient eux-mêmes : elle n'était pas Ásta Sigurdardóttir, lui n'était pas Einstein, et au milieu de toutes ces occupations, l'espoir d'un lendemain s'écailla. Peut-être que ça n'avait aucune importance, finalement, qui avait trompé qui quand et à quelle fête, se dit Eyja en posant ses yeux d'auteur tout-puissant sur cette histoire, bien que l'adultère ait eu un rôle fondamental à jouer lors de la millième prise de bec, lorsque les enfants en étaient arrivés à souhaiter que leurs parents se trouvent de nouveaux conjoints, éreintés et insatisfaits comme ils l'étaient.

Plus tard, le producteur de cinéma de la RFA et elle eurent tant de projets excitants qu'elle hypothéqua la maison pour financer ses rêves, car son nouveau compagnon était un homme d'expérience qui lisait la presse allemande et savait tout de l'avenir de Gorbatchev, des plus savoureuses bières, des meilleurs hôtels sur les lieux de festivals européens du septième art, des marques de prêt-à-porter les plus recommandables et des divers modèles de Citroën.

Mais les rêves étaient condamnés à la banqueroute.

Le premier Noël du producteur sur la colline, la famille avait, comme d'habitude, emprunté un décor à *Fanny et Alexandre*, grand-mère ayant orné chaque coin et recoin du logis de beaux atours de Russie ou de Suède et de friandises subtilisées à des ambassades opulentes ; Maman ayant rempli un bol de biscuits allemands et interdit à l'homme de passer par-derrière pour se rendre chez grand-mère car c'était là que cette dernière plumait le lagopède : plongée jusqu'aux genoux dans un tas de plumes sanguinolentes avant que le fumet des airelles envahisse la maison. La viande la plus raffinée du monde accompagnée d'un délicieux vin rouge français.

Les portes furent ouvertes sur la nuit hivernale afin que les mulots se délectent eux aussi de Bach. Les étoiles se réverbéraient dans la neige étincelante, les habitations de la colline avaient des allures fantasmagoriques. L'homme du groupe de parole se serait pissé dessus d'amertume. Pas vrai ?

Le quatrième Noël, les décorations disparurent dans le noir de l'après-midi.

Les Islandais sont fous à lier, pleurnicha le grand producteur de cinéma dans sa langue, accablé lorsqu'il alla pêcher un mouchoir dans la poche de sa veste Boss – on avait atteint des sommets, et le décor ne suffisait plus à sauver ce désastreux scénario.

Ils s'étaient mis à se battre ; les nuits hivernales froides et ténébreuses dans la vallée dégouttaient en une danse diabolique.

Le sang s'écoula, car quelqu'un reçut un pichet en pleine tête.

Etait-ce Eyja qui l'avait lancé ?

Qui d'autre pour se préoccuper de Maman ?

Peut-être auraient-ils eu une chance s'ils ne s'étaient à ce point entêtés à confronter les coutumes européenne et islandaise en matière de consommation d'alcool. *Bier auf Wein, das lass sein !*

*Fernando ! Un tour ! Un pas en arrière, deux pas en avant.*

Maman ne parvenait pas à accepter qu'elle avait hypothéqué sa maison contre un téléfilm allemand – en était-il certain ? Elle ne comprenait pas comment une simple signature pouvait la priver de ce qu'elle possédait, n'avait-elle pas un œil sur le poisson qui rissolait et l'autre sur le nourrisson dans ses bras lorsqu'elle avait apposé son nom en bas de ce papier, ou encore autre chose ? Que savait-elle de tout ça, elle, mère au foyer avec quatre enfants ? A vrai dire, elle s'était lancée dans le documentaire, quand un nouveau membre avait alors rejoint le groupe : une fillette grande prématurée qui mit un an à apprendre à respirer, bleue d'asphyxie au quotidien. Etait-ce une plaisanterie ? L'enfant pleurait, respirant enfin seule, lorsque le glas de leur couple fut sonné et que le père quitta l'Islande. Quelque chose se brisa. Ce ne fut pas un pichet, cette fois, mais quelque chose à l'intérieur de Maman.

Tu pourrais sans doute obtenir un emploi à la coopérative, dit grand-mère, constructive – ou bien était-ce Eyja ? Aucune importance.

Des boules au rayon viande : esprits sanguinolents sur plats d'aluminium. Elle vomit et alluma une cigarette, l'écrasa aussitôt pour ne pas se rappeler que son fils était parti vivre chez son père. Le nourrisson pleurait pendant qu'Eyja faisait une crise d'épilepsie. Celle du milieu s'occupa de la cadette. Agga devint une petite maman. Et Maman redevint l'adolescente qu'elle avait cessé d'être lorsque Eyja était née.

L'ancienne Maman s'inquiétait tant de ses enfants que ses conjoints s'amusaient à lui faire croire qu'ils jouaient dans la rivière avec des lames de rasoir, et elle bondissait dans un hurlement. La nouvelle Maman racontait des blagues si noires qu'elle devait les couper au gin – mais alors elle oubliait de brosser les dents de la petite dernière. Elle oubliait qu'il fallait lui donner autre chose à absorber que des spaghettis et du jus de pommes périmé – et maman Agga ne savait pas préparer les repas avec lesquels l'ancienne Maman l'avait nourrie. Le speed était son échappatoire à elle. Ça l'aidait à brosser les dents noires de sa petite sœur.

Speed speed speed.

Grand-mère s'agaçait du fait que ce soit toujours le bordel chez eux, aussi Agga s'efforçait-elle également de maintenir la maison en ordre. Elle rangeait, elle s'occupait de la petite, et elle prenait du speed – quand aurait-elle eu le temps d'étudier ? Elle abandonna l'école, comme Eyja l'avait fait. Elles étaient tellement prises par tout le reste. Quel reste ?

Ben, juste le reste.

Qui fait battre le cœur, Fernando !

D'un coup, un homme qui ressemblait à Ken, le mari de Barbie, emménagea chez elles. Il affirma avoir racheté la moitié de la maison afin que la banque ne la saisisse pas comme remboursement de la dette cinématographique. Et puisqu'il possédait désormais les lieux, il s'en fit maître. Peu lui importait qu'Agga prenne peur lorsqu'il ouvrait la première bouteille le jeudi et la dernière le dimanche. Elle ne pouvait rien, rien qu'emmitoufler sa petite sœur dans sa couette pendant que les tourtereaux se pintaient, se câlinaient et se battaient.

Car Eyja était partie. Elle avait expliqué qu'on avait besoin d'elle dans les fjords de l'Ouest, là où une avalanche avait eu lieu. Agga aurait tout donné pour l'accompagner. Mais quelqu'un devait bien s'occuper de la petite dernière qui murmura à Agga que Ken l'avait frappée quand il était ivre mort.

Eyja ne pouvait s'occuper de sa petite sœur parce qu'elle ne pouvait même pas s'en préoccuper. Son estomac se contractait lorsqu'elle pensait à ses sœurs. Tout devenait noir. Le ciel noir au-dessus du village, l'hiver où la neige en emporta toute vie.

*The stars were bright. Fernando !*

Eyja dansait dansait dansait et Maman gloussait comme une gamine. Si jeune qu'elles auraient pu être sœurs.

Enfin, papa arriva. Il embrassa Maman sur la joue, elle sourit lorsqu'il s'esclaffa de son rire juvénile, les yeux brillants de joie et pleins d'avenir. Elle continua de dessiner, il hissa Eyja sur ses épaules. La petite empoigna les boucles noires et sortit avec l'homme dire bonjour à la chèvre. Ils entendirent l'écho de Fernando.

S'évanouir.

# La vie de l'homme

Tu ne peux pas entrer.

Ah ? Je ne suis pas censé habiter ici ?

Elle trépigne, la brosse à dents serrée entre ses doigts.

Eh ben, je suis pas censé habiter ici ? répète-t-il, et elle est surprise par l'indifférence dans sa propre voix.

Oui, si. Mais pas tout de suite.

Il éclate d'un coup : Comment ça, pas tout de suite ?

Je te l'ai dit.

Tu m'as dit quoi ?

Tu étais ivre à ce point ?

Non. Quand ça ? De quoi tu parles ?

Ils sursautent tous les deux lorsque Maman s'exclame : Qui est là ?

Le Coup de Vent s'apprête à se glisser dans l'embrasure mais elle l'arrête d'une poigne de fer, comme un videur à l'allure de troll ou le recouvreur de dettes venu frapper à sa porte quelques semaines auparavant.

Il se raidit. Ils s'observent l'un l'autre jusqu'à ce qu'il demande : Je dois faire demi-tour ?

Non.

Alors, quoi ?

Bimba est ici.

Il pouffe.

La petite chatte de droite est de retour !

Puis il laisse échapper un éclat de rire franc. Aigu et puissant. Qui souffle Eyja et se faufile comme un poisson volant jusque dans la cuisine. Splash ! Maman apparaît dans le cadre de la porte, levant son verre. Ah, c'est toi ? dit-elle comme si de rien n'était.

Qui d'autre ? répond-il dans un rire hésitant, la jaugeant du regard – un regard d'animal farouche. En soi, il est surprenant de voir Maman ici, la main gantée de caoutchouc. Mais ce qui l'intéresse, c'est plutôt de savoir où elle s'est procuré ce cocktail décoré d'une rondelle de citron. Eyja voit la soif de sang scintiller dans les yeux de la bête.

Le pirate veut du rhum.

Tu ne le laisses pas entrer ? s'exclame Maman depuis le cadre de la porte de la cuisine, comme si tous ces projets de divorce et de départ à l'étranger avaient été jetés dans l'évier avec l'eau sale et que tout le monde était là juste pour faire la fête. Eyja fixe sa mère, puis elle se tourne vers le Coup de Vent. Il grogne de satisfaction.

T'aurais pas un verre pour moi ? demande-t-il par-dessus l'épaule d'Eyja.

Rúna, elle, jette un œil de derrière Maman qui hésite.

Oui, si, bafouille-t-elle, gênée, puis sursaute lorsque sa chère Bimba s'écrie : NON !

Elle débarque à toute allure, le vaporisateur d'Ajax dans une main et une éponge verte dans l'autre. Elle secoue ses armes de nettoyage dans les airs en hurlant : NON NON NON NON.

Personne ne sait comment réagir. Enfin, Maman balbutie : Ma petite Eyja, ne vaut-il mieux pas que vous alliez parler un peu en privé ?

Eyja acquiesce. Rembobine jusqu'au souvenir d'une soirée, alors qu'ils venaient de quitter l'Ouest pour s'installer ici, qu'elle était allée chez sa mère chercher le

Coup de Vent après le travail et qu'elle les avait trouvés titubant dans la cuisine, avec une vieille femme toute ridée vêtue comme une gamine : un pull au col large et une ceinture dorée à sa taille. Le plan de travail était jonché de bouteilles et de canettes de bière. L'atmosphère enfumée. La ridée était dans les bras du Coup de Vent et avait un rire d'adolescente. Maman regarda subrepticement Eyja, avinée, un sourire malicieux aux lèvres ; puis elle se tourna vers la bonne femme et hoqueta : Fais gaffe ! Ma fille est tellement jalouse qu'elle risque de te sauter à la gorge.

Le Coup de Vent et la bonne femme éclatèrent d'un même rire qui ne fit que s'intensifier lorsque Eyja attrapa un verre qu'elle cassa contre son propre crâne, le vin blanc aigre collant les débris à ses cheveux. Maman savait s'y prendre, elle avait toujours su s'y prendre, pour trouver la phrase qui poussait sa victime aux frontières de la folie. Ainsi s'ouvrait le bal, quand un mari blessé mortellement ou une fille mutilée cherchait de la main quelque chose, n'importe quoi, à opposer à l'horreur des mots. Comment des mots aussi laids pouvaient-ils s'échapper de la bouche d'une femme si bonne ?

Les éclats de rire continuaient de ronger Eyja tandis qu'elle prenait la fuite.

Dans la neige impétueuse, toujours tout droit. Elle courut jusqu'à perdre haleine et s'effondrer sur une congère. Les cieux venaient se presser contre ses globes oculaires. Noirs comme les montagnes. Pas une étoile ne scintillait.

Jusqu'au moment où deux points s'illuminèrent sur la colline. La voiture approcha. La reconduisit jusque chez elle. Elle s'endormit tout de même avec le goût du sang dans la bouche. Fut réveillée le lendemain matin par l'appel de Maman qui lui expliqua affectueusement que le Coup de Vent avait passé la nuit là-bas, car il venait faire des travaux quelques jours, et qu'elle avait préparé des steaks et des œufs sur le plat. Ne voulait-elle pas se joindre à eux ? Si, répondit Eyja, se rendant soudain compte qu'elle était morte de faim.

Viens par là ! dit Eyja.

Il hausse les épaules. Lui emboîte le pas sur le palier et sourit. Son regard est flottant lorsqu'il le pose sur elle.

Je me suis dit que tu ne pourrais pas payer le loyer, alors j'ai résilié le bail, explique-t-elle.

Il arque les sourcils.

Ce mois-ci n'a même pas été réglé, ce sera rattrapé par la caution.

Et puis ?

J'ai tenté de te le dire hier, poursuit-elle. Je vais faire un tour en Suède.

Faire un tour ?

Elle joue avec la brosse à dents. Puis dit oui. Elle veut juste faire un petit tour. Bronzer et écrire un roman. Ensuite, elle reviendra et ils pourront trouver un nouvel appartement. Sûrement mieux que celui-ci.

Ma petite chérie, soyons honnêtes, dit-il avec un rire qui s'évapore dans un gémissement. Ses yeux injectés de sang l'observent, confus. Comme ils l'ont toujours fait, depuis la première fois où elle est rentrée avec lui, par accident, et où il a pris son visage entre ses mains au moment de son départ, affirmant qu'il mourrait si elle ne revenait pas.

Elle l'avait cru.

Elle serre les dents et dit : Je suis sincère.

Son rire repart de plus belle. Hoquetant, il tire sa pipe de sa combinaison de travail et l'allume sans détacher son regard d'Eyja. Celle-ci a les larmes aux yeux – elle

153

l'aime, quand bien même il est insupportable. Elle n'a qu'une hâte : partir ; mais appréhende les adieux. Elle piétine sur place et lui demande s'il aurait une cigarette pour elle.

Il fouille ses poches et y pêche une Camel sans filtre cassée qu'elle accepte. La flamme brûle le papier sec lorsque le Coup de Vent l'embrase avec son briquet normal – on ne trouve pas beaucoup de briquets porno dans le Sud. Les cendres encore vives s'effritent sur la moquette du palier. Heureusement qu'il n'a pas allumé la cigarette au-dessus des cartons du salon. Ceux-ci sont remplis de livres, de feuilles de papier, de fleurs séchées et de photographies. Il est arrivé à Eyja de farfouiller là-dedans lorsque son mari n'était pas à la maison.

Quoi ? La petite chatte aux quotas t'a lavé le cerveau ?

Ce n'est pas une petite chatte aux quotas.

Il dit qu'elle est libre de penser ce qu'elle veut. Il voit à travers elle lorsqu'il lui demande si c'est bien ce à quoi il pense : la Dingue du Ski a mis son nez là-dedans.

Rúna est ici, oui, répond Eyja – et le visage de son interlocuteur se déforme de rire. Elle doit se rappeler tout ce qu'il y a de positif à son sujet afin de ne pas dire quelque chose qu'elle regrettera une fois en Suède. Il lui apporte du café le matin. Et l'incite à écrire, car il comprend ce que c'est d'avoir besoin d'un moment de paix loin du monde. Il l'a consolée quand personne d'autre n'était là pour elle.

Dans l'un des cartons se trouve une photo de lui petit. Cinq ans, un beau sourire et ce même regard d'animal farouche. Le garçonnet est en position assise sur un fond bleu ciel sans nuages. A l'opposé de son enfance.

Celle-ci, elle était grise ; on se battait et on buvait, des choses se passaient qui obligeaient le petit homme à enfoncer sa tête dans son oreiller. Il avait si peur de l'alcool qu'il n'en goûta pour la première fois qu'à dix-huit ans – et sentit là le baiser de Dieu sur son crâne et un indéniable sentiment de liberté.

Il savait pourtant, comme il l'admit bien plus tard, que l'alcool peut mener des bonnes personnes à faire de mauvaises actions. Des actions terribles. A dix-huit ans, il courait un marathon quotidiennement, le vent au visage – des dizaines de kilomètres pour se dépasser. L'alcool remporta la course.

A présent, il s'est transformé en cet homme qui ne peut jeter un œil par la fenêtre sans être empli d'un désir incontrôlable de se précipiter au tristement célèbre pub du port, son bloc à dessins en main, car le propriétaire lui sert une goutte d'alcool fort pour chaque esquisse. Parfois, il disparaît pendant deux jours – rarement plus.

Et pendant ces quarante-huit heures, elle est pétrifiée d'angoisse à l'idée qu'il meure. Angoisse qui s'est amplifiée depuis l'automne, après que les enfants du Coup de Vent lui ont rendu visite.

Des gamins charmants : un garçon et une fille. Eyja avait remis un peu d'ordre, disposé des branches de sapin dans un vase et déposé des serviettes de toilette propres sur leurs duvets. Le lendemain, ils se rendirent dans un fast-food où le Coup de Vent pouvait s'offrir une pinte de bière pendant qu'eux commandaient un menu enfant avec milk-shake au chocolat – on se serait cru dans un joli film familial. Eyja avait été si heureuse de se trouver au cœur de ce portrait de famille qu'elle avait fait des économies pour offrir des cadeaux de Noël aux enfants – une somme prometteuse dans un pot à confiture après quelques semaines. Trois jours avant Noël, elle rentra du travail et trouva la maison vide. Le Coup de Vent était parti en taxi avec le pot de confiture. Il avait eu l'intention d'acheter les présents lui-même, gémit-il, inconsolable, mais il s'était laissé aller au bar du port. A ce moment, elle menaça de le quitter, d'une voix si déterminée qu'il n'osa même pas goûter à la bière de Noël le soir du réveillon.

Au cours du dîner chez son beau-père, le jour de Noël, il déclina un verre de vin rouge, d'un air raisonnable, en affirmant qu'il s'était suffisamment empoisonné comme ça. Une heure plus tard, il engouffra un bonbon et le chocolat s'écoula d'entre ses lèvres lorsque, d'un coup, il se mit à trembler, pris de spasmes et salivant comme c'était parfois le cas de sa femme. Sauf que cette crise fut si longue que papa ne sentit plus son pouls et procéda à un massage cardiaque pour sauver cet homme qu'il avait toujours eu envie de tuer.

A présent, elle porte la responsabilité de sa vie.

Extatique lorsqu'il rentre finalement à l'aube, du sang séché sur le cuir chevelu – enfin, elle peut aller se coucher.

Le Coup de Vent ne court plus. Il écrase des antalgiques qu'il mélange à son café. Il dessine. Disparaît. Et le chat jeûne. Toutes les feuilles du carnet de chèques d'Eyja arrachées – lorsqu'elle eut l'idée que l'interview d'une strip-teaseuse pourrait aider à en faire établir un nouveau. Il était grand temps, car le félin faisait tentative de suicide sur tentative de suicide, suspendu par ses petites pattes à la baie vitrée du quatrième étage lorsque le recouvreur de dettes vint frapper à la porte.

# Assemblée

Arrête de rire, le supplie-t-elle.

Il se tait. La regarde. Patiente.

Je, commence-t-elle.

Oui ?

Je dois partir, pour réfléchir. Parce que j'ai très peur.

Qui n'a pas peur ?

Tu te rappelles, quand le recouvreur de dettes est venu ?

Tu m'en as parlé, oui.

Il est venu te voir, toi. Deux fois.

Il ne reviendra pas.

Comment puis-je en être sûre ?

Soudain, il l'entoure de ses bras, d'un geste rapide et maladroit. Lui promet dans un murmure que ce type ne reviendra jamais. Il s'en assurera. Seulement si...

Eyja, ma chérie ?

Eyja se défait de son étreinte. En haut de l'escalier se tient grand-mère ; une ride d'inquiétude entre les sourcils, elle observe le Coup de Vent.

Il baisse la tête. Fait un tour sur lui-même, râblé dans sa combinaison de travail crottée, et range rapidement sa pipe dans sa poche avant de dire bonjour.

Bonjour ! répond grand-mère. Vous étiez en train de vous dire au revoir, n'est-ce pas ?

On dirait bien, dit le Coup de Vent qui se serre contre le mur lorsqu'elle prend place face à lui, avec sa veste d'été bleu marine et son chapeau assorti orné d'une plume qui lui donne l'allure d'un homme de pouvoir.

Tu comptais nous aider à faire le ménage ? balbutie Eyja.

Je suis venue chercher les rideaux que je t'avais donnés, répond son aïeule. Mieux vaut que je les garde. Les as-tu décrochés ?

Eyja plisse les yeux un bref instant. Où sont les rideaux ? Elle les a complètement rayés de sa mémoire. A mis le sac qui les contient quelque part et avait toujours l'intention de les poser mais...

Eyja, ma chérie, répète grand-mère. Je te parle.

Eyja hoche légèrement la tête. Oui, sans aucun doute, bafouille-t-elle. Sûrement.

Qu'est-ce que tu veux dire par là, ma chérie ?

Bien, il est temps pour moi d'y aller, intervient le Coup de Vent d'une voix douce.

Non. Attends une seconde !

Tu dois discuter avec ta grand-mère.

Attends une seconde, grand-mère !

D'un même regard interrogateur, grand-mère et le Coup de Vent observent Eyja qui reprend son souffle lorsque la Reine du Ski apparaît soudain dans le cadre de la porte.

Eh, dis-moi, Eyja, c'est toi qui as fait cette interview ? Je me rappelle que quelqu'un a dit que... ça alors, te voilà ici, ma chérie adorée ! lance Rúna avant d'embrasser grand-mère en secouant le Quotidien par-dessus son propre crâne.

C'est quoi, ça ? demande l'ancienne en s'approchant de sorte qu'Eyja doit se glisser contre le mur, à côté du Coup de Vent – il commence à y avoir foule sur le palier.

L'interview de la strip-teaseuse par Eyja, répond Rúna.
Tu l'as lue ?
Oui, oui, réplique grand-mère, soudain arrogante. Je l'ai lue. J'espère qu'il y en aura d'autres dans le genre. N'est-ce pas, ma petite Eyja ?
Oui.
Le Coup de Vent hennit. Ses yeux brillent à nouveau de vie ; malgré tout ce qui s'est passé, on peut parfois rire de la situation.

Et ça traîne par terre comme un vulgaire tas d'ordures, dit Rúna en offrant son plus doux sourire à grand-mère qui hausse les sourcils – elle connaît bien les siens.

Eyja s'apprête à dire quelque chose. Ses affaires traînent en général sur le sol, mais pas les articles de journaux. L'interview se trouvait là parce qu'elle avait passé la nuit assise à relire ses écrits, encore et encore, en fumant des cigarettes achetées avec l'argent offert par sa grand-mère – elle en avait fait rechanger une petite partie en couronnes islandaises lorsque l'employé de banque avait déposé la moitié de la somme sur son compte-courant, tandis que l'autre demeurait dans sa sacoche banane.

Je m'éclate beaucoup plus à lire ce genre de papiers plutôt que ces... comment vous appelez ça, déjà ? – oui, « billets d'humeur », vous m'excuserez... Je comprends rien à ces gens qui s'écoutent blablater sans fin, confesse Rúna en brandissant l'interview de la strip-teaseuse canadienne. Cette dernière avait affirmé s'appeler Laura – mais ce n'était pas son vrai prénom.

C'était tout ce qu'Eyja savait.

# Quelques semaines avant que grand-mère aille à la banque

Elles étaient sans le sou. Le chat les regardait de ses yeux affamés et désespérés après trois tentatives de suicide infructueuses. Déterminé à sauter par la fenêtre – si seulement Agga arrêtait de le sauver. Mais non, elle refusait de le laisser mourir, bien qu'elle souffre d'allergies violentes à l'animal. Typique de sa part, songeait Eyja tandis qu'elle fouillait dans le cendrier, les cendres tourbillonnant sous son nez. N'y avait-il pas un seul mégot encore fumable ?

Le Coup de Vent dormait. Ses ronflements résonnaient dans le salon. Il était enfin rentré à l'aube, après deux jours d'errance, titubant et trébuchant, essayant vainement d'enlever ses chaussures ; à présent, il dormait comme un enfant serein, ignorant de la visite du recouvreur de dettes la veille au soir.

Ces derniers mois, Eyja avait tout fait pour gagner de l'argent. Elle travaillait nuit et jour. Suppliait sa petite sœur de payer le loyer. Persuada son amie d'emménager quand le Coup de Vent se laissa convaincre de faire plus qu'un mini-séjour en désintox.

Elísa était l'unique parmi ses amis qui lui restait fidèle comme elle-même l'était au Coup de Vent. Les autres conviaient Eyja chez eux à condition qu'elle vienne seule, ou retardaient leurs invitations en espérant qu'elle finisse par comprendre le message. Mais pas Elísa, ça non ! Elle débarqua simplement un jour avec sa tignasse blonde, comme une colonne de fumée derrière elle, et ses yeux de chat siamois : en amande, perçants, d'un bleu infini.

Elle lança une liasse de billets sur la table et se précipita dans la chambre changer les draps du lit conjugal, car Eyja s'était installée dans le salon entre les cartons. Une heure plus tard, la locataire avait tout nettoyé, allumé des bougies et préparé des spaghettis comme seule Maman en avait le secret. Elle ouvrit à la volée la porte de la chambre de la petite Agga pour réclamer une bouffée de son joint – ce qu'elle obtint contre la promesse de la fermer devant Eyja. Après ça, elle se calma un peu, retourna voir cette dernière, tout sourire, et lui demanda si elle donnait la pilule à sa chatte. Eyja la regarda sans comprendre, puis se rendit compte qu'elle n'avait jamais réfléchi aux moyens de contraception, ni pour l'animal ni pour elle-même.

Les sœurs comme le félin ronronnaient de bien-être dans les bras de l'amie. Elles se remplumaient grâce à ses plats de grande personne et la poussaient à chercher du travail dans le cinéma, car son énergie leur rappelait leur tante qui était réalisatrice et dont les proches disaient qu'elle était pleine de la méchanceté du Breidafjördur, trait de caractère admirable qui coulait dans les veines de leur famille maternelle. Elísa avait terminé le lycée et Agga suivait fièrement sa trace, ambitionnant sérieusement de passer son bac pour pouvoir se choisir un avenir comme on choisit une marque de céréales dans une grande surface. Même Eyja examinait ses options. Un instant, elles se laissèrent rêver au futur – en premier lieu, la pendaison de crémaillère qu'Elísa comptait organiser en grande pompe.

Les yeux des deux sœurs s'écarquillèrent lorsqu'elle expliqua son intention de prendre une avance sur les festivités et de leur montrer une sélection de chansons de l'Eurovision – les vingt plus grands tubes de la dernière décennie ; elle avait des enregistrements vidéo qui remontaient jusqu'à « Gledibankinn[1] ».

Puis on entendit la porte d'entrée grincer. Le Coup de Vent rentrait. Il avait abandonné. Abandonné sa cure, une nouvelle fois.

T'es qui, toi ? demanda-t-il à Elísa qui répondit brusquement qu'elle s'était déjà présentée longtemps auparavant et qu'elle n'allait pas réitérer parce que monsieur avait été trop ivre pour se rappeler son prénom.

Eyja se précipita entre les deux pour éviter que leur joute verbale ne se poursuive, mais il était trop tard. Les présentations numéro 2 avaient raté. Elísa siffla : Je croyais qu'il ne reviendrait plus. Eyja chuchota : Je n'ai jamais dit ça. Elísa siffla : Tu as dit quoi, dans ce cas ? Eyja chuchota : Qu'il était en désintox, c'est tout. Elísa siffla : Qu'est-ce qu'il fait là, alors ?

C'est vrai ça, qu'est-ce qu'il faisait là ?

Un sourire impuissant flottait sur les lèvres du Coup de Vent. Il expliqua que sa petite Eyja lui manquait. Alors, il avait décidé de courir la retrouver.

Le soir, le Coup de Vent fila à l'anglaise, les économies pour la pendaison de crémaillère sous le bras, dans leur petite tirelire-cochon rose à paillettes, et finit au pub du port. Le lendemain, Elísa dut emprunter de l'argent pour acheter les snacks, les fruits de la passion et la vodka aromatisée à la cerise. Elle n'adressa pas la parole à Eyja dans la supérette, ni sur le chemin du retour alors

1. Chanson présentée par le groupe ICY lors de la première participation de l'Islande à l'Eurovision en 1986.

qu'elles parcouraient chacune leur trottoir avec leurs sacs surchargés.

Plus tard, leurs amis arrivèrent au compte-gouttes. Des garçons élégants qui soufflaient en ricanant dans des ballons et chantaient, la brosse d'Elísa dans la main. Parés pour la *party* ! Qui remuaient leurs fesses sous le nez du Coup de Vent – du moins, il en avait la sensation. Ce dernier grimaça lorsque celui qu'Elísa avait présenté comme danseur suédois demanda à son amie de lui prêter du vernis à ongles transparent – peindre des ongles le détendait au moment de voter pour la meilleure chanson. Les garçons se moquaient en cachette de l'étrange animal qui tétait sa pipe dans son fauteuil miteux, celui-là même qui avait promis de se tenir à carreau après s'être faufilé au petit matin et s'être jeté sur le lit conjugal, et sur Elísa qui avait hurlé si fort qu'elle avait désormais la voix cassée. Et ne pouvait même pas chanter en chœur sur ses tubes de minette, comme disait le Coup de Vent – il l'ignora royalement tandis qu'elle servait cocktails, biscuits à apéritif en tire-bouchon et dés de mangue.

Il demeura impassible, sirotant le liquide de sa tasse porno et éloignant d'un geste de la main les ballons avant de sortir soudain de ses gonds face à ces chanteurs d'euro-variétoche – l'assemblée se rendit compte qu'il n'y avait plus de vodka aromatisée à la cerise. Et les limites furent dépassées : le Coup de Vent cracha qu'il ne pigeait pas quel plaisir des pédés pouvaient bien prendre à regarder ces putes du rideau de fer écarter les cuisses.

Le lendemain, Elísa déménagea. Leur source financière s'était tarie. A l'instar de leurs amis.

Eyja était restée sans voix face au recouvreur de dettes. C'était un type aux cheveux longs, en pantalon de cuir et tee-shirt noir, une dent d'ours polaire accrochée à un cordon en cuir autour du cou. Plutôt doux à son encontre – mais difficile de dire quel comportement il aurait adopté si le Coup de Vent s'était trouvé à la maison. Une chose était sûre : il était là pour récupérer l'argent prêté par quelque invisible client, avec intérêts et pénalités.

Qu'est-ce qu'il a acheté ? demanda-t-elle, comme une idiote.

Le recouvreur de dettes cligna des yeux, plutôt habitué à négocier avec les poings – aussi comprit-elle qu'il valait mieux ne pas poser de questions. Elle s'empressa alors de lui faire un chèque en bois, assez innocente pour avouer au type qu'il s'agissait non pas d'un paiement mais d'une assurance de peu de valeur, s'il lui laissait quelques jours pour régler l'affaire.

Ce qu'il fit.

Elle avait depuis longtemps perdu le compte du nombre de chèques sans provision : un à la supérette Bónus, un autre au bar, un troisième à la jolie petite boulangerie du boulevard Hringbraut ; elle se rappelait également avoir acheté des fleurs pour le Coup de Vent dans une jardinerie, le jour où il était revenu avec une blessure à la tête particulièrement impressionnante – il avait refusé d'aller chez le médecin alors qu'il pissait le sang.

Eyja fouinait sans relâche à la recherche de mégots dans le cendrier ; elle avait entièrement confiance en Agga. Elle attendait que son mari se réveille sans savoir qu'il avait avalé un demi-flacon de pilules mélangé au café avant de s'endormir, à peu près au moment où elle commençait à se retourner dans son lit. Agga le savait, mais les rebelles de dix-sept ans ne caftent pas à leur grande sœur. Ces deux-là avaient joué au Scrabble jusqu'à midi, lui avec le chat sur l'épaule, elle qui éternuait, à cause des poils de l'animal qui lui chatouillaient les narines. Malgré tout, Agga avait gagné – elle battait tout le monde au Scrabble.

Je sais, dit Eyja.

Quoi ? interrogea Agga – et elle se redressa dans son entier, comme lorsqu'elles étaient petites et que l'ampoule de l'une d'elles s'allumait à la manière de Géo Trouvetou.

On va vendre ses dessins !

Ouais ! s'exclama Agga d'un ton enthousiaste, mais interrogatif.

Il en a mis quelques-uns au clou au pub du port. On devrait pouvoir en vendre à d'autres bars... ou alors...

Oui ?

Au club de strip-tease ! Des dessins de femmes nues, ça devrait leur plaire.

Quel club de strip-tease ?

Un que je connais, c'est tout, dit Eyja, pensive. Et tu sais quoi ?

Quoi ?

On peut y aller tout de suite, on arrivera peut-être à récupérer du fric sur-le-champ.

Agga balaya de la main le désordre de la table : des tasses de café vides, des cendriers débordants, des canettes de bière, des livres et des factures, pendant qu'Eyja attrapait le pesant portfolio. Elle tira l'objet interdit sur le plateau de la table, étonnamment peu scrupuleuse sous les yeux de sa sœur. Elles en défirent le cordon et ouvrirent la chemise cartonnée. Face à elles, une pile d'esquisses au stylo, représentant pour la plupart des femmes nues câlinant des serpents, excepté

165

une : un ours en peluche aux bijoux de famille protubé-
rants.

Cool, commenta Agga, hésitante.

Ouais, approuva Eyja, tout aussi hésitante. Il adore
Van Gogh.

Agga observa Eyja d'un air impénétrable jusqu'à ce
que cette dernière explique que le Coup de Vent possédait un livre fantastique sur Van Gogh et son frère, écrit
par Irving Stone.

C'est qui, Irving Stone ?

Eyja ne put répondre, car elle l'ignorait. Elle savait
seulement que le livre était bien – antique, usé au point
qu'il en manquait quelques pages, mais bien quand
même, et le titre était évocateur : *La Vie passionnée de
Vincent Van Gogh*. Elle avait emporté *La Vie passionnée*
pour ses nuits à la maison de retraite du village – elle s'y
plongeait souvent. Ainsi que dans un bouquin sur des abo-
rigènes qui refusaient le luxe occidental moderne – autre
livre de chevet de son mari.

Les deux sœurs piétinèrent dans la neige, le porte-
dessins entre elles. Si elles parvenaient à vendre toutes
ces esquisses, leurs inquiétudes concernant la caisse
d'épargne, le recouvreur de dettes et la chatte affamée
disparaîtraient. Et Agga aurait de quoi acheter de la
gnôle pour le week-end, ainsi qu'un sandwich au thon au
lycée bien qu'elle ait cessé d'y mettre les pieds, excepté
pour dormir.

L'individu qui reçut les filles dans son bureau les jaugea avec dédain : deux boules de cheveux emmêlés et de
graisse de bébé enroulées dans un pull en laine islandaise. A en juger par son expression, il s'apprêtait à leur
montrer la porte lorsqu'elles se mirent à expliquer d'une
voix chevrotante la raison de leur visite.

Des dessins ! singea-t-il en fronçant les sourcils – ça ne coûtait rien de jeter un œil à leur besace puisque, visiblement, Laurel et Hardy n'étaient pas là pour prendre des cours de danse. Le ton employé était à la fois affecté et insolent. Il faisait penser à un noctambule tiré d'un film sur la prohibition américaine, aux cheveux gominés et aux yeux comme ceux d'un renard à force de les plisser depuis tout petit. Sa chemise jaune banane ouverte au cou, mouillée sous les aisselles.

Il ne les regarda pas lorsqu'elles prirent place face à lui, mais contemplait la biche dans sa robe blanche transparente, visiblement nue sous la ceinture. Elle était assise sur un tabouret, recroquevillée sur elle-même, à recevoir des réprimandes en anglais pendant qu'il ingurgitait des ailes de poulet suintantes de graisse et feuilletait le dossier d'un geste impatient. Il engueulait la fille. Il feuilletait. Engueulait. Feuilletait.

D'un coup, il s'immobilisa et lâcha un grognement satisfait. Elles attendirent, le souffle court. Les yeux perçants remontèrent vers elles lorsque le type marmonna qu'il réfléchirait à la question. Il se lécha les doigts et attrapa un nouveau morceau de viande. Il en aspira la chair en une bouchée. Leur demanda si elles désiraient voir ses filles montrer ce qu'elles avaient de meilleur.

Oui, oui, répondit Agga si innocemment qu'il aurait tout aussi bien pu les inviter à visiter le musée du Timbre. Eyja lui jeta un coup d'œil surpris et Agga sourit, complaisante, du haut de son expérience du monde – mieux valait se montrer courtoises envers cet homme si elles voulaient atteindre leur but.

Elles lui emboîtèrent le pas vers un coin sombre.

Il alla fièrement se placer face à elles avant d'allumer un projecteur. Dans leurs yeux rayonnèrent dix soleils étincelants.

Dix reproductions dorées de vagins, portant chacune le nom de la danseuse à laquelle l'original appartenait. Je suis un collectionneur d'art, comme vous le voyez, dit-il orgueilleusement. C'est mon pote qui a fait ces œuvres-là, du privé, rien que pour moi. J'aime l'art personnel. Ce qui n'appartient qu'à moi. Dites-moi, est-ce que d'autres personnes ont acheté les dessins de cet artiste ?

Eyja fit un clin d'œil à Agga, il ne fallait pas qu'il ait vent du deal passé avec le pub du port. Inutile, sa cadette avait l'esprit plus vif qu'elle – elle avait déjà secoué la tête, le visage comme celui d'un joueur de poker.

Laissez-moi réfléchir, dit l'homme d'un ton autoritaire, avouant qu'il ne pouvait y songer ainsi, dans le feu de l'action nocturne. Mais il comptait bien leur offrir une danse privée sous la lumière violette du projecteur, afin qu'elles attestent des dons artistiques de ses filles qui venaient d'un peu partout dans le monde se déhancher pour ses compatriotes. Ce dessinateur versatile devait absolument faire leur connaissance !

Elles acceptèrent son aimable invitation : une danse, et le cocktail bleu ciel et sa paille qui allaient avec. Elles s'affalèrent en bord de scène avec leur pull et leurs collants de laine pendant qu'une fille distante agitait ses fesses sous leur nez et que le propriétaire leur lançait, en guise d'au revoir : Venez me voir demain, les filles ! J'arrive au bureau vers 18 heures.

Les deux sœurs acquiescèrent et engouffrèrent leur paille comme s'il s'agissait d'une sucette.

Le lendemain, elles arrivèrent en avance. A peine plus de 17 heures lorsqu'elles se mirent en route. Elles avaient passé la journée à compter les minutes, excitées par le manque de nicotine.

On sort dîner ce soir, avait annoncé Eyja, étonnamment énergique, tandis qu'elles se frottaient les yeux vers midi. Au resto italien du coin de la rue. On se fera une pizza et une bière !

Ouais, ou du gin, répliqua Agga qui était à l'âge où l'on mesure la qualité d'une boisson à son contenu alcoolique. Elle comprenait le Coup de Vent bien mieux que sa femme : ils partageaient la même échelle de valeurs malgré leurs vingt-cinq ans d'écart.

Agga embrasa les restes de tabac du Coup de Vent, mais Eyja ne tenait plus en place. Viens ! s'exclamat-elle, débordant d'énergie, le portfolio entre les mains. Agga reposa la pipe, se redressa mollement et fit un clin d'œil à la chatte pour lui dire au revoir. Celle-ci lança un miaulement pathétique et se pelotonna, si accablée par la faim que toute tentative de suicide lui était désormais inenvisageable. Si ça continuait comme ça, la famine lui épargnerait l'effort.

La déception fut indescriptible lorsque le videur aux larges épaules leur refusa l'accès, convaincu que ces deux gamines enrobées et disgracieuses, avec leurs pulls tricotés main, ne pouvaient avoir rendez-vous avec son supérieur hiérarchique.

Il est à l'étranger, dit-il avec un sourire sarcastique.

Il peut pas être à l'étranger, il voulait nous revoir pour nous acheter des dessins ! Regardez ! Eyja enleva l'une de ses moufles couvertes de neige, ouvrit le dossier d'un geste précipité et en tira une des esquisses au stylo dont l'encre commença aussitôt à se diluer dans les flocons drus qui tombaient.

Où ça, à l'étranger ? demanda la petite Agga qui ne s'en laissait pas conter.

A l'étranger, c'est tout, répondit le videur brutalement sans même accorder un regard au dessin.

Vous devriez savoir où ! insista-t-elle, bornée.

Les gens peuvent bien aller à l'étranger sans apporter plus de précision, opposa le videur en s'étirant de sorte que ses épaules doublèrent en magnitude – il devait tourner aux amphétamines.

Il comptait pas aller à l'étranger hier, dit Agga sans tenter le moins du monde de cacher son agacement vis-à-vis du troll sous stéroïdes.

Et pourtant, il est parti. Maintenant, il est l'heure de rentrer, mes petites, avant que maman se mette à vous chercher partout.

Mais il avait l'intention de nous acheter ces dessins ! martela Eyja, désespérée, agitant la feuille de papier détrempée sous le nez du videur. L'encre s'écoulait sur le visage d'une blonde potelée à l'entrejambe très velu, un serpent dans la bouche ; partout autour d'elle fleurissaient tout un tas de vulves.

L'artiste a visiblement eu de meilleurs modèles que vous, lança le videur dans un éclat de rire, hautement satisfait de sa repartie, avant de leur claquer la porte au visage.

Celle-ci rappelait à Eyja le jeu de tarot arborant deux diablotins recroquevillés sur eux-mêmes sous une tempête de neige devant une église éclairée – sauf que dans cette église-là, on ne chantait pas des cantiques, on dansait autour d'une barre. Un tarot, ça te dit, ce soir ? proposa-t-elle à Agga.

Je ne sais pas, murmura l'intéressée. Tout finit toujours par se réaliser.

On peut se faire du thé sinon, passer une soirée cosy.

Eyja regarda sa petite sœur d'un air implorant.

On n'a pas de lait, répondit cette dernière, impatiente, en jetant un coup d'œil circulaire. Allons dans un bar. On va bien trouver quelqu'un pour nous payer un verre.

Je peux pas, Agga, dit Eyja précipitamment. Elle sentit son estomac se nouer, son cœur s'emballer ; ses pupilles se dilatèrent et ses oreilles bourdonnèrent à l'instant où les mots s'échappèrent d'entre ses lèvres : Si je faisais ça, je lui donnerais un mauvais exemple. Tu ne comprends pas ? Je dois le convaincre de retourner en désintox.

Agga soupira : Tu voulais boire une bière il n'y a pas deux minutes.

J'avais faim et... et la bière comporte des éléments nutritifs. Demande au Coup de Vent, balbutia Eyja. Elle n'avait pas envie d'aller dans un bar. Elle avait envie d'aller chez grand-mère. Que pensait-elle de ça : elles demanderaient à Siggi le chauffeur de bus de les emmener, et elles pourraient dîner chez leur aïeule ?

Mouais... Je préfère aller au Kaffibarinn, répliqua Agga. Embrasse grand-mère pour moi.

Siggi le chauffeur de bus fermait les yeux sur la resquille d'Eyja en raison de ses liens familiaux avec Agga. Peu importait son honnêteté vacillante – partout, on accueillait Eyja à bras ouverts parce qu'elle était la sœur de sa petite sœur.

A cette heure-ci, le dernier arrêt était situé en pleine campagne, à plus de dix kilomètres de la maison de sa grand-mère. Eyja se posta à son emplacement habituel sur la nationale ouest et leva le pouce. Un quart d'heure plus tard, un prêtre s'arrêta au volant de sa Lada Sport et la déposa sur le petit chemin qui menait à la vallée avant de poursuivre sa route. Elle demeura seule au croisement. Deux étoiles scintillaient – ou s'agissait-il de satellites ? Le vent était glacial, aussi ne perdit-elle pas de temps et se mit à grimper la colline. En contrebas, dans le ravin, s'écoulait la rivière où les poissons se laissaient dériver jusqu'à la mer peuplée de créatures extraordinaires, de requins et de crevettes géantes, de navires dorés et de sous-marins tapissés de coquillages.

Elle marcha, encore et encore. Pas la moindre trace d'une voiture alentour. Elle continua d'avancer, le vent lui creusant le nez, lui picorant les muqueuses. On entendit un son – qui disparut aussitôt dans l'obscurité, vers l'ouest. Sur la colline, on distinguait les ruines d'un bunker – parfois les vagabonds venaient s'y abriter. Le vieux fermier aux rosiers, le beau-père de l'Enfant de la République, assurait que là-bas vivait aussi une infirmière décapitée d'origine anglo-saxonne, qui s'installait sur la banquette arrière des automobilistes lorsque la tempête faisait rage et les précipitait dans la première congère venue. On entendit à nouveau une voiture. Des lumières scintillèrent. Elles se rapprochèrent, grandissantes. Elle agita en l'air son gant blanc.

Une jeep freina brusquement. Son chauffeur sentait le lisier de porc et la réprimanda de traîner ainsi sur la nationale en pleine nuit. Elle se hissa sur le siège passager en bafouillant des excuses.

Où vous allez ? aboya l'homme.

Elle lui donna le nom de la ferme et s'amusa à lire sa réaction, habituée à la surprise des gens lorsqu'ils entendaient ces mots.

Tiens donc, vous y connaissez quelqu'un ? souffla-t-il, son agressivité se dissipant. Elle pensa à sa mère qui ne supportait rien moins que les snobs. Le snobisme, c'est le summum de la connerie, lâcha-t-elle un jour avec une amère force de persuasion. Elle avait ensuite plissé les yeux en direction de sa fille, sans songer au fait qu'elle-même snobait les gens qui n'avaient pas de vie sociale alors qu'elle ouvrait ses portes à des poivrots triés sur le volet et d'autres excentriques aux occasionnels problèmes mentaux.

C'est là que j'habite, mentit Eyja.

Dites donc, chez le poète ! répondit l'homme avec une ostensible admiration.

Oui, c'est mon grand-père, dit-elle sans préciser que le poète désormais âgé résidait à l'hôpital. Elle s'assura d'être déposée juste devant la porte et aida son chauffeur à pousser le véhicule embourbé sur le chemin menant à la ferme. Réclama des cigarettes du paquet posé sur le tableau de bord ; en reçut deux. Promit de transmettre ses remerciements au poète.

Alluma une cigarette.

Tu l'embrasses, pour de vrai ? soupira grand-mère après avoir versé le thé dans les verres russes. Elle n'attendit pas la réponse, se mit à marmonner qu'il avait les dents noires avant de demander à sa petite-fille si elle voulait des côtes de porc.

Oui, et de la sauce aussi, dit Eyja, la bouche pleine de pain et de fromage. Je meurs de faim.

Cet homme-là n'a-t-il jamais de quoi acheter à manger ?

C'est un artiste, répliqua Eyja en se gavant de mie pendant que sa grand-mère allait s'occuper de la viande.

Ma petite Eyja, es-tu sûre qu'il mérite ce qualificatif ? lança-t-elle depuis la cuisine, et Eyja avala de travers.

Bien sûr. Il reste de la compote ?

Ça vient. Mais tu sais quoi, ma chérie, je n'ai jamais connu un artiste au comportement aussi pathétique que cet homme.

Eyja leva les yeux au ciel – que pouvait bien connaître une petite vieille à ces choses-là ? Elle devrait lire le bouquin sur Van Gogh.

Les côtes de porc crépitaient. Grand-mère les apporta, baignant dans la graisse et la panure et accompagnées de compote, de choux de Bruxelles et de pommes de terre à l'eau. Puis elle demanda à Eyja si elle souhaitait du flanc ou de la glace au café maison en dessert.

Les deux, répondit Eyja en engloutissant son repas.

Un instant plus tard, grand-mère la regarda rincer le tout avec un verre de Coca éventé. Elle sirota son thé en silence jusqu'à ce que le dernier morceau de flan disparaisse de l'assiette, puis demanda : Où est la petite Agga ?

En ville.

Elle ne voulait pas venir ?

Elle devait étudier.

C'est une sacrée bosseuse, la petite Agga, commenta grand-mère, étonnamment naïve.

Oui, elle va bientôt passer son examen d'islandais, lança Eyja avec un rot.

Tant mieux pour elle, répondit grand-mère, heureuse. Dans ce cas, je vais lui envoyer un petit quelque chose à manger par ton intermédiaire, lorsque tu repartiras demain.

Ouais, et tu peux nous prêter un peu d'argent, aussi ? demanda Eyja. Genre quinze mille, peut-être.

Je vais voir ce qu'il me reste, dit grand-mère en allant chercher son sac à main. Mais ma chérie, je viens juste de vous en donner à peu près autant.

Que répondre à grand-mère ? Que son salaire de téléopératrice à la télévision ne suffisait pas pour le loyer, la nourriture, la litière du chat, les factures, les recouvreurs de dettes, les cigarettes, le schnaps et les pilules de son mari ? Mais elle n'eut pas à se justifier. Grand-mère lui tendit trois billets neufs de cinq mille couronnes. Fais-en bon usage, ma petite Eyja, dit-elle d'une voix lourde de sens. Et rends-moi un service : arrête d'embrasser cet homme. Il ne te mérite pas.

174

Eyja eut un sourire flottant pour son aïeule, la reconnaissance et l'impatience se mêlant en elle. Sa grand-mère ne pouvait savoir ce que ça faisait de déterrer des morts de la neige. Ni d'être l'employée d'une usine d'appâts sans le sou qui brûlait de passion pour la classe ouvrière et l'OLP : l'Organisation de libération de la Palestine. Elle devrait se renseigner sur la façon dont on traitait le peuple palestinien.

Comment vont tes amis ? demanda sa grand-mère en haussant les sourcils, déterminée à briser le silence.

Lesquels ?

Eh bien, le garçon qui avait l'habitude de venir nous jouer du piano. Il était si doué. Et sa petite amie, celle dont ta mère ne cesse de répéter qu'elle lui a sauvé la vie ? Ça lui fait plaisir, que tu passes ton temps avec cet homme-là ?

Je ne sais pas, répondit Eyja en repensant à l'ami en question qui jouait des morceaux de l'avant-garde russe sur le piano à queue de la cafétéria de l'usine de congélation, histoire de réchauffer le cœur des hommes lorsque dehors il faisait si froid. Elle s'abstint de raconter à son aïeule que le pianiste roux lui avait dit qu'elle serait la dernière des idiotes si elle se mettait en ménage avec cet homme. Alors, elle baragouina quelque chose sur le fait qu'elle refusait d'adresser la parole à ce sale capitaliste tant qu'il ne s'était pas renseigné sur les actions de l'OLP. Le vocabulaire de son époux lui venait de plus en plus naturellement. Elle ne mentionna pas du tout la Fille aux yeux d'oiseau marin. Grand-mère la contempla un moment et sirota silencieusement le thé dans son verre argenté. Puis elle proposa d'aller regarder la télévision.

D'accord, approuva Eyja, envahie de bien-être à l'idée de dormir dans des draps fraîchement lavés.

175

Un film plus tard, elle inspirait l'odeur de l'oreiller repassé ; une brise fraîche pénétrait par la fenêtre entrouverte. Dans la chambre voisine, grand-mère se tournait et se retournait dans son lit au son des ondes radiophoniques – le présentateur souhaita bonne nuit à ses auditeurs pendant que l'horloge comptait les secondes et que l'esprit se laissait emporter par la nuit.

Pour de doux rêves.

# Ken

Elle se réveilla en sursaut. Sa grand-mère se tenait près du lit, le portfolio lourd comme du plomb entre les mains. Ce sont ses travaux ? demanda-t-elle avec une résolution à faire pâlir de jalousie le présentateur du magazine télévisé *60 minutes*.

Oui, murmura Eyja en s'enfonçant sous sa couette.

Ma chère petite Eyja, soupira grand-mère en secouant la tête. Je ne te comprends absolument pas !

Eyja se frotta les yeux, dissimulée par les plumes légères et chaudes. Marmonna quelque chose sur le fait que le Coup de Vent était un incompris, comme tous les vrais artistes. Son grand-père n'avait-il pas lui-même été controversé dans sa jeunesse ?

Ma petite Eyja, cet homme est loin d'être un gamin.

Grand-père non plus, quand tu t'es mise en couple avec lui.

Grand-mère secoua la tête une nouvelle fois, posa le dossier au pied du lit et rabattit la couette, lui indiquant qu'elle trouverait des vêtements pliés dans l'armoire et qu'un bain chaud l'attendait. Ensuite, elle aurait du café frais à sa disposition dans la salle à manger. Des toasts, du jus de fruits et des flocons d'avoine.

Eyja commença par un verre de jus d'orange. Elle le but à grandes goulées et se jeta sur le petit déjeuner. Sa grand-mère avait enfilé son manteau et ses gants avant qu'elle ait terminé de manger. Prête à la reconduire à l'arrêt de bus au cœur de la campagne lorsque Eyja aurait mis un pull et ses chaussures.

Elle inspira l'air limpide de l'hiver. Les montagnes étaient blanches et faisaient penser à des femmes prospères couvertes de leur fourrure de renard polaire, mais sur la lande enneigée, on apercevait des collines jaune pâle. Il avait plu pendant qu'elle dormait. La terre mouillée qui rampait sous les congères bordant la nationale exhalait une odeur familière.

Quelque part par là, le chien s'ébrouait dans la boue – il filerait comme une flèche lorsque la voiture parcourrait le chemin glissant et la poursuivrait sur un ou deux kilomètres sans que le chapeau de grand-mère ne vacille le moins du monde.

Grand-mère plaça le carton à dessins sur la banquette arrière. Eyja attrapa le sac de victuailles qui contenait des côtes de porc, un demi-paquet de café, quelques pommes de terre, du pain de mie et un pot de marmelade maison, puis elle se laissa tomber sur le siège passager. Avec un peu de chance, elle aurait le temps de fumer une clope à l'arrêt avant que le bus arrive.

Elles se mirent en route. Parcoururent le sentier. Jusqu'au pont. Eyja jeta un bref coup d'œil à la maison de Maman. Elle ne s'y était pas rendue depuis une éternité. La voiture de son nouveau compagnon était garée dans la cour. Elle remarqua que sa grand-mère regardait le véhicule, elle aussi.

Tu as parlé à ta mère, récemment ? demanda cette dernière.

Non, répondit Eyja.

Grand-mère se tut. Elle avait depuis longtemps eu vent que sa fille la jugeait trop intrusive, mais ne put s'empêcher de poser une autre question : Tu crois que je peux lui venir en aide, d'une manière ou d'une autre ?

Non, elle sera furieuse si tu fais ne serait-ce que lui proposer, songea Eyja, mais elle se contenta de répondre qu'elle ne le pensait pas – et à cet instant, elle fut emplie de nostalgie en revivant ces heures depuis longtemps révolues durant lesquelles sa grand-mère et elle polissaient l'argenterie et où elle pouvait s'embarquer dans de longs monologues sans craindre de laisser échapper des mots qui effrayeraient grand-mère et feraient du tort à Maman.

C'était un vendredi matin. Selon la routine, le compagnon devait être arrivé la veille. Il serait là jusqu'à dimanche. Les trois prochains jours, la terreur comique régnerait en maître sur la maison et imposerait sa logorrhée incohérente à Maman. Et à la petite sœur.

Elle n'avait que cinq ans. Petite puce rousse qui exhalait la force de vivre et se tordait de rire aux mimiques des gens ivres et encore joyeux mais se raidissait imperceptiblement lorsque la joie cédait la place à autre chose.

Les yeux écarquillés alors qu'elle luttait pour comprendre l'incompréhensible : pourquoi il était accablé de tristesse un instant, sautillant de bonheur le suivant, rouge de fureur entre les deux. Parfois de manière soudaine, de sorte qu'elle le suivait du regard, abattue, serrée contre le chien, son meilleur soutien, sous la table.

Les émotions étaient diverses mais la coiffure toujours identique : inspirée des publicités viriles pour sèche-cheveux des années 80. En général, il ne se séparait pas de la robe de chambre lilas de Maman et s'asseyait les jambes écartées, les pans ouverts dévoilant son corps doré.

La petite sœur avait l'air d'un vieillard à côté de son visage d'enfant, bouffi par l'alcool. Sérieuse, elle fixait ses yeux doucereux tandis qu'il la baladait tout autour de la maison avec son Polaroïd pour prendre des photos du désordre – et elle ne pouvait qu'acquiescer, car sa mère semblait avoir perdu le désir de tenir ce foyer encore chaleureusement élégant à peine quelques années auparavant.

Elle prenait la fuite face à ces yeux agressifs – et flottants lorsqu'il allait s'installer à l'étage, comme à son habitude, pour chanter en chœur avec Enya et Eric Clapton, toujours les mêmes chansons, avec les mêmes paroles. Week-end après week-end.

Et les week-ends se transformèrent en années. Ce mélomane bien-aimé était ce qu'on pourrait appeler un sous-supérieur dans une start-up à Reykjavík. A la maison, il était le grand patron que tout le monde raillait – quand il avait le dos tourné. Le lundi matin, il apparaissait, lisse et repassé, une cravate autour du cou, de la crème visage pour hommes appliquée sur ses joues rouges qui faisaient penser à des fesses de bébé, douces et rebondies sous ses yeux bleus juvéniles qui s'éveillaient lorsqu'il clignait des paupières, comme dans un bouleversement intérieur, normal dans son anormalité et si courtois que cela frôlait la flagornerie.

Deux décennies plus tard, Eyja croisa une amie de Maman et se laissa emporter dans de joyeux bavardages. Ta mère est tellement, tellement drôle, dit l'amie. Je sais, répondit Eyja. Tu te rappelles, demanda l'amie, lorsqu'elle était en couple avec ce type, celui qui ressemblait comme deux gouttes d'eau à Ken ? Eyja acquiesça. Je leur ai rendu visite, à cette époque, expliqua l'amie, et figure-toi qu'il était dehors en train de chier ; je me suis penchée vers ta mère et je lui ai chuchoté : A ton avis, qu'est-ce que ton père aurait dit ? Elle m'a regardée, m'a offert son sourire le plus obscur avant de répliquer dans un gloussement : Sans le moindre doute, il aurait dit : Quitte à se fourvoyer, autant le faire à fond.

Elles fixaient toutes deux la route jusqu'à ce que grand-mère ne puisse plus se retenir et demande : Tu crois que la petite est entrée en maternelle ?

Sûrement, dit Eyja.

Elle sait qu'elle peut toujours venir chez moi, poursuivit grand-mère. Vous tous, vous pouvez venir.

Oui, dit Eyja.

Grand-mère redressa la voiture qui débordait dangereusement sur l'autre voie. Ajouta ensuite : Ta mère avait tout pour elle. Tout !

Eyja haussa les épaules.

Lorsque le véhicule s'immobilisa près de l'arrêt de bus, elles demeurèrent assises, en silence, pendant quelques instants. Enfin, grand-mère dit : Ma petite Eyja, j'ai toujours cru que tu voulais écrire.

Tu sais que j'ai un roman en cours, répondit l'intéressée avant de se taire lorsque la main gantée de cuir serra son avant-bras et que son aïeule répliqua : Rends-moi un service, ne laisse pas trop traîner ce projet. Ne te contente pas de fumer et de réfléchir. Finis ce que tu es en train d'écrire. Rédige également des articles pour les journaux, ça vaut mieux que de passer son temps au téléphone à parler téléviseurs avec des inconnus. Ecris !

Oui.

Ensuite, arrête de fumer !

Oui.

Et n'hésite pas à m'appeler si tu as besoin que je te repasse des vêtements.

Oui.

Et dis à Agga de m'apporter son pull en laine pour que je le répare.

# Opinions partagées

A présent, c'est grand-mère qui souligne une évidence : Ma petite Eyja, il n'y a pas assez de place pour nous tous sur ce palier.

Non, en effet, répond Eyja qui sent le souffle du Coup de Vent sur sa nuque tandis que celui-ci pouffe de rire.

Y a de la place à l'intérieur, bien sûr, dit Rúna d'un ton obséquieux. Tu veux pas te mettre à l'aise et prendre un café ?

Non, merci, réplique grand-mère. Je venais juste chercher les rideaux. Les filles allaient à tout coup les oublier.

Les perdre, ricane le Coup de Vent, provocateur – grand-mère, le regardant calmement, se contente de répondre : Oui, ou les perdre.

Soudain, on entend Maman s'exclamer : Qu'est-ce que tu fais là, maman ?

Elle accourt sur le palier avec un tel empressement que Rúna manque de chuter dans l'escalier. S'il y a bien une chose qu'une nouvelle propriétaire foncière ne peut se permettre en ce moment, c'est de se briser le cou – mais elle parvient à enserrer de justesse la rambarde écaillée.

Je venais juste chercher les rideaux que j'ai donnés à Eyja.

Il n'y a pas de rideaux ici, lâche Maman sans réfléchir – avec une rudesse si naturelle que grand-mère ne se rend pas compte qu'elle a bu.

Elle ne les a jamais accrochés, dit le Coup de Vent avec un sourire doucereux.

Quoi ? s'étonne grand-mère. Pourquoi ?

Demande-lui ! ronchonne Maman. Grand-mère contemple son aînée et dit, d'une voix patiente, comme si elle avait affaire à un enfant turbulent : Très bien, Dame Joliette de France. Je vais lui poser la question. Ensuite, elle se tourne vers sa petite-fille avec un regard interrogateur. Ma petite Eyja ? lâche-t-elle enfin. Pourquoi n'as-tu pas accroché les rideaux que j'ai cousus pour toi ? Je les avais repassés, je te les avais même apportés jusqu'ici.

Les autres regardent Eyja qui regarde sa grand-mère sans prononcer un mot. Oui, pourquoi n'a-t-elle pas accroché les rideaux ? Toutes les FEMMES normales le font. Bimba l'aurait sûrement fait depuis longtemps. Eyja échappe enfin à cet étau lorsqu'une voix enthousiaste s'écrie : Eh, salut ! et que Bimba enlève ses gants de nettoyage avant d'aller embrasser grand-mère.

Bonjour, ma chérie, dit cette dernière, souriant sans s'en rendre compte. Tu es ici, toi aussi ?

Qu'est-ce que tu crois ? souffle Bimba. Enfin, il faudrait dix personnes de plus et un Kärcher pour nettoyer toute cette saleté.

C'est si sale que ça, chez Eyja ?

Tracassée, grand-mère regarde Bimba qui acquiesce avec vivacité. Eyja a bien envie de la tuer – au diable leur réconciliation ! On achète l'amour de grand-mère avec un zeste d'Ajax, maintenant ?

On ne saurait pas où on en est sans l'aide de notre précieuse Bimba, dit Maman à sa mère d'une voix sirupeuse – on décèle toutefois une pointe d'obstination lorsqu'elle ajoute qu'il faut qu'elles y retournent.

Je vous retarde ? demande grand-mère.

Pas du tout ! s'exclame Rúna. Si, dit Maman. Tss, tss, fait le Coup de Vent. NON ! crie Bimba.

Eyja se tait.

Je venais de dire qu'il n'y avait pas de place pour nous tous sur ce palier, dit grand-mère à Maman. Et c'était avant que vous deux vous joigniez au groupe. Pourquoi restons-nous ici ?

Oui, enfin, maman, tu ne fais que passer, si tu pars, alors…, commence Maman mais fait silence alors que les autres se tournent soudain vers elle.

Puisque personne ne reprend la parole, grand-mère dit : Ma petite Eyja, file à l'intérieur et va chercher les rideaux.

Elle n'a pas la moindre idée d'où ils se trouvent, assure Maman.

Ah bon ?

Non. A vrai dire, je ne comprends pas comment toi, qui la connais depuis toujours, tu peux t'imaginer qu'elle sait ce qu'elle en a fait.

Elle devrait le savoir. Je ne peux croire qu'il en soit autrement.

Elle n'en sait absolument rien.

C'est vrai, Eyja, ma chérie ?

Oh là là, maman, on doit y retourner, minaude Maman comme une gamine en pleine crise d'adolescence.

Je vous dérange à ce point ? demande grand-mère d'une voix calme.

Oui, répond Maman pendant que les autres répètent leurs commentaires précédents : Pas du tout ! Tss, tss. NON !

Alors, Eyja ?

Je ne sais pas, répond Eyja.

Tu ne sais pas où sont les rideaux ?

Peut-être. J'en saurai plus quand on aura fini de tout ranger.

Tout ce que je sais, en tout cas, c'est que tu ne t'y retrouves même pas dans ta pauvre tête. Que diable tiens-tu donc dans ta main ?

Grand-mère s'étrangle avec cette question.

Une brosse à dents.

Maintenant je pige pourquoi son mec a les dents noires, lâche Rúna, comme si le Coup de Vent était sourd.

Pouah, grogne Bimba, se précipitant pour attraper la brosse à dents et la jeter dans le plus proche sac-poubelle qui déborde de déchets. Grand-mère soupire. Elle relève les yeux vers Eyja et demande : Tu ne veux pas venir avec moi et laisser les filles terminer le ménage en paix pendant que je repasse les vêtements que tu vas emporter ?

Eyja jette instinctivement un coup d'œil au Coup de Vent. Ses yeux veinés de rouge et humides scintillent ; il s'empresse de baisser le regard.

Si, peut-être, balbutie-t-elle avant de se tourner, la mine interrogatrice, vers sa mère qui lui dit de ne pas se gêner – elles n'en avanceront que plus rapidement. Je dois d'abord… On doit se dire au revoir, ajoute-t-elle en fixant la tête contrite du Coup de Vent.

Vous en aurez toujours le temps plus tard, dit grand-mère avec autorité. Allez, suis-moi. Ça vaut mieux comme ça.

Ouais, pas de doute ! siffle Bimba en faisant claquer les gants en caoutchouc sur ses mains.

Rúna approuve de tout son cœur avant de demander : Ce serait pas une bonne idée qu'elle emporte ça ? Histoire qu'elle le perde pas, hein ! Elle agite l'interview de la strip-teaseuse sous le nez de grand-mère.

Si, répond cette dernière. Très juste. Elle se tourne vers Eyja et lui dit de lui rappeler de passer à la papeterie acheter un cadre.

Tu vas mettre l'interview sous verre ? s'exclame Maman d'un ton railleur, mais elle se tait immédiatement lorsque grand-mère lui demande si ce n'est pas mieux que de toujours tout laisser se détériorer.

Eyja attend un ricanement de la part du Coup de Vent, mais il demeure muet.

Peut-être, répond Maman, l'air soudain fatiguée, comme si elle avait envie de plonger en elle-même : profondément profondément profondément dans la nuit noire aussi douce que du velours. Elle se tourne vers Rúna et dit : Allez, ma chérie, allons finir de nettoyer cette porcherie.

# L'Adolescente

Je ne comprends vraiment rien à ta mère – pourquoi elle se met parfois en colère comme ça, dit grand-mère lorsqu'elles se sont installées dans la voiture. Les gants en cuir reposent dans une main, l'autre est sur le volant. Elle regarde droit devant mais ne démarre pas le moteur tout de suite.

Elle est juste très excentrique, répond Eyja.

J'ai fait quelque chose de mal ? demande grand-mère, distante et sincère à la fois.

Non, tu es juste une enfant de ton temps – comme nous tous, dit Eyja d'un ton supérieur, surprise de sa propre éloquence.

Grand-mère la regarde, interloquée. Silencieuse un moment, puis : Tu crois ?

Oui, carrément, dit Eyja, fière de ne pas être celle qui pose problème, pour une fois. Elle pourrait dire à son aïeule que Maman est lassée que sa mère lui donne sans cesse mauvaise conscience, oubliant que l'inculcation de cette mauvaise conscience est, et a vraisemblablement toujours été, un jeu de société dans sa famille maternelle – quelque chose à voir avec la méchanceté du Breidafjördur. Elles s'accablent les unes les autres de mauvaise conscience, chacune à leur manière, et tout cela s'équilibre.

Elle pourrait aussi tenter de deviner ce qui cloche et dire à grand-mère que Maman a connu trop de nourrices pendant que grand-père et elle se trouvaient à l'étranger, ou qu'elle ne digère pas d'avoir été envoyée dans un couvent en Suisse quand tout ce qu'elle voulait, c'était être une gamine en bottines de caoutchouc – enfin, qu'en sait-elle vraiment ? Maman raconte bien des choses, mais elle gravite dans le système solaire de l'écriture, régi par une seule loi : ne dis que ce qui a la plus belle sonorité au moment où tu l'énonces – aussi ces raisons sont-elles au mieux des hypothèses, si ce n'est pure imagination.

C'est une si gentille fille, ta maman, dit grand-mère avec tristesse. C'est juste que nous ne nous sommes jamais comprises.

Oui, dit Eyja en songeant à toutes les fois où Maman a lancé des flèches empoisonnées sur la relation privilégiée entre sa fille et sa mère, insinuant sans cesse que ça-n'a-pas-toujours-été-comme-ça, la vie avec leur mère-grand-mère. Que celle-ci a toujours dû faire son devoir – en ce luxueux foyer hautement cultivé au milieu de la campagne, où rien ne venait jamais à manquer. Mais Maman se fichait des bons repas de sa maman qui se levait à l'aube pour cuisiner, ainsi que des jolis pulls en laine qu'elle tricotait pour ses filles le soir venu, mue par le même généreux sens du devoir qui avait réveillé l'arrière-grand-mère à 5 heures chaque matin pour qu'elle puisse offrir à ses trois filles un tapis pour Noël lorsqu'elles eurent toutes acquis un beau parquet et un mari, parce qu'il-fallait-bien-trouver-sa-place.

Maman était encore une jeune fille lorsqu'elle observait sa fille qui s'attirait la même attention infinie dont jouissait son père littéraire, ainsi que, selon elle, sa sœur cadette, mais jamais elle-même – s'imagine-t-elle à la nuit

189

tombée, pas sûre de devoir prendre au sérieux son ressenti fluctuant.

Je n'y comprends rien non plus, dit Eyja, déterminée à s'arrêter là, car si elle en dit plus, le visage de grand-mère s'empreindra de tristesse. L'aïeule ne se plaint jamais, mais son expression affligée suffit à briser le cœur d'Eyja. La force qui la tire hors de son corps et l'emmène dans la tête des gens est puissante. Elle lui fait penser les autres dans l'espoir de les comprendre, souvent enrichissante, mais parfois si astreignante qu'elle n'a plus qu'une envie : disparaître.

Elle et moi qui partagions un seul et même esprit, marmonne grand-mère d'une voix songeuse.

Oui, c'est vrai, répond Eyja, impatiente que grand-mère démarre pour que l'attente de la prochaine cigarette ne soit pas insupportablement longue.

Mais grand-mère ne se presse pas. Elle s'empare du rétroviseur intérieur et le tourne vers elle pour appliquer son rouge à lèvres rubis. Elle essuie ensuite ses doigts avec un mouchoir de poche plié, range ce dernier dans son sac à main et enfile ses gants. Regarde Eyja et demande : Tu sais pourquoi elle est comme ça ?

Non. Peut-être parce que… parce que, parce qu'elle prend les mauvaises décisions. Comme moi, rappelle-toi !

Elle n'est pas comme toi, Eyja, dit grand-mère. Et tu n'es pas comme elle.

Ça, je n'en suis pas sûre, murmure Eyja.

Elle était si sérieuse lorsqu'elle avait ton âge. Et même plus jeune ! Mon Dieu, comme elle était sérieuse, répète grand-mère avant de démarrer le moteur.

Elle prend la route de sa maison, le soleil dans le dos, et raconte à Eyja comment on avait voulu pousser Maman à l'enseignement – elle qui était si bonne avec les enfants et si douée pour apprendre les langues et le dessin.

Pendant un temps, les journaux s'arrachaient ses articles. Des inconnus lui proposaient des contrats de publication pour des livres qu'elle n'avait pas encore écrits. Mais, mère de toute cette progéniture, elle refusa. Et puis, elle était si jeune. Bien plus que quand grand-mère avait eu ses filles – celle-ci avait la trentaine bien tassée à leur naissance. Maman ne l'avait pas encore passée qu'elle avait déjà trois enfants – et les enfants deux chiens, trois oiseaux et un lapin. Elle était si douée que les gens voulaient lui confier leurs petits. Comme l'Adolescente.

L'Adolescente arriva par le bus de midi. Eyja avait attendu toute la matinée, le nez collé à la vitre de la salle à manger pour voir quand le véhicule apparaîtrait à la ligne de crête. Elle devait rester quelques semaines chez eux. Parfois, Eyja était allée dormir chez l'Adolescente et sa sœur qui était encore plus adolescente bien qu'en réalité toutes deux soient vraiment des enfants. Elles gloussaient du même rire lorsque leur mère donnait une tendre pichenette sur la joue rebondie d'Eyja en lui disant qu'elle devait bien aimer manger. Inquiète, elle faisait les yeux ronds à cette cantatrice à la grande prestance et au large sourire pendant que les deux sœurs se roulaient par terre.

Et voilà que la benjamine venait vivre chez elle. Elle arrivait tout juste, grande et mince dans ses vêtements dernier cri, les cheveux coupés à la garçonne. Un sourire mystérieux aux lèvres. Ses yeux bleus légèrement écarquillés savaient quelque chose qu'Eyja ignorait.

Elle représentait tout ce qu'Eyja voulait être.

Le jour de son arrivée, celle-ci alla se renseigner sur les bonnes manières dans les vieux livres de grand-mère et se faufila dans son placard à sous-vêtements pour y sub-

191

tiliser un mouchoir de poche bien repassé. L'Adolescente eut à peine le temps de poser sa valise chez Maman qu'Eyja avait sorti le mouchoir de sa propre poche et dit, d'un ton exagérément courtois : Si vous avez besoin de vous moucher, vous aurez à votre disposition mouchoirs et papier toilette.

L'Adolescente pleura de rire ; l'humiliation dura tout l'été.

Chaque fois qu'Eyja ouvrait la bouche, l'Adolescente gloussait. Sauf une fois. Elle répondit alors de manière si étrange qu'Eyja crut pouvoir crier victoire. Elle avait attendu l'Adolescente et se précipita sur elle lorsqu'elle apparut dans l'allée, son maillot de bain dans un sac, pour lui demander ce qu'elle préférerait : mourir demain ou vivre un million d'années.

Mourir demain, répondit l'Adolescente, sans l'ombre d'une hésitation, en s'appuyant sur la clôture, courbant son long corps.

Mourir demain ! bafouilla Eyja, observant l'ombre des arbres qui jouait sur le visage de la fille – la brise était étonnamment douce, ce jour-là.

Oui, dit l'Adolescente. Il n'y a rien d'amusant à vivre un million d'années si tous ceux qu'on connaît sont morts.

Eyja en resta bouche bée. Pourquoi n'avait-elle pas eu l'idée de dire ça, elle-même ?

Mais sa cousine avait répondu. En général, elle se contentait de lâcher un je-ne-sais-pas quand quelqu'un lui posait une question. Papa essayait toujours de lui tirer les vers du nez, lui qui adorait jouer avec les enfants et le chien. Comme un gamin taquin, ricanant chaque fois qu'elle prononçait ces mots : je-ne-sais-pas.

Papa : Tu es de bonne humeur aujourd'hui ?

L'Adolescente : Je-ne-sais-pas.

Papa : On s'en va à la pêche ?

Eyja & Agga & Haengur : Oui oui oui !

L'Adolescente : Comme-vous-voulez.

Papa : Tu préfères aller jouer au foot ?

L'Adolescente : A-toi-de-voir.

Papa : Tu es sûre de ce que tu dis ?

L'Adolescente : Je-ne-sais-pas.

Et le doute était justifié puisque Maman leur interdit de partir pêcher. Eyja devait s'occuper d'Agga et de Haengur pendant que papa réparait l'évier de la cuisine parce qu'elle... elle devait parler avec leur cousine en paix. Comme toujours, pensa Eyja, qui en avait par-dessus la tête de leurs conspirations.

Ainsi, on n'alla pas faire un tour en voiture, ce jour-là. Pourtant, ce fut une bonne journée, d'après son souvenir. Envolée dans les nuages à l'instar des autres. Ne demeure plus que la lueur d'un matin, l'image d'une jeune fille dégingandée qui haussait les épaules en s'appuyant contre la clôture, comme tous les jours, un sourire nonchalant mais espiègle aux lèvres, si mince qu'Eyja ne soupçonna pas qu'elle était sur le point d'éclater en sanglots.

Elle mâchait son chewing-gum au soleil.

Gloussait.

Et que faire d'autre lorsqu'on n'est même pas encore une vraie adolescente et que sa mère meurt du cancer et qu'on doit déménager dans la campagne pour vivre chez des gens qui n'ont jamais perdu leur maman ?

Et puis un jour passa. Et encore un. Et ce jour-là, une maman était morte.

# Laura la strip-teaseuse

Eyja a la sensation que quelque chose est mort dans sa mère. Elle lui manque, celle qu'elle était avant son deuxième divorce lui manque.

Mais elle ne le dit pas à grand-mère. Elle se contente de profiter d'un moment de solitude et allume une cigarette – grand-mère est entrée dans le magasin Bókfell acheter un cadre pour mettre en valeur l'entretien avec la strip-teaseuse. Peut-être regrette-t-elle de n'avoir pas encadré les interviews de sa propre fille.

Heureusement, elle ne sait rien du recouvreur de dettes.

Pourtant, c'est grâce à lui qu'elle peut aujourd'hui porter le titre de journaliste. Qui a obtenu une vraie interview dans les bas-fonds de Reykjavík. Ce n'était pas plus mal, que l'homme du club de strip-tease n'ait pas pu les recevoir, Agga et elle, concernant les dessins. Cela avait été une idée à un million de couronnes. Pas littéralement, mais la Rédactrice culturelle lui avait dit que si elle avait d'autres éclairs de génie, elle devait absolument la rappeler. En tout cas, elle avait eu assez pour payer le recouvreur de fonds. Qui souriait si malicieusement qu'elle n'avait qu'une envie : l'inviter à prendre un café. Peut-être lui lire un chapitre de son roman et… non, qu'est-ce qu'elle avait dans la tête ? Elle était mariée.

Devait-elle raconter à la Rédactrice culturelle cette dépaysante rencontre ? Si cette dernière désirait plus d'interviews ? Lorsqu'elle rentrerait chez elle, peut-être ne serait-ce pas une mauvaise idée de demander au recouvreur de fonds un entretien. Il serait beau, à la une. Avec ses cheveux longs et sa dent d'ours polaire autour du cou. Elle devrait pouvoir atteindre son objectif, comme la dernière fois.

Elle s'était laissée tomber sur la chaise face au bureau et avait offert son plus doux sourire jusqu'à ce que la Rédactrice culturelle, pleine de tact, dise d'un ton interrogatif : Je croyais que tu voulais écrire de nouvelles chroniques.

Je préférerais faire des interviews.

Nous avons des gens qui s'en chargent déjà, ici.

Oui mais... C'est différent.

La Rédactrice culturelle la jaugea un instant, cette fille avec ses cheveux sales et son pull dans un pire état encore. Elle patienta. Puisque Eyja ne disait rien, elle jeta un regard théâtral à sa montre et s'autorisa enfin à demander : En quoi ?

Je voudrais interviewer une strip-teaseuse qui travaille dans un club que j'ai... visité l'autre jour.

Eyja se tut. Elle se laissa glisser sous la coupe au bol de la Rédactrice culturelle et vit la magie se réaliser comme lors de la première visite, avec Maman. L'air était électrique et la Rédactrice culturelle aperçut des gouttes de sang qui s'écoulaient de son stylo – en l'an quatre-vingt-dix-et-des-poussières, les boîtes de strip-tease étaient encore un monde inconnu en Islande. Les journalistes parlaient des clubs mais s'aventuraient rarement à l'intérieur de cette autre réalité. Aux yeux de la Rédactrice culturelle, c'était comme si cette gamine lui proposait d'interroger un mafioso.

Tu peux obtenir un entretien ? demanda-t-elle en essuyant son stylo.

Je connais le manager du club.

Tu le connais ?

Oui. Je l'ai rencontré l'autre jour, pour affaires – en quelque sorte.

La Rédactrice culturelle se tut, regardant par la fenêtre. Puis, elle se retourna vers Eyja et dit : Je n'achète pas ce genre d'articles – c'est l'édition du week-end qui s'en charge. Je vais les appeler.

Sérieux ?!

Oui. Rappelle-toi cependant qu'on n'achète pas un entretien à moins qu'il... corresponde à la ligne éditoriale.

Il vous conviendra, promit Eyja, pleine d'espoir quant à cette aventure avec des strip-teaseuses – elle deviendrait comme la jeune journaliste qui découvrait les fosses communes dans *D'amour et d'ombre* d'Isabel Allende. Il ne lui manquait plus qu'une mobylette et un appareil photo. J'ai besoin d'un appareil photo, dit-elle, un peu gênée, trop selon son goût.

Tu auras un photographe, répliqua la Rédactrice culturelle comme si rien n'était plus évident. Je te donne le numéro du service photo – à toi de l'appeler quand tu auras fixé un rendez-vous.

Elle hésita un instant. Regarda la gamine d'un air maternel et ajouta : Téléphone s'il arrive quoi que ce soit. Oui, fais attention à ces criminels !

L'avertissement entra par une oreille et ressortit par l'autre. Dès le lendemain, Eyja fila au club de strip-tease. Elle s'estima chanceuse que les portes soient ouvertes, sans aucune trace du videur. Elle entra d'un pas nonchalant, se dirigea vers le bureau du manager et frappa.

Il y eut du remue-ménage et, un instant plus tard, il ouvrit. Vous encore ? lança-t-il d'une voix ensommeillée. Cette fois, je suis toute seule, dit-elle avant de lui expliquer brièvement la raison de sa venue. L'homme plissa les yeux – deux traits fins sous ses sourcils. Il se lécha les lèvres et s'éclaircit la gorge, puis : Tu peux aller voir Laura, à condition que je lise l'article avant que ça aille plus loin. Attends ici !

Une seconde plus tard, Eyja se tenait face à une jolie fille aux cheveux bruns longs, quelques taches de rousseur sur le nez. Elle se présenta en anglais, affirma s'appeler Laura. Elle lui dit être tout à elle – elle devait juste se rappeler que le manager voulait lire le résultat avant quiconque. Désirait-elle une danse pour commencer ?

Non, merci, j'en ai déjà vu une, merci, bafouilla Eyja en allumant aussitôt le dictaphone que la Rédactrice culturelle lui avait prêté. Est-ce qu'on ne peut pas plutôt aller chez toi ?

La fille hocha la tête et enfila un manteau marron clair. Elle avait l'air si normale : grande et mince avec son pull en laine blanche toute douce, son jean et ses baskets couleur feu.

En chemin, elles bavardèrent à un débit rapide, comme deux adolescentes qui viendraient de se rencontrer dans un cours optionnel au lycée, et Laura avoua que son prénom n'était pas Laura mais un autre maintenu secret. Elle était canadienne et avait toujours été attirée par la danse, tellement passionnée d'art qu'elle préférait vivre dedans plutôt qu'en être spectatrice.

Eyja était toute retournée de faire la connaissance d'une femme aussi indépendante lorsqu'elles franchirent le seuil de l'auberge où demeurait la strip-teaseuse ainsi que dix autres danseuses exotiques venues du monde entier ; elles venaient d'acheter à manger et se réunirent dans la cuisine, des sacs remplis de la supérette Bónus dans les mains, à blablater et pépier en faisant sauter des pommes de terre et frire des œufs sur le plat, le tout accompagné d'un verre de Coca light avec citron et glaçons. La vie ici semblait si délicieuse qu'Eyja regretta amèrement de ne pas avoir des formes plus flatteuses. Elle n'aurait pas été contre partager cet endroit avec toutes ces filles insoumises – qui avaient un boulot de rêve et pouvaient voyager partout dans le monde, selon l'artistique Laura.

Celle-ci s'installa confortablement sur son lit et invita Eyja à prendre place sur celui de sa camarade de chambre. Eyja s'assit prudemment : la tire-au-flanc face à la fille la plus cool de sa promotion. Si elle avait un jour failli tomber amoureuse d'une femme, c'était bien à cet instant.

Laura s'empara d'un ourson en peluche au pelage tout doux et le serra contre elle. Ses mouvements étaient lents, presque pensés. Son sourire charmeur vacillait dans son regard qui avait paru si avenant l'instant d'avant. Alors marron classique, ses yeux brillaient à présent d'une lueur vert sombre, voire noire, tandis que Laura affirmait de sa voix enchanteresse que son artiste favori était David Lynch. Son destin avait été scellé le soir où elle avait vu *Blue Velvet* pour la première fois. Dans son ancienne vie, cette existence grise dans quelque ville du Canada, où ses camarades de l'école d'art pensaient être originaux, tous de la même manière, tous suivant le même manuel. A présent, elle vivait son rêve : elle vivait dans la réalité de David Lynch.

Eyja avait du mal à cacher son admiration. Elle écrivait chaque mot, émerveillée par cet univers fantasmagorique au point qu'elle ne posa pas la moindre question à la Madone. Elle fut simplement soulagée lorsque le manager hocha la tête par-dessus ses beignets de poulet et une copie dactylographiée de l'interview. Il lécha la graisse de son index, tourna la page et dit, la bouche pleine : Ah, je la reconnais bien là, ma petite Laura. Une artiste qui sait sex-primer ! Tu devrais jeter un œil à sa gravure !

## La réalité de David Lynch

Eyja se rappelle les mots de Laura en passant devant un chat noir, bien plus tard. Elle est alors en chemin pour aller écouter David Lynch lors d'une intervention sur la conscience universelle, peu de temps après la révolution dite « des casseroles ». Il s'agit du septième chat sur sa route pendant les deux kilomètres qui séparent son appartement de la salle de conférence.

Le chat devrait être le symbole de Reykjavík. Dans ce vieux quartier, on passe difficilement une intersection sans qu'un chat noir la traverse d'un bond, mauvais augure pour le badaud. Un écrivain japonais célèbre l'a dit avec ces mots : les chats bayant aux corneilles rendent cette ville pareille à nulle autre.

La population de chats a augmenté au cours des manifestations liées à la banqueroute, selon certains. A vrai dire, c'est juste qu'on les voyait davantage – comme les mouettes gourmandes qui décrivaient des cercles au-dessus des restes de hot-dog et des sucettes sales abandonnées par les enfants dans la foule. Les félins s'éparpillaient dans la masse furieuse où ils s'étaient furtivement glissés, la queue dressée, depuis les quartiers résidentiels proches du centre-ville.

Le septième chat entraîne Eyja d'une pensée à une autre – serait-elle en route pour le cirque du professeur

Woland ? – et cette pensée-ci lui rappelle le Coup de Vent, alors elle sourit de toutes ses dents à ce qui un jour fut. Son chat à lui est-il mort ?

Quelque chose de mystérieux envahit l'air alors que des centaines de citadins se réunissent pour apprendre à méditer avec David Lynch et ses acolytes. Reykjavík brûle sous les feux de la politique le jour où le cinéma de l'université se remplit de gens curieux, fomentant une révolution, à peine remis de leur gueule de bois d'après la dernière. Le ciné-gourou à la peau brunie de soleil prend place face à la masse et incite le peuple à échapper à la crise par la réflexion plutôt que par les armes.

C'est ici que musardent les Islandais, à la mode postkrach : pulls en laine, châles et écharpes tricotés de la veille qui jurent avec des chaussures montantes éraflées, lacérées par les mois printaniers d'un hiver révolutionnaire. Dans la salle règne une odeur d'humain à attirer un troupeau de trolls, la sueur froide bout chez le démagogue. Ici et là on renifle, on tousse, comme si chacun des spectateurs souffrait d'un rhume de longue durée. La crise a donné naissance à un coup de froid incurable : un sanglot imperceptible, chronique, qui jamais ne se taira.

Les Islandais regardent des vidéos de Paul McCartney et de Ringo Starr expliquant la méditation lors de concerts un peu partout dans le monde ; la texture de l'image rappelle de vieilles pubs pour Coca-Cola. Les reniflements de mille nez accompagnent les chansons des Beatles pendant que les gens méditent sur la façon dont on peut méditer pour retrouver l'opulence, bien que celle-ci ait de tout temps été un concept subjectif. Bien que Lennon ait chanté : *I just believe in me. Yoko and me* – avec dans le sang toute une cargaison de gourous indiens et de LSD.

Mais voici qu'un réalisateur hollywoodien, le plus mystique d'entre tous, invite les Islandais à ouvrir leur esprit à la sagesse universelle – si Eyja a bien compris, elle vit à l'intérieur de chacun d'entre eux. Elle est cette Islandaise prête à s'ouvrir au pouvoir créatif infini de la conscience, comme le cinéaste.

Si ces centaines de gens filent s'inscrire à un cours de méditation, l'Islande changera bientôt – pour le mieux. Les ondes méditatives auront tôt fait de redonner à la nation un Parlement compétent, de faire baisser les impôts, d'accroître la transparence. Et les auditeurs sont si fervents à cette idée qu'ils n'ont qu'une hâte : aller méditer. Certains passent une main dans leurs cheveux trempés de sueur pendant que d'autres serrent leurs bonnets entre leurs mains. La méditation de groupe pourrait doubler l'influence de la révolution des casseroles. La nation entière méditerait avec une force si massive que les ondes s'envoleraient jusqu'à l'étranger et changeraient la marche du monde, de la même manière que la pression atmosphérique a son influence sur les menstruations des femmes. Tout est faisable en Islande. Le pays vient d'envoyer une parodie de lui-même à l'Eurovision, il a poussé le gouvernement à la démission et va bientôt donner les clés de Reykjavík à un parti d'humoristes. David Lynch verrait bien ! Les Islandais ne connaissent aucune limite.

Juste une petite entrave au miracle. L'expérience qu'ont les peuples orientaux des habitants des peuples occidentaux est la suivante : ils ne peuvent rien faire de bien sans être payés pour. Et peu de gens ici ont cent mille couronnes sur leur compte à dépenser dans un cours de méditation, moins nombreux encore sont ceux qui ont une carte bleue dans le vert, sans parler de tous ces crédits en devises étrangères. Bien sûr, l'Islandais n'est pas pauvre, comparé aux habitants du tiers-monde. Mais David doit quand même comprendre la situation !

Il la comprend.

Véritable messager de sa propre réalité. Et de la réalité de Laura-dont-ce-n'est-pas-le-prénom. Bientôt, la nouvelle selon laquelle les gens intéressés bénéficieront d'un rabais de 90 % s'ébruite – et ainsi Eyja a-t-elle l'occasion d'aller chercher en elle la sagesse universelle. Lorsqu'elle l'atteindra, des milliers de mots s'écouleront sur la page. Des mots d'une telle puissance que les grands-mères, les Coups de Vent et les Reines du Ski jailliront de l'histoire, comme des roches lors d'une éruption volcanique. A présent, l'avenir s'égrène bon train. Le tournant du siècle s'annonce.

Nous sommes encore en quatre-vingt-dix-et-des-poussières. Il est presque minuit – pourtant dehors il fait jour, et la neige a quasiment disparu des montagnes. Juste quelques bandeaux çà et là, dans les creux des plus hautes pierres, mais de la terre s'échappent des pousses de bouton-d'or et de pissenlit. La nuit sent l'angélique humide et le courlis corlieu rechigne à dormir. Le chien somnole sur les pavés, déprimé, il semble sentir qu'elle n'est venue que pour partir. Grand-mère aide Eyja à empaqueter ses derniers vêtements dans la valise. Absolument opposée à ce qu'elle aille le lendemain faire ses adieux au Coup de Vent.

Il a appelé, plus tôt ce soir-là.

Il est arrivé chez sa mère, dans le Sud, a-t-il dit – il espérait qu'elle lui dirait au revoir. Elle songe un instant à lui donner l'interview de Laura, encadrée dans un sous-verre à pinces de chez Bókfell que grand-mère a nettoyé avec du produit à vitres. Parce que Eyja ne peut pas l'accrocher à un mur. Elle n'a plus de mur à elle.

# L'heure des adieux

Je reviendrai, dit-elle au Coup de Vent lorsqu'ils se disent au revoir le lendemain chez sa mère à lui, dans une petite ville que certains associent à l'aéroport international, d'autres au rock à brillantine. Il est assis tête baissée sur un lit de camp garni d'une couverture fleurie dans la chambre d'amis, un sourire sardonique aux lèvres. Il la prie d'arrêter de passer son temps à raconter des salades.

Ça passera vite, dit-elle, convaincue qu'elle ne ment pas. Elle a bien l'intention de revenir, qu'il la croie ou pas. Elle ne peut pas le trahir. Quoi qu'il dise à cet instant, avec son humeur morose.

Elle l'observe, concentrée, et tire le carnet de chèques donné par le Directeur de la caisse d'épargne de sa veste en lin bleu qu'elle lui avait offert lors du voyage du Parti socialiste à Prague et repris après qu'elle eut rétréci au lavage ; ensuite, elle se dépêche d'adresser quarante mille couronnes au porteur.

Les iris du porteur doublent de volume derrière ses lunettes rondes. T'es allée tailler des pipes au centre commercial ou quoi ? crache-t-il, luttant pour dissimuler sa joie – à cet instant, il est important de demeurer négatif. La bien-aimée ne doit en aucun cas comprendre qu'elle n'est rien à côté de toutes les provisions d'alcool qu'il va pouvoir stocker avec ce gros chèque.

Je reviendrai vers toi, dit-elle avant de lui faire ses adieux.

Eh ! la rappelle-t-il.

Elle s'immobilise dans le cadre de la porte : Oui ?

Fais gaffe à l'autre bonne femme. Qu'elle te laisse un moment de paix pour écrire.

Il sourit. Seul dans le brouhaha mécanique et les rires en boîte qui s'échappent de la télé par satellite de sa mère. Elle sait qu'il fouille dans ses pilules – pas celles pour le cœur, espère-t-elle, ça pourrait lui être fatal. Qu'est-il arrivé dans la vie de cette famille pour tuer le petit garçon de la photographie, au point qu'il ne regagna jamais suffisamment confiance en l'existence pour la savourer ?

Doit-elle fermer la porte ?

Au revoir.

# Check-in

Soit on est divorcé, soit on est marié, tu vois, la vie, c'est sel et poivre, lance Rúna, excitée dès le petit matin.

Elle se tient toute droite dans la longue file d'attente menant au comptoir d'enregistrement, avec à la main un drapeau islandais qui flotte au bout d'un bâton pliable, vêtue d'une robe d'été sans manches, laissant ses bras agiles prendre l'air. Elle arbore sur sa tête une casquette rose vif avec une visière en plastique qui ombrage son nez aquilin. Ses orteils sont peints en accord, ils s'échappent de ses sandales ouvertes.

Si la vie, c'est sel et poivre, Rúna en est le piment sur talons hauts, sa présence est si puissante que la foule se disperse timidement à son approche.

Elle charge son fils et le copain qui l'accompagne – deux gamins de douze ans – de tirer les bagages, puis elle agite son billet d'avion sous les yeux d'Eyja et de Maman, qui a conduit sa fille à l'aéroport dans l'aube baignée de soleil.

Salut, ma chérie, dit Maman en embrassant Rúna comme si elles ne s'étaient pas vues depuis des années. C'est une grande réussite : elles ont tenu leur pari, elles sont à l'aéroport avec la gamine. A présent, rien ne pourra mettre un frein à son envoi en pièces détachées vers Munkbysjön – dont Eyja apprend plus tard ce jour-là qu'il ne s'agit pas d'un village mais de quelques habitations disséminées çà et là, comme celles des livres d'Astrid Lindgren.

Rúna assure à Maman que ce qui les attend, ce n'est rien que du bonheur, elle sait de quoi elle parle, elle qui a vu tout ce que l'étranger peut offrir de meilleur et qui a, à son époque, enseigné le ski à des boules de graisse richissimes dans des hôtels de luxe autrichiens.

L'objectif, c'est d'atterrir à Stockholm et de prendre la route la plus directe en voiture jusqu'à Munkbysjön – il y en a pour à peu près quatre heures, selon Rúna qui fouille son sac à la recherche d'une carte. On entend sa flasque argentée et son rouge à lèvres s'entre-choquer. Eyja soupçonne qu'elle s'est enfilé quelques gorgées – c'est bon pour le cœur ! – histoire de se donner du courage pour conduire sur l'autoroute.

Tout ira bien, n'est-ce pas ? balbutie Maman pour se rassurer.

Qu'est-ce que tu crois, ma petite bonne femme ? claironne Rúna, si engoncée dans son propre pouvoir de persuasion que mère et fille décident soudainement qu'il vaut mieux arrêter d'y songer et se séparer tout de suite si la voyageuse veut avoir une chance d'arriver en Suède.

Eyja se tourne vers sa mère et la prend dans ses bras. Elle l'a si souvent embrassée avant de grimper dans un bus ou dans un petit avion en route pour l'ouest, ou le nord, ou l'est. Habituée à se coller à la vitre pendant que Maman rétrécissait à toute vitesse, sanglotant dans son joli manteau usé, elle qui réconfortait toujours sa fille, ignorant alors que l'on voyait son visage grimaçant tandis qu'elle agitait la main comme s'il en allait de sa vie.

A présent, Eyja s'en va en avion de ligne.

Et Maman demeure ici, avec en tête l'image floue de la Reine du Ski dans un minibus enfumé qui emmène sa fille vers la campagne verte et boisée.

Il ne reste plus qu'à croiser les doigts. Allez !

# Au-dessus de tout

La Reine du Ski est d'humeur légère. Le soleil baigne les nuages de lumière et l'hôtesse de l'air pose un verre de vin blanc avec des glaçons sur son plateau – la glace émet un crépitement.

Son fils et l'ami qui l'accompagne sont assis de l'autre côté du couloir ; le fils, blond, a le regard vif, l'autre est plus stoïque, plus sombre, mais tous deux ont la peau bronzée et les joues rebondies. Chacun plongé dans un nouveau jeu vidéo. Eyja aurait bien envie de l'essayer ; elle se ressaisit, car elle est adulte, désormais. Elle commande un verre de vin blanc avec des glaçons, elle aussi. Les nuages lui font penser à un manteau de neige. Ils scintillent, impeccables, plus blancs que blanc. L'optimisme est à son comble.

Eyja fouille son sac à dos à la recherche du magazine *Vikan* mais en tire le sous-verre à pinces. Trois gorgées de vin blanc suffisent à attiser son sentiment de mélancolie. Elle revoit Laura la mystérieuse dans sa robe rouge au décolleté plongeant et nouée à la nuque.

Au dernier moment, elle a décidé d'emporter l'interview plutôt que de la donner au Coup de Vent. Elle veut l'accrocher dans la maison de vacances afin de se rappeler chaque matin qu'elle est parvenue à assembler des mots qui ont fini chez l'imprimeur – même si la plupart des mots de cet article-ci appartiennent à Laura la strip-teaseuse. Enfin, elle est si picturale, Laura. Elle ira bien sur le mur.

Rúna jette un œil par-dessus l'épaule d'Eyja et lit l'interview pour la troisième fois, désormais à travers le verre miroitant. Elle mâche activement son chewing-gum mais parcourt l'article avec lenteur, car dyslexique sévère, selon ses propres dires. Laura s'attire les faveurs de Rúna. Cette dernière tient la danseuse exotique en haute estime dans son rôle d'aventurière. Par contre, elle n'aime pas trop ce David Lynch, avec sa vision bien trop terre à terre de la vie, comparée à tout ce qui peut arriver à la Reine du Ski en un après-midi. Il y a des mots qui ne lui plaisent pas, tels que « sous-jacent » – Eyja le comprend lorsque Rúna cherche à savoir ce que Laura entend par « vivre dans la réalité de David Lynch ». Eyja dit croire que Laura veut faire l'expérience de l'occulte sous-jacent à son existence.

L'occulte sous-ja-quoi ? Tu vas me faire le plaisir de m'expliquer ça ! éclate l'autre, arrogante depuis qu'elle sait qu'elle souffre de ce-nouveau-truc-dont-parlent-les-médecins et que les gens qui se rappellent ce que c'est nomment « trouble de la concentration ».

Je ne sais pas trop, répond Eyja sans mentir. Peut-être quelque chose du genre… comment dit-on ? Elle hésite puis trouve enfin en elle ce concept dont elle ignorait qu'il était venu se nicher dans son vocabulaire – elle a sans doute entendu le terme lors de la soutenance de thèse de la Doctorante-de-Pamela-Anderson : réalité parallèle.

C'est quoi ces conneries ? s'écrie Rúna en se tapant les cuisses, faisant sauter les glaçons dans son gobelet en plastique. Mais elle demeure admirative de cette Cana-dienne débarquée en Islande pour vivre son truc jusqu'au bout, que l'aventure soit sous-jacente ou pas, et après tout, c'est pas plus bête de se lancer dans le strip-tease que d'aller bosser dans l'usine de congélation d'un coin paumé – comme l'ont fait certains imbéciles de sa connaissance. A ce moment-là, elle éclate d'un rire grossier et débonnaire sous le nez d'Eyja. D'après toi, comment elle s'appelle – puisque son prénom, c'est pas Laura ? demande-t-elle enfin, sincèrement curieuse.

Je ne sais pas, avoue Eyja d'un ton misérable, provoquant chez la Reine du Ski un nouvel éclat de rire, car c'est quand même une fichue idiote, cette petite chérie, de ne pas lui avoir posé la question – et à présent, qu'elle se grouille de divorcer de ce type avant de devenir encore plus bête.

Je vais là-bas pour…, bafouille Eyja. Juste comme ça.

Juste comme ça ! aboie l'autre.

Oui. Tu vois, quoi. Pour faire une pause.

Rúna ravale son rire, bouche bée avec le chewing-gum sur le bout de la langue quand elle assure à Eyja qu'elle est encore plus stupide que ce qu'elle avait cru – et ce n'est pas peu dire ! Puis, elle demande si sa grand-mère est au courant.

Au courant de quoi ?

Qu'Eyja n'a pas l'intention de divorcer, qu'elle veut juste faire un tour à l'étranger pour se redonner le moral. Et elles qui lui ont trouvé une maison de vacances, rien que pour elle, dans la forêt, au bord d'un lac, avec une atmosphère romantique, pour qu'elle puisse écrire son premier roman ; sans parler de l'ordinateur qu'elle compte personnellement lui prêter.

Je n'ai jamais dit que j'allais divorcer, laisse échapper Eyja, elle-même indescriptiblement affligée.

Oh que si, assure Rúna avant d'avaler les dernières gouttes de son gobelet. A cet instant, tout trouble de la concentration semble s'être envolé pour l'éternité ; elle est la précision personnifiée, elle sait où elle va et ce qu'elle dit et aurait eu sa chance à l'or olympique si elle ne s'était brisé la nuque à l'époque. Ses yeux perçants traversent Eyja et son esprit embrumé. Est-elle en train de divorcer ? Vraiment ? Ou non ? Ou bien...

# Prélude au déroulement sinueux
## des événements

Environ une décennie plus tard, un jour gris d'automne à la supérette Bónus du vieux quartier Ouest, Eyja repense à cette journée. Dans une certaine mesure, l'Eyja d'aujourd'hui est différente de celle qu'elle était à l'époque. Toujours aussi distraite, certes, toujours rêveuse et alanguie, peut-être plus décidée qu'auparavant et certainement enhardie d'avoir déterminé les destins de ses personnages pendant des années. Elle a aussi toujours le nez de travers après s'être cognée contre un poteau, et elle reste grosse, si grosse qu'elle est mince dans le souvenir qu'elle a d'elle-même en Suède. Mais Eyja l'oublie en apercevant les centaines de jus de fruits sucrés.

Elle se tient devant une étagère chargée de boissons édulcorées, engoncée dans sa veste en cuir vert foncé qui recouvre tout juste sa poitrine, une longue écharpe colorée autour du cou ; elle se demande si elle va acheter du thé glacé au goût fruits bien que cette journée d'automne soit fraîche et que les banques du pays viennent en sus de s'effondrer de sorte qu'on pourrait presque qualifier d'extravagance le fait d'aller gaspiller des couronnes islandaises dans l'acquisition d'une canette rafraîchissante de marque étrangère.

Mais elle s'est autorisé bien des menus plaisirs ces derniers jours, car bientôt Agga va donner naissance à son premier enfant et, quoi qu'elle ait aussi hâte qu'à l'époque où Agga est venue au monde, elle a soudain la sensation que sa vie est arrivée à son terminus. La vie qui a commencé lorsque la Reine du Ski l'a conviée à un voyage.

Cette invitation a été le début de l'existence telle qu'elle la connaît aujourd'hui.

Ces dix dernières années, elle a publié des livres et savouré le quotidien avec son Mari à Venir, aussi bien à l'étranger qu'en Islande. Le Mari à Venir a le caractère enjoué, l'œil malicieux et une foi inébranlable dans le lendemain ; il habite là où est pendue sa veste de cuir – du moment qu'il a de quoi préparer une délicieuse sauce bolonaise, car c'est un gourmet, tout comme elle.

Au début, elle osait à peine mentionner le Mari Passé en sa présence, mais ils se firent rapidement des confidences par-dessus une montagne de spaghettis, et elle eut l'occasion de rencontrer sa petite fille, une blondinette aux yeux bleus attentifs et aux jolies joues rouges qui adore débattre des plus profonds secrets du monde en tenant la main de son papa ; la fillette lui rappelle les instants envolés lorsqu'elle aperçoit le petit bout de tête blonde derrière un tome de *Harry Potter*, avec le bruit d'un biscuit dévoré en cachette, de telle sorte qu'Eyja sent une chaleur se diffuser partout en elle – elle a souvent pris plaisir à s'immiscer dans l'imaginaire de l'enfant lorsque celle-ci vient leur rendre visite.

Elle vit la vie qu'elle a toujours voulu vivre, mais soudain, un manque terrible se fait ressentir : ses livres se ressemblent tous, ils sont aussi futiles que leur auteur – juste parce que Agga est enceinte. Un sentiment si intrusif qu'elle songe immédiatement aux Détraqueurs de la saga *Harry Potter* – qu'elle-même allait lire en secret en grignotant des petits biscuits.

Elle s'apprête à acheter le thé glacé quand elle se rappelle que l'entreprise qui le produit est accusée de piller des sources d'eau potable en Inde. Elle se souvient alors que Rúna préparait un thé glacé délicieux, fort en goût sans être trop sucré. Elle ferme les paupières en espérant retrouver quelle recette Rúna employait mais abandonne après un court instant et décide de composer elle-même une boisson fraîche à base de racine de gingembre et de citron.

A la caisse, elle croise une vieille dame, bonne amie de ses deux grands-mères ; la mère de cette vieille dame fut également proche de l'arrière-grand-mère d'Eyja, côté maternel, et vivait dans la maison que la dame face à elle habite désormais. C'est une belle femme, avec ses cheveux blancs en vagues, la peau couleur beurre de cacahuètes à force de se consacrer à son jardin. Ses yeux clairs brillent de vitalité, elle a la gestuelle énergique malgré une fracture de la hanche l'hiver dernier, et porte une robe d'un rouge profond sous son manteau d'été. Elle tire une valise d'hôtesse de l'air derrière elle, remplie de briques de lait et d'œufs biologiques, car le secret des bonnes crêpes, c'est de mettre dix œufs dans la pâte, assure-t-elle avec une tendresse appuyée.

Ensuite, de but en blanc, elle dit posséder chez elle quelques carnets de notes remplis des écritures automatiques que l'arrière-grand-mère d'Eyja avait mises au propre pour elle-même et deux de ses amies, parmi lesquelles la mère de la vieille dame. Eyja la regarde, étonnée, tandis que son interlocutrice ajoute : Tu comprends, c'est elle qui avait la plus belle écriture.

Mais Eyja ne comprend pas, elle sait à peine ce que signifient les mots « écriture automatique », alors le reste… Elle demande tout de même l'autorisation de jeter un œil aux cahiers, vu qu'elles sont pratiquement voisines – juste une école maternelle entre leurs deux maisons.

Tu es plus que bienvenue, répond la femme – mais il se passera quelques années avant qu'Eyja vienne enfin lui rendre visite.

Elle ignore encore que les carnets de notes sont intimement liés à son destin, passé et futur. Elle ne sait pas qu'ils sont l'élément manquant pour que deux histoires ne forment plus qu'une : celle de la fille qui rassemble le courage d'écrire un livre et celle de la femme qui rassemble le courage de faire un enfant – il est grand temps que ces deux-là se rencontrent.

Le fil des événements a commencé à se dérouler il y a longtemps.

Il s'écrit dans les nuages.

Elle doit lire la vie de ces femmes. Ces femmes qui ont écrit cette vie dans des petits cahiers bleus – comme elle fait à leur suite.

# Une semaine après que grand-mère est allée à la banque

Elle ferme les paupières tandis que la voiture file sur l'autoroute. Concentrée, la Reine du Ski a les yeux fixés sur le pare-brise, lâchant de temps à autre le volant d'une main pour boire une gorgée d'eau ou ajuster la visière de sa casquette. Sur la banquette arrière, les deux garçons dorment comme des loirs, du chocolat jusqu'aux oreilles.

Le deal, c'était quelque chose dans le genre : Eyja peut écrire dans la maison de vacances contre un coup de main à Rúna pour tenir les chalets où va loger une colonie d'enfants islandais.

Attends un peu de voir, dit-elle, les yeux plissés et ses lèvres fines courbées en un sourire alors que les arbres oscillent devant elles, donnant le tournis à Eyja. C'est un vrai paradis, et il y a tout ce qu'il faut pour nos petits diablotins. On pourra faire du canoë-kayak, du hors-bord, du rafting, et même se laisser dériver sur des pneus. Ah ! Vous entendez ça, les gars ?

Les gars émettent de légers ronflements. Elle se tourne vers Eyja qui observe, pétrifiée de terreur, les mains de la conductrice dansant dans les airs, et répond qu'elle a bien fait d'emporter une bonne dose de crème anti-moustiques, s'ils comptent partir pour de longues randonnées et dormir dans les bois sous des tentes sami.

Et les guêpes ? interroge prudemment Eyja.

Rúna laisse éclater un rire comme un hennissement. Jamais vu une trouillarde pareille ! s'exclame-t-elle dans un hoquet teinté de tendresse avant d'allumer une Marlboro light. Tu bats des records. Pas étonnant que les deux maters veuillent que je t'éduque.

Et la voiture continue de filer vers l'horizon.

Eyja a entendu parler d'un ours qui s'est introduit dans une maison de vacances dans le coin – elle va bientôt avoir tout le loisir d'y songer. Et elle a entendu parler des mouches. Mais elle ignore encore les hurlements des loups qui tiennent les hommes éveillés la nuit tombée. Il y a tellement de choses qu'elle ignore.

# Au début de l'avenir

L'air est étrangement doux, presque oppressant, lorsqu'elles posent le pied hors de la voiture. Une vague odeur de crottin de cheval vient chatouiller leurs narines ; deux étalons se reposent à l'ombre d'un arbre, l'un couché, l'autre debout. Le bourdonnement des mouches est ponctué du pépiement d'oiseaux divers. Six chalets d'été, de tailles différentes mais tous jaune pâle avec des cadres de fenêtre blancs comme sur une maison de poupée, forment une ribambelle sur les hauteurs de la prairie soigneusement fauchée qui descend au lac dont la surface est aussi plane qu'un miroir. Partout autour, la forêt, y compris de l'autre côté de l'eau. Aussi loin que l'œil puisse voir, on distingue des collines boisées, puis de basses montagnes.

Le long du petit chemin, de l'autre côté de la route, il y a trois cottages en bois aux jardins entretenus et aux boîtes aux lettres aux allures de jouets. L'un d'eux est lie-de-vin, toit blanc, les deux autres sont blancs, avec des toits lie-de-vin. Rúna les contemple, fière comme un coq, en racontant que si les Suédois ont autant de temps pour soigner leur jardin, c'est parce qu'ils vivent de leurs indemnités chômage. Quelque chose dans sa voix rappelle à Eyja le Coup de Vent, lui qui aurait grogné de satisfaction face à ce plaisir de la généralisation – peut-être est-ce l'humour des fjords de l'Ouest ; peut-être est-ce autre chose.

Une sonnerie de téléphone déchire le silence. Eyja sursaute, elle a du mal à se faire à cet étrange appareil attaché à la ceinture de Rúna – on dirait une mitrailleuse lorsqu'il lâche ses sonneries comme une salve de balles –, même s'il lui est arrivé de croiser des gens avec des téléphones portables, toutefois plus gros et maniés de façon plus gauche. Le mystérieux et semble-t-il invisible époux de Rúna bosse dans les nouvelles technologies, c'est sans doute pourquoi elle est plongée jusqu'au cou dans ces gadgets dernier cri. A moins que deux techno-mabouls se soient retrouvés par hasard sur la même longueur d'ondes ? Dur à dire, surtout par une chaleur pareille.

Elle est là, où veux-tu qu'elle soit ? hurle Rúna, si fort que les garçons se réveillent en sursaut et jettent un œil excité par la fenêtre, comme deux lapereaux oreilles dressées. Eyja sent son cœur se serrer lorsque Rúna ajoute qu'il est quand même drôlement bizarre qu'à peine posé le pied au sol elles reçoivent déjà des appels à l'international. Que oui, il peut bien la traiter de vieille peau et d'emmerdeuse, qu'elle n'en a rien à faire, en ce qui la concerne, alors qu'elle est au soleil, à profiter de la vie, et d'humeur à piler des glaçons et se faire un Bacardi Coca ; c'est toujours plus que ce que peuvent dire certains, coincés chez leur mère vieillissante – n'est-ce pas ?

La force quitte les jambes d'Eyja. Les genoux paralysés, elle s'effondre sur la terrasse en bois et lance un regard implorant à Rúna, elle qui répond si finement au Coup de Vent qu'on la croit capable de lire dans ses pensées.

Non, elle ne peut pas venir te parler ! ment Rúna de sorte qu'Eyja bondit sur ses jambes de coton et tente de lui arracher le téléphone. Mais l'interlocutrice est autrement plus sportive et plus entraînée, malgré son ancienne fracture de la nuque, et n'a aucune difficulté à poursuivre la conversation au bout du fil : Qu'est-ce qu'elle en sait, elle ? Peut-être qu'Eyja en a ras-le-bol de ses conneries ! Quelle femme n'en aurait d'ailleurs pas assez, après avoir dû interviewer une strip-teaseuse sous-jacente pour payer un recouvreur de dettes parce que son mari est un bon à rien incapable de rembourser l'argent qu'il a emprunté ? Quoi, qu'est-ce qu'Eyja lui a raconté ? A peu près tout, quoi d'autre ?

A ces mots, Eyja réussit à attraper le téléphone ou ce qui semble plus probable : Rúna en a marre de débattre avec un vieux croûton en Islande et lâche prise. Eyja s'écrie : Salut ! – avant de faire silence au son de la voix brisée qui lui parvient de la tempête mordante et ensoleillée de Keflavík et qui lui dit qu'elle lui manque tellement. Elle ne reviendra pas, c'est évident, il n'est pas idiot, sanglote-t-il, provoquant un flot de douleur dans tout le corps d'Eyja. Et à présent, à présent il ne lui reste plus qu'à…

Quoi ?

Mourir.

Non, ne meurs pas ! Je t'en prie, je, tu, nous… non, pas ça, ne meurs pas ! Eyja se met soudain à transpirer, la crème à la carotte s'écoule en gouttes orangées sur le dos de sa main.

Ça va, c'est pas un saint qu'est en train de mourir ! rugit la Reine du Ski avant de lui arracher le téléphone des mains en assénant que parfois, ces putains de nou-velles technologies ne sont d'aucune utilité, qu'elles n'apportent que des foutus problèmes, toujours les mêmes conneries moi je te le dis !

Elle crache ces récriminations avec une précision sur-prenante, en dépit de sa dyslexie, comme d'autres amis d'Eyja originaires des fjords de l'Ouest, eux aussi dyslexiques, mais étrangement lapidaires avec leurs paroles et leurs gestes, comme s'il y avait plus de musique dans leur sang que dans celui des autres, songe-t-elle des années plus tard, à une époque où les romanciers se méfient des poncifs littéraires tels que celui-ci, de peur que leurs livres soient estampillés racistes. A ce moment-là, elle vivra dans une autre réalité, dans un autre millénaire. Mais à l'instant présent, elle est prisonnière de celle-ci : au bas d'une prairie longée par l'autoroute suédoise avec une femme qui ne montre aucun scrupule à raccrocher au nez d'un homme aux pensées suicidaires.

Biiiieeen ! dit Rúna, triomphante, en plongeant le mari d'Eyja dans son sac. Je crois que le moment est venu de s'offrir un verre de vin blanc.

Inutile de la supplier de lui rendre le téléphone, des sanglots dans la gorge. La Reine du Ski campe sur ses positions : Arrêter vos conneries net vous fera le plus grand bien, à toi autant qu'à lui !

Un instant plus tard, elles sont assises sur la berge du lac limpide, une glacière bleu clair à leurs pieds, à regarder les garçons tirer les bagages jusqu'aux maisons – dont le chalet de vacances qu'Eyja est supposée avoir pour elle toute seule. Rúna sort une bouteille bien fraîche de vin blanc et un kilo de fraises de la glacière. Elle verse le liquide dans deux verres à eau. Dit : Tu vois l'insecte qui vole, là-bas ? Celui qui a une forme bizarre. On appelle ça une libellule.

Eyja observe l'insecte en question, qui lui fait plutôt penser à un oiseau, mais ne peut admirer l'envergure impressionnante de ses ailes car elle est prisonnière.

De la nuit et de la neige et du ressac, lorsqu'il l'avait poussée contre le mur de la coopérative et qu'il avait dit qu'il l'aimait et qu'elle avait ri, parce qu'elle trouvait cela si formidable, d'être aimée, et qu'elle voulait tant le consoler.

Et que fait-elle ?

Elle le laisse derrière, seul.

Elle se pince légèrement, puis fort, puis plus fort, plus fort encore jusqu'à se faire mal, mais peu à peu le vin s'écoule dans ses veines et la peau cicatrise, doucement. Elle est belle, cette libellule, pense-t-elle en sentant le soleil de l'après-midi caresser son visage. Et celui de Rúna, qui se détend et sourit sereinement. Cette frénétique femme est soudain la quiétude personnifiée. Elle pose un regard de sage sur le lac. Tend le bras pour attraper une fraise et en aspire le jus. Plonge ses orteils nus dans l'eau. S'y laisse flotter comme un morse.

Un instant plus tard, Eyja a plongé tout son corps dans l'eau, le ciel dans les yeux, naviguant dans un bain immense. Et elle est emportée par son rêve : de grands espaces boisés où les loups hurlent et les serpents d'eau se faufilent entre les cailloux poisseux.

Lorsqu'elle se réveille, un nouveau jour est arrivé.

## Première étape de la rééducation de l'esprit et du corps : se réveiller

A quoi bon avoir fait tout ce chemin hors de nos frontières si tu restes à traîner au lit, gamine ?

Le cri militaire se répand sur elle comme un jet d'eau froide. La Reine du Ski la domine, visière devant les yeux, vêtue d'un combi-short beige qui lui rappelle le personnage du colon dans la vieille série *Carry on* ; elle tient dans ses mains deux tasses de café, en tend une à Eyja en précisant qu'elle ferait bien de ne pas s'attendre à un tel cérémonial chaque matin.

Non, non, bien sûr que non, bafouille Eyja, confuse. Elle attrape le mug et s'étire. Les rayons du soleil se glissent à travers le rideau et éclairent le chalet, si chauds que le drap semble sortir de sous le fer à repasser.

L'odeur de bois séché envahit ses narines ; ici, tout est fait de bois : la couchette, la table, les équipements de la cuisine aux allures de jouets – tout sauf les toilettes, la douche et un petit réfrigérateur. C'est un peu comme vivre dans la tanière d'un écureuil. Sur la table : un coffret contenant sept disques de Beethoven acheté en promotion dans une grande surface sur la route : *The Beethoven Collection*. Pliée sur le coffret : une robe en coton à sequins que Rúna l'a forcée à s'offrir bien qu'elle soit affreusement ajustée et, à côté, deux bouteilles de vin blanc du duty-free – aucune sucrerie, en dehors d'un sachet de chewing-gums. Au frigo, du fromage à l'ail et un sachet de café ; sur l'étagère, un paquet de biscottes suédoises. Elle se délecte d'être son propre maître.

L'espace d'une seconde.

Bien. L'herbe ne va pas se tondre toute seule.

Quoi ?

Les garçons ont trouvé une tondeuse en état correct. Je me suis dit qu'on pourrait s'amuser à faire du jardinage aujourd'hui.

Mais l'herbe est parfaite comme ça, rétorque Eyja. On aurait dit qu'elle venait d'être tondue hier, quand on a traversé la prairie – une vraie coupe à la brosse.

Allons, allons ! soupire Rúna, soudain sourde. Ils meurent d'envie d'essayer la tondeuse. File faire un petit plongeon dans le lac et viens nous aider.

Sans comprendre, Eyja regarde Rúna qui conclut en disant qu'il n'est de meilleur remède contre le mal de cœur que le travail en plein air.

Mais je n'ai pas mal au cœur, du moins pas dans ce sens-là, bafouille Eyja en avalant une gorgée de café de travers tandis que Rúna lui assure qu'elle est la dernière à savoir de quoi elle souffre. Clair comme de l'eau de roche qu'elle n'a pas la moindre idée de ce qui se passe dans sa petite tête, sa mère et sa grand-mère en sont bien conscientes, et c'est même la raison pour laquelle la voilà à Munkbysjön. Aller tondre la pelouse lui fera le plus grand bien !

Mais j'avais l'intention d'écrire ! proteste Eyja. C'était le marché qu'on avait passé. Tu te rappelles ? D'abord, je devais écrire, et ensuite...

Rúna balaie l'argumentaire d'Eyja d'un geste de la main – qu'elle n'aille pas la faire marcher avec ces histoires de marchés ! S'il y a bien quelqu'un qui sait négocier un contrat, c'est elle : Rúna Sigurgrímsdóttir.

Mais on avait un DEAL et tu avais dit que je pourrais écrire si…

Tu auras tout le temps d'écrire, soupire Rúna en jetant un œil nerveux par la fenêtre. La journée ne fait que commencer. Il est à peine 7 h 30.

Eyja manque de s'étouffer à nouveau. Elle qui ne se réveillait jamais avant 11 heures, à moins d'être appelée d'urgence à l'usine de congélation, car elle bossait de nuit – flexible tant qu'il n'y avait pas à se lever le matin. C'est quoi, cette folie ?

L'autre n'y voit pas plus de folie que dans le fait de bâiller et de dire : Ça ne peut qu'être bénéfique aux gens qui écrivent, puisque c'est bon pour la circulation – il faut faire préchauffer le moteur pour mettre la centrale en route.

Mais j'ai la tête qui tourne après tout le vin blanc d'hier, dit Eyja sans mentir. La vérité n'a cependant pas le moindre effet, provoquant même chez Rúna un éclat de rire retentissant avant que celle-ci demande comment un pochetron tel que le Coup de Vent supportait de traîner avec une fille qui ne tient pas l'alcool.

Il avait besoin de sommeil, lui aussi, lâche Eyja, faisant ravaler son rire à Rúna. Elle secoue la tête avant de s'essuyer les yeux et de dire : Ma chérie, leçon numéro 1 : tu ne pourras rien faire, ni écrire ni vaincre la déprime, tant que tu n'auras pas appris à te lever le matin.

Elle n'attend pas la réaction d'Eyja à sa philosophie de comptoir, se contentant de lui ordonner d'avaler son café et de sortir profiter de la journée qui commence.

# Au pays des insectes

Un quart d'heure plus tard, elle trempe les orteils dans l'eau. Plus froide qu'hier, bien plus froide. En outre, il lui manque un peu de vin blanc pour se sentir protégée des serpents d'eau. La clarté matinale illumine les libellules, leur donnant des airs de minuscules dinosaures. A la surface du lac, une famille finnoise paresse à bord d'un Zodiac ; Eyja distingue l'écho de cette langue étrange mêlé aux aboiements d'un roquet lorsqu'ils coupent le moteur. Un cri lorsqu'ils – une adulte, trois enfants à la peau brun café et l'animal hurlant – se jettent à l'eau pendant qu'un homme aux façons de guerrier combat un ennemi invisible ; à en juger par leur gestuelle, une assemblée de guêpes est venue se nicher dans leur panier à pique-nique.

Où est-elle ?

Au pays des insectes. Un minuscule moucheron vient lui chatouiller les lèvres et les narines. Le moustique siffle. Les guêpes font la ronde autour de sa tête. Les abeilles volettent autour des fleurs en bouton, bientôt décapitées par la tondeuse. Elle fait un pas de plus dans le lac, guettant les mocassins d'eau. Ferme les paupières, avance encore. S'asperge le visage. Et plonge d'un coup pour se faire à la température. Gémit en ressortant d'un bond. Réveillée, alerte. Tant de choses l'attendent, bien plus qu'elle ne se l'imagine.

T'as l'intention de mariner là-dedans toute la journée ? l'interpelle la Reine du Ski, si fort que le roquet se met à aboyer hystériquement tout en barbotant, et que la mère de famille finnoise lance à la propriétaire des lieux un regard mauvais pendant que sa marmaille grimpe à nouveau dans le' bateau ; le chef de famille jette par-dessus bord le panier qui dérive alors comme un vaisseau fantôme.

Rúna a affirmé s'être levée un peu avant 6 heures, être allée par deux fois faire un tour au sauna, dans l'abri en planches de bois, et trois fois plonger dans l'eau avant d'avaler des biscottes suédoises accompagnées d'une sélection de fromages du coin et trois cafés bien tassés. Le petit déjeuner l'attend toujours sur la table alors qu'Eyja avait prévu de manger ses propres biscottes et de boire son propre café dans son chalet de vacances. Tout semble vouloir s'opposer à ses projets. Le cœur battant à tout rompre, elle nage dans les eaux peu profondes du lac, ne s'aventure guère plus loin, de peur de se cogner au Zodiac.

Elle atteint bientôt le rivage et laisse l'eau de ses cheveux s'évaporer au soleil. Sa peau sèche tandis qu'elle se dirige vers le chalet de Rúna d'un pas lent et prudent, de peur de poser le pied sur une abeille. Le chalet en question, de bien plus belle allure que les cabanes à louer, lui évoque d'ailleurs les appartements de la reine dans sa ruche. A en juger par le matériel de campement qui l'entoure, la baraque en bordure du hameau abrite la famille finnoise ; Eyja se demande comment ils tiennent tous là-dedans ; une famille sans doute très unie car les deux aînés sont presque adolescents. En tout cas, ils ont la réactivité synchrone, vu leur plongeon collectif api-phobique un peu plus tôt.

La chaleur a rendu les fromages poisseux, le plus odorant s'est écoulé sur l'assiette comme de la glu.

Une mouche à demi-morte lutte héroïquement mais sans espoir dans la vase lactée. L'appétit coupé, Eyja la regarde se faire happer par la mort avant de mordre dans une biscotte et de se verser du café dans une tasse fleurie portant une inscription suédoise en lettres décoratives : *Réjouis-toi de ce que tu possèdes plutôt que de pleurer ce que tu n'as pas.*

Elle sursaute lorsque Rúna se rue à l'intérieur, vociférant que c'est hors de question, non, ce n'est pas croyable, putain de pingrerie scandinave, toujours pareil, et qu'est-ce qui se passe, Eyja n'est-elle pas censée être dehors à tondre l'herbe ?

Pingrerie ? interroge Eyja, comme si elle n'avait pas entendu la conclusion de ces doléances.

La radinerie pur sang des peuples nordiques, pardi ! s'écrie l'autre. Tu peux croire qu'ils ont loué un chalet deux personnes pour une famille de cinq avec un chien ?!

Ah, OK, dit Eyja, confuse. OK, je comprends.

Non, tu comprends rien. Cette bande de rats a commencé à m'emmerder alors que j'étais encore en Islande. Ils m'ont appelée pour demander un chalet pour deux – obligée de leur dénicher quelqu'un ici qui puisse leur ouvrir, de me démener pour envoyer la clé par la poste et d'engager une femme de ménage. Et ces enfoirés me payent au lance-pierres ! Ils m'ont salopé les draps et serviettes de cinq personnes, sans parler de la consommation d'eau et de savon équivalant à celle d'un régiment, et tout sens dessus dessous. Ne crois pas que je vais en rester là !

Non, bien sûr que non.

Arrête avec tes babillages ! On dirait un vieillard en état végétatif. Bon, je dois trouver une solution. Dépêche-toi d'aller tondre la pelouse !

Le menton de Rúna tremblote, Eyja pense au museau d'une chienne, ce qui l'amuserait si cette dernière n'était agitée au point que son visage ruisselle de sueur. Peut-être sont-ce les suites de la séance de sauna ; peut-être les signes avant-coureurs d'un infarctus. A cet instant, il semble hautement conseillé d'aller rejoindre l'essaim d'abeilles.

N'oublie pas de te mettre de la crème à la carotte, et de l'anti-moustique – j'ai promis à ta mère de te le rappeler !

Les mots viennent frapper sa nuque tandis qu'elle s'enfuit.

## Deuxième étape de la rééducation :
## ça passe ou ça casse

Elle avait imaginé se réveiller fraîche et dispose dans sa nouvelle vie d'écrivain, en femme qui ne se justifiait pas ni ne s'excusait, même quand elle commençait la journée en écrivant. Au lieu de cela, elle zigzague entre les abeilles qui bourdonnent avec sa tondeuse à gazon, sous un soleil de plomb, à la fois épuisée et pleine d'une énergie comme elle n'en a pas ressenti depuis longtemps, bien qu'il lui en ait coûté beaucoup pour se remettre de la façon dont Rúna a traité le Coup de Vent au téléphone. Avec un peu de chance, elle parviendra à s'emparer de l'appareil aujourd'hui.

Elle inspire la lumière et tente de maîtriser la peur qui l'étreint de se trancher les orteils pendant que les deux garçons sautillent, compatissants, à chaque fois qu'elle échoue à éviter une abeille. Le boucan de la tondeuse lui épargne l'échange houleux qui a lieu là-bas sur la jetée, entre Rúna et la famille finnoise.

Lorsqu'elle passe devant eux en poussant son bolide, Eyja distingue néanmoins l'écho de leurs voix – Rúna hurlant son scandinave bancal, des mots en lettres capitales qui se confondent avec les aboiements retentissants du roquet. C'est la même langue qu'a parlée Rúna la veille à l'aéroport, fière d'avoir appris à maîtriser sur le bout des doigts le suédois en l'espace d'une soirée, ou quasiment, lors d'une réception de Noël dans un hôtel de montagne autrichien, des années auparavant.

Le plus jeune des trois enfants se met à pleurer quand le chef de famille sort un portefeuille détrempé de la poche arrière de son bermuda, si bougon que le chien grogne de peur en direction de Rúna. Bien sûr, celle-ci grogne en retour, aussi le chien file-t-il en couinant entre les jambes de sa maîtresse qui soupire, déjà bien occupée à réconforter son enfant en train de jouer les martyrs.

Rúna est complètement insensible à la comédie : elle enfonce la liasse de billets dans le soutien-gorge de son bikini et sourit, le soleil dans les yeux, en agitant la main vers ses employés. Elle se dirige d'un pas décidé vers le minibus et leur crie qu'elle va faire un tour à la banque signer quelques papiers.

Le véhicule soulève un nuage de poussière sur le sentier, laissant un instant un vide écrasant. Seul signe de vie : la chaleur qui crépite.

Quelques secondes s'écoulent dans le néant avant que les garçons bondissent et accourent à toute vitesse – ils ont terriblement hâte de jouer avec la tondeuse.

Elle les regarde dans les yeux. Les prie d'être prudents mais n'attend pas confirmation et se rue dans la maison de vacances, savourant la fraîcheur des lieux, avant de chercher le téléphone fixe.

Là, sur le côté du placard de la cuisine ! Elle attrape le combiné. Compose : 00354… Ça sonne.

Oui, dit une voix éraillée de zombie.

C'est moi.

La voix se réveille : Ah, ce n'est que toi. Et quoi, on appelle les gens au beau milieu de la nuit ?

Elle est prise d'une fureur soudaine : Figure-toi que c'est déjà le matin chez toi, tu le saurais si tu enlevais la couverture de devant la fenêtre.

Un rire rauque à l'autre bout du fil. Puis la voix reprend : Alors gamine, qu'est-ce qu'elle raconte de beau, la sur-femme qui t'a traînée jusqu'à Trou-paumé-les-bains ?

Elle te connaît – dit-elle. Elle vivait au même endroit que toi quand...

Un râle s'échappe du Coup de Vent lorsqu'il répond : Y'avait des imbéciles à la pelle, là-bas.

Tu l'as sûrement vue.

Tu sais distinguer un imbécile d'un autre ?

Silence.

C'est ça que tu veux ? Vivre avec une vieille folle à lier ? En Suède, par-dessus le marché !

Je suis juste en vacances.

Ah !

Enfin, je veux dire... j'ai passé un accord. Pour pouvoir écrire.

Si Thórbergur Thórdarson a pu écrire sur notre bon vieux glaçon, tu devrais y arriver aussi.

Oui, vu comme ça... mais...

En fait, c'est toi l'imbécile.

Oui. Mais...

Tu me manques.

Je sais.

Hier, j'en voyais pas le bout. Je voulais juste mourir. Tu sais ce que ça fait, Eyja ?

Oui.

Non. Tu peux pas savoir.

Non.

Tu n'es qu'une petite fille. Tu le sais, ça ?

Oui.

Mais tu sais que je ne peux pas vivre sans toi ? Tu comprends ?

Oui.

Tu comptes revenir quand ?

Bientôt.

Mensonge.

Dans quelques semaines.

C'est ce que tu dis.

C'est la vérité. Et je suis désolée.

De quoi ?

Qu'elle se soit comportée comme ça hier. Qu'elle t'ait raccroché au nez, tout ça.

Ah ! Comme si j'en avais quelque chose à foutre des crises d'hystérie d'une vieille fille !

Tu t'en fichais ?

Tu me manquais. Qu'est-ce que tu crois, au juste ?... Mon amour.

Je dois partir.

Quoi, la vieille est revenue ?

Au revoir !


Eyja ! s'écrient les garçons. Viens voir les chevaux. Eyja, regarde !

Ils tirent sur sa robe d'été, l'un sel, l'autre poivre, tous deux ivres d'excitation.

Regarde le nuage, Eyja, s'exclame le blond. Il est noir !

Et les chevaux sont complètement fous, s'exclame le brun, ils galopent en cercle, ils renâclent et ils hennissent !

Celui-là doit avoir un grand-père à la campagne, se dit-elle en se précipitant à la fenêtre – et oui, pas de doute : en quelques minutes, un banc de nuages noir d'encre s'est constitué pour ainsi dire juste au-dessus de leurs crânes. Il se rapproche à grande vitesse, encore et encore ; les chevaux sont de plus en plus agités. Des fils d'électricité se mettent à danser à l'intérieur du nuage. Elle n'a jamais rien vu de tel. D'où vient ce phénomène cauchemardesque ?

Ils hurlent lorsqu'un éclair vient illuminer leur monde. Un coup de tonnerre assourdissant s'ensuit. Ils hurlent de nouveau. Venez ! lance-t-elle.

Où ça ? s'écrient les garçons, effrayés et excités par le danger. Elle jette un coup d'œil circulaire.

Oui, où ça ? Ils sont à l'intérieur. Mais à l'intérieur d'un petit chalet en bois au beau milieu d'une prairie au cœur d'une forêt. Un éclair pourrait le frapper d'un instant à l'autre – vraiment ? Elle n'y connaît rien en orages, ne se rappelle même pas avoir déjà vu un éclair en Islande, tout au mieux en Angleterre, lorsqu'elle était petite. Que font les autres, au cours d'une telle tempête ? Ils appellent à l'aide ?

Non ! Il ne faut pas toucher au téléphone ! s'exclame le blond – et on peut s'attendre à ce qu'un enfant qui a pour mère une championne ès extérieurs des fjords de l'Ouest en connaisse un rayon sur les colères de la nature.

Un nouvel éclair vient s'écraser sur la prairie, et cette fois elle se met à hurler toute seule. Les enfants se sont calmés, contrairement aux chevaux dans leur enclos qui tremblent de toute part, le regard fou. La seule chose qu'elle puisse faire, c'est emmener les garçons hilares sous les couvertures du lit où tous trois se serrent pendant que les deux gamins échangent des légendes effrayantes sur les orages et qu'Eyja, elle, ferme les yeux, désirant la mort pour cesser de la craindre. Les minutes s'étendent et s'allongent pendant qu'elle prie pour que l'éternité soit totale.

C'est alors qu'un nouveau grondement se fait entendre. Le souffle puissant du moteur du minibus qui se rapproche si rapidement qu'elle glisse un œil hors des couvertures et se risque à soulever le rideau Ikea pour inspecter l'apocalypse.

Pas croyable ! Qui peut donc débarquer au beau milieu de ce tumulte, complètement indifférent aux éclairs qui viennent lui lécher le crâne ?

Un instant plus tard, Rúna se tient dans le cadre de la porte, des flashs de lumière étincelant derrière elle, et demande qui veut venir nager avec elle.

La réaction se fait attendre. Les garçons hésitent, ils échangent un regard et bafouillent qu'ils s'apprêtaient justement à vider leurs sacs. Mais Rúna ne leur prête pas attention. Ses yeux sont fixés sur Eyja : ils observent, concentrés, interrogateurs. Et à elle, une petite brasse, ça lui dit ?

Eyja se tait. Transpire. Regarde les deux autres. Que diable peut-elle répondre ? La femme, là, devant elle, doit bien être informée que ne pas se précipiter dans un plan d'eau stagnante est la règle cruciale numéro 1 – voire 2 et 3 – du comportement à adopter lors d'un orage. Si Eyja le sait, l'autre devrait le savoir. Elle devrait.

Rúna éclate de rire. Puis elle lui donne une petite tape derrière la tête en disant que tant pis, elle ira toute seule. Elle tire son maillot de bain de son sac, se retourne vers Eyja et lui dit : Ça passe ou ça casse – et c'est là toute la question, ma chérie.

Quoi ? lâche Eyja.

Joue pas les petits pingouins en pleine attaque cérébrale. Si tu veux écrire ce bouquin. Si tu le veux vraiment.

Rúna soupire, impatiente, et se déshabille, nue lorsqu'elle pose les mains sur ses hanches et relâche son ventre en expliquant qu'elle devrait comprendre que c'est tout ou rien – tout ce qu'il y a au milieu, c'est à jeter. Le maillot Speedo semble collé à son corps musculeux une fois enfilé ; elle lève ensuite les bras, plie les genoux jusqu'à ce que ses fesses touchent ses chevilles, puis joint ses mains comme en prière. Elle se relève et répète le même mouvement trois fois avant de dire : Moi aussi, j'ai été un jour mariée au mauvais homme.

Sur ces mots, elle disparaît dans la tempête.

Eyja demeure derrière à se demander si Rúna a été l'épouse d'un homme mauvais, ou juste d'une personne qui n'était pas faite pour elle. Probablement les deux. Elle sursaute lorsqu'un éclair illumine ce qui semble être les talons de la reine des eaux.

Mais ni la foudre ni des grêlons de la taille d'un ballon de football ne feraient vaciller le moindre cheveu sur le crâne de cette femme qui se dirige d'un pas nonchalant vers le lac, le pied plat et la tête haute. Elle tend les mains en l'air, aspire dans ses poumons le nuage noir. Poursuit son chemin, rapide et déterminée. Pénètre dans l'eau, y disparaît. Les garçons ont refusé d'assister à ce suicide en direct, aussi observe-t-elle seule l'exécution, attendant la catastrophe.

Rien n'arrive.

Rúna se baigne là. La tête dans l'immensité grise et turbulente. Elle s'élève au-dessus des eaux et est avalée par le sauna.

Peu à peu, le ciel s'apaise.

Les chevaux se frottent les uns aux autres.

Les moucherons reprennent leur envol, ils bourdonnent dans l'air frais, se posent sur la végétation humide. Les mocassins serpentent dans l'eau limpide. C'est un monde nouveau.

# Métamorphose

Treize ans plus tard, elle se rappelle l'aventure aquatique de Rúna alors que le monde se renouvelle encore une fois, comme si les dieux avaient placé un vieux vinyle craquetant dans sa boîte crânienne. Elle est alors dans l'Est de l'Allemagne avec son Mari à Venir et deux adorables professeurs. L'un est allemand, spécialiste de l'islandais. L'autre italien, spécialiste de la littérature médiévale nordique. Ils prennent du bon temps dans un village côtier de la mer Baltique, à deux pas de la ville universitaire qu'elle a visitée la veille dans le cadre d'un congrès des jeunes écrivains d'Europe.

Ils dégustent du poisson grillé et boivent de la bière, car elle ne sait pas encore que dans son ventre se tapit la vie, pas plus que le surlendemain, lorsque la Poétesse et elle se retrouvent à Berlin. Mais elle sent que quelque chose de nouveau se prépare, comme à l'époque suédoise.

Pendant qu'elle barbote avec les deux autres dans la mer, le professeur italien est installé à cinq cents mètres sur une chaise de plage, abrité par un parasol vert Heineken, protégeant ses mocassins du sable et balayant un fragment de coquillage desséché de son pantalon en velours. Elle lui trouve une ressemblance avec Pavarotti : barbe noire, iris charbon – sans oublier sa phobie de l'eau, exacerbée par la présence mortifère de la mer, avouait-il un peu plus tôt ce jour-là dans un allemand parfait avec un accent italien prononcé, la voix légèrement tremblante, comme si la température avait soudain chuté de trente degrés.

Elle lui avait prêté *La Mort à Venise* en traduction islandaise lorsqu'il avait affirmé n'avoir lu qu'un roman contemporain : *Ulysse* de James Joyce. Il parcourt à présent l'édition de poche rouge et usée et semble parvenir à en déchiffrer les mots pendant qu'elle patauge dans l'eau qui lui monte jusqu'aux cuisses. La chaleur est telle que le ciel semble à deux doigts de s'embraser ; le professeur allemand mentionne à plusieurs reprises le réchauffement climatique – nous sommes en deux mille et quelques. Elle se retourne vers le large lorsqu'un éclair déchire l'horizon. Elle sort de l'eau et se rue dans le pub où ils ont déjeuné avant que la pluie diluvienne purge le monde. L'Italien lui fait un signe de la main depuis un coin isolé, il s'est mis à l'abri avec son livre.

Elle est vivante. Avec un peu de chance, les lois actives à son endroit s'appliqueront au Mari à Venir qui patauge encore dans la mer Baltique boueuse, grand, fort, avec son crâne rasé et son visage presque noir de soleil. Il discute révision de traductions avec le professeur allemand, un homme singulièrement beau : sa peau brille comme celle d'un enfant alors que son épaisse chevelure grise rappelle celle d'un vieillard. Ils débattent des déclinaisons et du subjonctif, des mots à double sens, de la poésie et de l'humour, de tout ce qu'il y a de plus difficile à faire passer d'une langue à l'autre – debout dans la mer en plein orage, deux hommes minuscules sous un ciel indomptable.

C'est là que lui apparaît l'image de la Reine du Ski : sortant de l'eau, cernée d'éclairs illuminant sa peau.

Elle regarde le professeur et se ressaisit. Retourne dehors et constate avec soulagement que le nuage noir s'éloigne. Elle reprend alors la direction de la mer. Celle-ci bouillonne de vie après la tempête, des bancs de poissons frétillant comme le têtard dans son ventre.

Un tampon flotte à la surface lisse, la boue s'est dissipée, elle voit un serpent d'eau s'entortiller. Son ancienne vie est emportée avec la marée, quelque chose de nouveau s'y est implanté. Elle ne doit pas avoir peur, surtout pas des quatre éléments. De la nature qui est en elle. Après tout, ça passe ou ça casse.

# La méchanceté du Breidafjördur : exemple vivant

Peut-être que tu réussiras à écrire un bouquin, mais je parierais pas là-dessus, si tu as un enfant un jour. C'est le genre de bonjour matinal auquel a droit Eyja après la première semaine de sa carrière littéraire. La Reine du Ski n'a pas tort, car si toute création suppose du courage, Eyja frissonne à l'idée d'avoir un enfant de la même manière que sa mère frissonne à l'idée d'écrire. Rúna se fiche du sens profond de ses mots lorsqu'elle éloigne Eyja de l'évier d'un coup de hanche aussi soudain que puissant. Les derniers jours se sont déroulés dans la chaleur, toutes deux occupées par les tentatives énergiques d'apprendre à Eyja le b.a.-ba des tâches ménagères. Mais il est impossible d'enseigner à certains une chose sans qu'ils en ruinent une autre, et la jeune fille renverse à présent de l'eau partout dans la cuisine.

Le soleil matinal illumine la vaisselle étincelante de propreté tandis que l'eau souillée se déverse sur la paillasse et goutte par terre. Rúna tord un chiffon sous un jet d'eau propre et essuie le plan de travail d'un geste rapide. Le mode d'exécution lui rappelle le barouf de sa famille maternelle – barouf, un mot que la plupart de ses correcteurs relèveront à l'avenir, les plus audacieux la suppliant de lui préférer « remue-ménage ». Le barouf va de pair avec la méchanceté du Breidafjördur, cet étrange syndrome qui frappe les femmes de sa famille maternelle depuis des générations et les a probablement sauvées des ours polaires et des époux gloutons de l'Ouest, que ce soit sur les îles qui parsèment le Breidafjördur, sur les terres prospères de la côte de Bardaströnd ou dans les profondeurs hostiles du fjord Ísafjardardjúp. La méchanceté du Breidafjördur permet aux femmes de tuer les ours et les hommes, d'un coup rapide de poêle à frire sur la tête, sans la moindre hésitation, histoire de ne pas finir entre leurs mâchoires. Ces femmes considéraient les hommes comme incapables d'essorer les glaçons pris dans leur linge, pas assez de force dans les bras pour cela. La grand-mère d'Eyja avait grandi au milieu des bateaux de pêche, dans un foyer où les sœurs risquaient leur vie en s'arrachant l'unique vareuse de la maison avant de partir en quête de poisson, à la rame. Elles en avaient vu, ces femmes – et auraient trouvé merveilleusement reposant de récurer les toilettes d'une jolie petite maison de vacances suédoise à coups de vaporisateurs colorés chargés de caustique toxique pendant que les rayons du soleil jouent sur la faïence.

Eyja reconnaît bien ces mouvements, un cocktail d'efficacité et d'impatience, mais elle les craint, car quand on est condamné au barouf, on a en général une patience limitée envers Eyja, et on n'y va pas par quatre chemins pour lui faire comprendre qu'elle est une moins-que-rien, toujours à traîner dans les pattes des hommes et des chiens – même si l'on n'en dit mot, car le barouf est plus souvent accompagné d'un regard lourd de sens que d'un flot de paroles.

Elle espère que le syndrome s'apaisera une fois la famille finnoise partie – leur présence a un effet néfaste sur Rúna, car elle ne trouve pas les mots face à ces clients qui la snobent sur ses propres terres. Que font-ils là, d'ailleurs, ces gens qui vivent les uns sur les autres, s'ils ont une telle dent contre la propriétaire ? Ce n'est pas comme si elle ne leur avait pas proposé un chalet plus spacieux, qui conviendrait davantage à leur famille nombreuse et au tarif de leur séjour ; c'est eux qui avaient refusé.

C'est quoi, ce putain de délire ? grogne-t-elle, la tête penchée sur l'évier – elle parle probablement autant d'Eyja que de la famille finnoise.

Pendant que Rúna poursuit le nettoyage, Eyja a le temps de se faire peur avec la perspective d'avoir un enfant. A vrai dire, elle n'y avait jamais vraiment songé. Mais soudain, l'idée l'obsède. Se pourrait-il qu'elle soit enceinte ? Cela ne la surprendrait pas, elle a depuis longtemps l'habitude que cet effroyable corps prenne le contrôle de sa personne. Alors, quoi ?

Elle se rappelle les propos d'un ami, dont la copine lui avait raconté qu'accoucher, c'était comme couler un bronze de la taille d'un ballon de foot – et Eyja n'a aucune envie de souffrir une telle expérience. L'ami en question avait eu le mérite d'apaiser son sentiment d'horreur en ajoutant qu'il n'avait pas détesté coucher avec la copine en question – contrairement à ce qu'on lui avait dit sur les femmes ayant eu un enfant, très dilatées. Mais à ce moment de l'anecdote, Eyja n'entendait plus un mot, l'espace de son esprit tout rempli du ballon de football. Ce souvenir lui revient en tête tandis qu'elle observe Rúna qui va et vient, le chiffon à la main. Elle se sent oppressée. Pourquoi a-t-il fallu qu'elle soit femme ?

Et pourquoi a-t-il fallu qu'elle vienne se rééduquer en pleine campagne suédoise alors que son mentor, son coach personnel, est si capricieux qu'elle s'élève au-dessus de tout un instant pour mieux éclater en mille morceaux le suivant ?

Pourtant, Eyja sent déjà une différence en elle.

Le soleil la réveille à l'aube. Et ce matin, elle a ouvert les yeux sans être frappée de terreur, pour la première fois depuis longtemps, même avant l'avalanche ; à vrai dire, elle a ressenti de l'excitation, sans pour autant diriger ses pensées vers le Coup de Vent. Elle s'est assise au bureau avec une pomme coupée en quartiers et s'est laissée emporter par l'écriture jusqu'à ce que Rúna arrive en lui demandant si elle était grabataire.

Il est alors apparu d'un coup dans son esprit, l'accablant du remords de n'avoir pas pensé à lui plus tôt, à presque vouloir se brûler le bras avec un mégot de cigarette, comme toutes les fois où elle se rappelait combien elle avait trahi l'ensemble de ses proches. Il fallait qu'elle lui téléphone à la première occasion, qu'elle lui dise combien il était gratifiant de se réveiller dès le matin, même quand on n'avait pas à se rendre à l'usine de congélation. Il se sentirait mieux. Il pourrait peut-être arrêter de boire, et tous deux vivraient comme un couple normal.

Rúna a à peine étendu les chiffons sur le séchoir qu'elle se précipite vers d'autres mystérieuses tâches, expliquant à Eyja qu'elle ferait bien d'apprendre à utiliser une paille de fer si elle compte un jour avoir une famille. Mais Eyja possède déjà une famille. Elle profite aussitôt que Rúna ait le dos tourné pour lui téléphoner, à sa famille : elle s'avance d'un pas hésitant sur la terrasse, le cœur battant la chamade. Elle compose : 00354…

Le Coup de Vent, lui, peut se vanter de ne jamais souffrir du barouf. A peine décroche-t-il qu'elle regrette déjà de l'avoir appelé.

Ça alors, c'est toi, dit-il, à peine réveillé, comme d'habitude, luttant pour cacher sa joie.

Oui, réplique-t-elle, la voix sûre.

Eh quoi ? T'en as déjà marre de la vieille ?

Non.

Alors, quoi ?

Rien.

Elle attend qu'il brise le silence, ce qu'il fait : C'est vrai qu'il y a de quoi téléphoner à l'international, avec de tels sujets de conversation.

Ce n'était pas mon intention.

C'est si amusant que ça, de me réveiller ?

A vrai dire, oui, c'est pour ça que je t'appelais.

Comment ça ?

Elle soupire et, candide, lui explique qu'à présent, elle se réveille toujours tôt et que, depuis, elle ne ressent plus la moindre angoisse le matin. Que se réveiller tôt est complètement différent lorsqu'on n'a pas à se rendre à l'usine de congélation. Qu'il devrait essayer.

Tu m'en diras tant, dit-il dans un bâillement suivi d'un râle amusé. Toute ma vie, je me suis réveillé à des heures folles, bien avant les autres. Et maintenant que tu es là-bas depuis... quoi, trois jours ?

Presque quatre, je crois.

T'es bourrée ?

Un cri de colère la libère de la voix imperméable de Keflavík. Je dois y aller, murmure-t-elle avant de raccrocher.

Rúna fait un tour sur elle-même sur le chemin de graviers devant les chalets d'été ; sa casquette est posée de travers, la visière vers l'arrière, comme si elle avait des yeux derrière la tête. Ce qui lui aurait été bien utile, vu les événements récents – qui ont bien sûr eu lieu dans les ténèbres nocturnes. Comment une propriétaire foncière pourrait-elle donc y voir en pleine nuit, bien que ladite nuit soit aussi lumineuse que le jour, ici au nord de toute

civilisation – les gens normaux dorment la nuit, innocents, pendant que ces perfides petits bourgeois finnois
crachent au visage d'honorables Islandais de derrière
leur concept minus et sournois de famille-souche-bien-
sous-tous-rapports dans ce qu'il a de plus chiant ici en
Scandinavie ! éclate Rúna, reniflant profondément de
sorte que les ailes de son nez aquilin se ferment.

Quoi ?

Eh bien, figure-toi que les Finnois ont pris la poudre
d'escampette. Ils ont filé au lever du soleil avec tout leur
fatras, leurs enfants et leur chien qui, pour une fois, la
fermait.

Ils n'avaient pas payé ?

Pas vr… ment. Juste une partie. On est loin du solde
de ce qu'ils doivent.

Le couple avait déjà réglé la facture du chalet pour
deux, dans lequel ils avaient séjourné un bon moment
avant qu'elles arrivent, aussi Rúna avait-elle réclamé son
dû pour les trois autres membres de la famille. Mais du
fait qu'ils filent ainsi sans régler les dernières nuits, la
situation est revenue au point de départ – comme s'ils
n'avaient payé que pour deux.

Peut-être ont-ils pensé qu'ils étaient à jour, suggère
Eyja. Elle s'autorise même à imaginer un quiproquo dû à
un malentendu linguistique, mais le regrette immédiatement. Rúna ne cache pas son mépris et secoue la tête.
Elle se rue ensuite dans la maison pour appeler la police,
crachant comme le minibus un nuage de poussière. Les
forces de l'ordre suédoises vont en entendre de bonnes
sur la façon dont la coopération nordique se déroule sur
la côte, en pleine cambrousse, ici dans le trou du cul du
monde !

# Rôle

Elle n'avait jamais eu l'intention de devenir un goutte-à-goutte.

Une épouse raisonnable qui suit les errances de son mari, comme n'importe quelle femme au foyer qui s'ennuie. Elle n'avait pas non plus imaginé avoir des enfants avec lui. C'était la première fois que la possibilité d'être enceinte lui traversait la tête, et la peur était bel et bien réelle, même s'il aurait fallu un miracle pour qu'un tel événement se produise.

La peur à ce sujet était également quelque chose de nouveau. Avant de partir en Suède, la venue d'un enfant l'aurait mise en joie. Elle avait commencé à se sentir seule dès les premières semaines de leur relation qui avait débuté lors d'une soirée du Nouvel An au foyer rural, alors que tout le monde chantait *Who the fuck is Alice*, environ deux mois après l'avalanche.

Il était assis dans un coin avec une bouteille de Captain Morgan et lui en offrit une gorgée lorsqu'elle vint s'installer à côté de lui. Un instant plus tard, ils plongeaient dans les ténèbres nocturnes ; derrière eux le bâtiment tremblait tandis que les villageois piétinaient le sol, hurlant avec fureur : *Who the fuck is Alice ?*

Tandis qu'elle s'apprêtait à partir, le lendemain, il la supplia de rester. Sinon, oui, c'en serait terminé. Depuis,

247

elle avait à maintes reprises voulu prendre le large. Mais jamais elle n'avait réussi à passer la porte d'entrée. Où qu'ils habitent.

Elle ne pouvait partir. Elle devait sauver les chatons. Attendre, s'assurer qu'il était vivant. Elle ne pouvait partir – ou bien elle serait coupable.

Elle ne supportait pas la culpabilité.

Quand ils vivaient dans l'Ouest, il parvenait à fonctionner à sa manière. Il se présentait au hangar à appâts six jours par semaine et mettait ses plus belles chaussures le soir du sixième, lorsque les gens se réunissaient au bar. Le dimanche, elle se délectait de cet homme qui ne bronchait pas à l'idée d'écouter le même CD de Caruso cinq fois de suite pendant qu'il lui apprenait à gratter le tabac de vieux mégots pour sa pipe. Ils s'isolaient du monde quand cela leur chantait et interrompaient Caruso pour mettre Beethoven voire le groupe de rock islandais Trúbrot, volume à fond ; elle s'estimait heureuse d'avoir enfin rencontré quelqu'un qui ne s'encombrait pas de toutes ces broutilles que les gens croyaient devoir faire chaque jour. A la seule pensée de déclarer ses revenus, le Coup de Vent éclatait de rire, alors elle se sentait libre de toute responsabilité, tant qu'elle baissait les yeux quand il avalait un tonique cardiaque.

Pendant que les autres bûchaient sur leurs impôts, eux regardaient *Bad Boy Bobby* avant de finalement décider d'en acheter la vidéo au propriétaire de la supérette, car le Coup de Vent ne supportait pas l'idée qu'un autre que lui puisse user la bande d'un tel chef-d'œuvre. Parfois, il partait à la pêche avec le thermos à carreaux bleus rempli de café, et invitait son épouse à se joindre à lui pour qu'elle puisse appeler sa mère et se vanter du fait que son tout nouveau mari était copropriétaire d'un bateau à moteur.

Avec les mouettes qui hurlaient. Les vagues qui écumaient. L'odeur salée.

A l'origine, elle s'était fait embaucher au hangar à appâts pour se former au travail à l'usine de congélation, ayant bon espoir qu'avec le temps elle parviendrait à gravir les échelons et à prendre son indépendance.

Là-bas, il était le Roi – au-dessus du Président, du Cotre, du Glaviot et des autres, princes de l'appât, quels que soient leurs surnoms. En tout cas, il était le Roi cet hiver-là, ou ce qu'il restait de l'hiver – elle ignorait qui avait été le responsable avant l'avalanche. Le lieu et l'époque n'étaient pas aux questions ; on ne savait jamais à quelle réponse s'attendre. Dans le pire des cas, le silence.

Blanc et lourd comme la neige.

Il lui raconta la façon dont il déterrait les corps. Des gens qu'il connaissait. Certains montraient encore des signes de vie, la plupart étaient morts.

Il te reste du Bacardi ? marmonna-t-elle, indifférente aux avertissements des villageois selon lesquels il avait depuis longtemps – bien avant l'avalanche – noyé sa joie de vivre sous l'alcool. La nature n'avait fait qu'entériner sa vision noire du monde.

Mais les autres ignoraient qu'il se réveillait toujours en sursaut peu après s'être endormi, et qu'elle lui donnait un verre d'eau.

Jamais elle ne partirait. Car les ténèbres étaient partout. Comme il le disait en pointant du doigt les alentours : l'ombre des montagnes s'allongeait sur l'océan, il n'y avait pas d'échappatoire. C'était tout ce qu'elle avait à savoir de l'enfer. Cependant si elle restait, là et seulement là, il pourrait caresser l'espoir d'un paradis.

Elle était face à un homme d'âge mûr et tenait son destin entre ses mains – disait-il. Elle qui avait lâché Enid Blyton pour *37°2 le matin* et *La Bicyclette bleue*, comment pouvait-elle résister à un tel appel ?

Je ne m'en vais pas, je vais juste chercher mes affaires, annonça-t-elle, et elle fut soulagée de voir les muscles de son visage se détendre.

Tu comptes venir vivre avec moi ? demanda-t-il d'une voix si faible qu'elle tenait plus du gémissement.

Je vis depuis toujours avec toi, répondit Eyja, pompeuse, jouissant jusqu'au bout des doigts du fait d'être devenue enfin l'héroïne qu'elle avait toujours rêvé d'être. Comme douze ans auparavant, lorsqu'elle s'était ruée dans une maison de vacances avec son vieux chien pour faire comme Michel, comme François, comme Annie et Claudine. Elle alla chercher ses affaires dans la cabane de pêche. Enfourna vêtements et carnets dans une valise. Jeta un coup d'œil circulaire à l'étroite chambre, au lit et au bureau d'écolier, s'assurant qu'il ne demeurait plus rien d'elle ici.

Les réverbères illuminaient la grand-rue du village, comme autant de constellations dans l'espace. Elle se laissait porter par le craquement amical de la neige, nostalgique du chien qui lui tenait compagnie à l'époque.

A présent, l'animal vivait chez Maman, à cinq cents kilomètres au sud. Dans un monde qui, à partir de maintenant, appartenait au passé. Elle était devenue l'épouse du chef du hangar à appâts. Une vraie villageoise, une vraie femme. A deux pas de chez Salka Valka.

# Femme

Un instant, elle s'était convaincue d'être devenue une femme. Mère au foyer des fjords de l'Ouest qui faisait la vaisselle et poêlait du poisson dans un barouf d'enfer, comme elle ressentait en elle la méchanceté du Breidafjördur en apercevant les canettes de bière vides qui jonchaient la table de la salle, cueillait des fleurs de pissenlit pour la décorer, changeait la litière du chat et étendait les couettes à l'air marin dans le petit jardin pour qu'ils sentent bon l'été. Elle se réjouissait de voir le Coup de Vent irradier de bonheur par sa présence. Leur foyer ressemblait à un vieux roman sur la vie à la ferme, et ils en étaient les héros.

Un seul point noir au tableau : le Coup de Vent vivait avec un ami. Et ce dernier ne semblait en aucun cas décidé à gagner d'autres pénates bien que le premier se soit trouvé de quoi occuper ses nuits.

C'était un type osseux aux yeux ternes et plissés, à la tignasse négligée et incolore. Ses longues pattes battaient le sol de la salle à manger et, lorsqu'il riait, un gémissement aigu et efféminé résonnait dans les oreilles. L'espace était saturé de sa présence.

Chaque jour, il promettait de se trouver un nouveau refuge, mais il était éternellement avachi un verre à la main à 17 heures. Le plus vigoureux des hommes, jean propre par-dessus un caleçon long solidifié par la sueur séchée, Pink Floyd tournant sur la platine, était déterminé à débarrasser le Coup de Vent de sa petite bonne femme. Il fallait qu'elle efface cet individu de son roman, coûte que coûte. Le Coup de Vent promettait qu'il s'en irait.

Bientôt.

Jour après jour.

Mais rien n'arriva. Valdi Pop continua de gueuler sur sa guitare, aveuglé d'amour pour les montagnes, en becquetant la nourriture qu'elle avait mis sur son compte à la coopérative. Le soir venu, il se lançait dans un monologue sur Syd Barrett, le répétant à intervalles réguliers jusqu'à l'aube. Sa figure ne convenait en rien au tableau d'épouse vertueuse du chef des appâts rêvé par Eyja.

Pop menaçait l'existence de la mère au foyer. Après qu'Eyja eut vécu plusieurs semaines en concubinage, elle se découvrit plus femme de lettres que femme au foyer. En rentrant du travail, au lieu de lancer une lessive, arranger des pissenlits dans un vase ou poêler du poisson, elle balançait des hamburgers de la supérette sur la table et allait s'allonger sur le lit sale avec Dostoïevski, ou quelque autre fantôme désirable, et un demi-paquet de cigarettes.

Il en allait de même pour le Coup de Vent. Les après-midi au bar avec Valdi Pop devenaient chaque jour un peu plus une habitude, de sorte que les deux tourtereaux s'épanouissaient chacun de leur côté, l'une avec les auteurs russes, l'autre avec les rockeurs anglais.

Et puis elle en eut assez.

C'était un samedi. Quittant l'usine de congélation à midi, Eyja était tout excitée à la perspective de préparer des crêpes selon la recette de sa grand-mère. Elle avait chancelé sur le chemin sous le poids d'une crêpière flambant neuve achetée à la coopérative, ainsi que de la crème, de la confiture de myrtilles et du café. Un bouquet de fleurs séchées, une bougie jaune dans un sac et des serviettes en papier assorties. A peine le seuil franchi, elle comprit qu'elle avait été la seule à se présenter au travail le matin. Dans le salon enfumé, deux flemmards ronflaient, pourtant réveillés à l'aube pour aller appâter mais ayant changé d'avis à la dernière minute et préféré ouvrir quelques canettes plutôt que se verser du café. Syd Barrett & compagnie battaient dans les enceintes de Valdi Pop.

Le Coup de Vent était rongé de culpabilité lorsqu'elle lui tendit des lambeaux brûlés de crêpe aussi sucrés que sa voix quand elle mentit et raconta qu'elle attendait la visite de sa mère.

Dès le week-end prochain ! Heureusement, il se trouvait qu'il y avait une chambre libre chez les Polonais, à Varsovie. A vrai dire, la chambre était parfaite pour que Valdi Pop change de décor – à moins que le Coup de Vent ne veuille accueillir sa belle-mère dans l'odeur de pieds marinés au poisson, avec le cortège imprévisible de conséquences que cela entraînerait.

Le Coup de Vent regarda son ami en silence. L'ami baissa les yeux. Alluma une cigarette et bâilla. Sourit jusqu'aux deux oreilles.

Elle posa sa dernière carte. La voix brisée d'excitation quand elle raconta qu'une sacrée fête était annoncée à Varsovie. Les riverains étaient allés faire le plein de snacks à la coopérative, et elle avait entendu dire que quelques-uns s'étaient rendus au débit de boissons d'un autre fjord le matin même.

Eh ben, de sacrés moulins à parole, ces Polonais de la coopérative, plaisanta le Coup de Vent. L'ami, lui, ne

souriait plus. Eyja était sûre de ce qu'elle disait...
concernant le débit de boissons ?

Oui.

Valdi fuma sa cigarette. Réfléchit. Pesa le pour et le
contre, à savoir s'il devait ou non écouter cette bonne
femme qui lui avait piqué son plus vieux et meilleur
copain. Il eut une quinte de toux sèche. Accepta enfin
une crêpe. Grimaça.

Certains mensonges sont de nature à devenir vérité.

Lorsque le troubadour du village descendit la grand-rue
avec ses bottes blanches aux pieds et sa guitare à l'épaule,
les gens s'assemblèrent à sa suite et se joignirent à un
groupe de Polonais disciplinés dans un tumulte festif.

Les femmes de Varsovie étaient autrement plus belles
qu'Eyja. Certaines se réveillaient à 4 heures du matin
pour préparer du pain avant de partir à l'usine. Eyja se
consola en songeant qu'elles sauraient éloigner Valdi
d'un geste de la main comme un vulgaire moucheron.

Les jours suivant la fête, Valdi ne revint pas, il avait
trouvé une nouvelle occasion de chanter son amour des
montagnes. Environ une semaine plus tard, la mère
d'Eyja vint dans l'Ouest jeter un œil au promis de sa
fille, enthousiaste quoique étonnée de cette invitation
impromptue.

Ses pensées sont interrompues par Rúna qui coupe
court à la conversation téléphonique en hurlant un juron
avant de se précipiter dehors nettoyer la voiture. Il va
falloir retrousser ses manches, car si Eyja a bien compris,
on doit décrasser les chalets pour un groupe de gens qui
se font appeler « la famille Gustavson ».

## Troisième étape de la rééducation,
## première partie : mettre fin à l'autosuggestion

Deux jours et un bon nombre d'appels plus tard, une voiture de police avance doucement le long du chemin, faisant crépiter les gravillons blancs.

Enfin ! soupire Rúna qui n'a pas voulu faire le ménage dans le chalet des Finnois de peur d'effacer des preuves – au plus grand plaisir des insectes. Les garçons filent comme des flèches à la rencontre du véhicule, ce n'est pas tous les jours qu'on reçoit la visite d'une voiture de police. Rúna navigue à leur suite, stoïque.

Deux agents en uniforme ouvrent les portières et sortent : un homme et une femme. L'homme tire un carnet de sa poche et s'efforce de prendre des notes tandis que Rúna lâche un flot de vocables de toutes langues. Elle balance son ventre en avant, les mains sur les hanches, et raconte ses malheurs. Eyja ne comprend que des fragments de la conversation : ... *vafan, vafan... putain, comprende... esto ces Finnois folk qui stale money... puta... non payé bien... comprende ?*
*Nej.*

Les policiers ne saisissent pas le moindre mot de cette logorrhée cosmopolite. Deux uniformes angoissés face à une casquette agitée. L'angoisse se transforme vite en nausée lorsque la Reine du Ski ouvre le chalet et qu'un

255

nuage de grosses mouches leur vole au visage. On s'attendrait presque à y trouver une pile de cadavres plutôt que des conserves vides de hareng et des couches souillées dans la poubelle.

En ressortant, les policiers regardent Rúna sans comprendre.

*Como de fois ye mun say ça ?* s'égosille la casquette sans obtenir de réponse.

C'est alors que les gravillons se mettent à crisser à nouveau, aussi lèvent-ils tous la tête. Une petite voiture rouge vif se dirige vers le véhicule de police et s'immobilise à sa hauteur. Un couple élégant en sort, la peau claire sous des vêtements d'été plus clairs encore. L'homme agite la main en souriant pendant que la femme ouvre la portière arrière et laisse une petite fille sortir à la lumière du soleil. Celle-ci se rue aussitôt vers les chevaux apathiques ; son père la suit des yeux avant de dire bonjour et de demander s'il serait possible de louer un chalet de vacances comme ça, à la dernière minute.

Oui, oui, oui, oui, répond Rúna en priant la police de patienter une seconde. Les agents acquiescent et en profitent pour respirer l'air apaisant du lac pendant que Rúna se précipite sur Eyja et lui glisse à voix haute qu'elle va enfin pouvoir tester ses aptitudes.

Comment ça ? interroge Eyja, interloquée – sa tête lui tourne dans la chaleur.

Eh ben, faut préparer le chalet des Finnois sur-le-champ !

Et les autres ?

On les garde pour la réunion de famille, combien de fois va-t-il falloir que je te le dise ? Allez, au boulot !

Mais… Et les preuves ?

T'occupe ! Et lésine pas sur le savon !

Et ils vont attendre pendant tout ce temps ?
Je vais leur offrir du thé glacé.

Des brosses, des bouteilles de produit nettoyant et un seau à la main, Eyja titube jusqu'au chalet. A l'intérieur, l'atmosphère est saturée d'une odeur doucereuse d'excrément de nourrisson et de sueur âcre. Fromage à tartiner, pudding aux fruits, lait aigre, quartiers de pommes noircis, restes de hareng. Elle est prise de nausée et sent grandir en elle la peur de sa grossesse imaginaire. Elle respire l'Ajax pour se reprendre et jette un œil par la fenêtre.

Les agents de police ont accepté le fameux thé glacé – soit la visite imprévue a fait pencher la balance, soit la chaleur a eu raison d'eux pendant que le charabia de Rúna se glissait dans leurs oreilles. Eyja observe les garçons qui se présentent aux convives avec un plateau pourvu de thé glacé et d'un bol rempli de fraises. Tout ça serait délicieux sans la maîtresse des lieux. Elle se pavane autour de la famille et des flics, toujours aussi volubile, les mains plongées dans les poches de son short avant qu'elle ne les sorte d'un coup pour gesticuler vers le ciel, pointant ici et là, confondant un peu plus les invités étrangers, totalement perdus en leurs propres terres. La police a depuis longtemps abandonné toute tentative de rédiger un rapport, tandis que le couple échange des regards.

Eyja détourne les yeux et fait le tour des environs, sur le point de pleurer. Où commencer ? D'énormes mouches se dirigent de manière suspicieuse vers les toilettes. Autant attaquer par le pire.

Peu à peu, le ménage l'emporte de sorte qu'elle s'oublie à la tâche. Elle frotte et brosse comme jamais.

Elle est enfin en train de prendre le rythme ! Tout brille et scintille – lorsque Rúna se précipite à l'intérieur en lui crachant qu'elle n'est vraiment pas croyable.

Comment ça ? s'étonne Eyja, abasourdie, le chiffon encore en l'air.

Tu as mis tellement de temps qu'ils sont partis.

Partis ?

Oui, juste comme ça. Ils ne pouvaient pas se permettre d'attendre.

Mais ils sont en vacances. Ils auraient pu aller nager. Ou faire n'importe quoi.

Ils voulaient s'installer dans leur chalet. Et tu y as passé trop de temps. *COMPRENDE ?* Tu es pire que mes deux gamins là-dehors ! Tu ne sais rien faire !

Non.

Pas la peine de baisser les bras ! Pour apprendre, il faut se donner du mal. Ne crois pas que je vais prendre pitié de toi parce que tu te fais engueuler. Il suffit pas de se dire qu'on est capable, il faut trouver ce qu'on doit améliorer. Comment crois-tu que je m'en serais sortie sur les pistes de ski si j'avais joué les mademoiselle Je-Sais-Tout ?

Eyja se tait – il ne lui reste qu'à ravaler son humiliation. Après un silence gêné, elle marmonne : Et la police ?

Et la police quoi ? aboie Rúna.

Qu'a dit la police ?

S'ils méritent vraiment ce nom…, réplique Rúna. Racistes de mes deux ! Ils ont juste jeté un œil aux alentours comme deux imbéciles, ils ont bu mon thé et se sont tirés.

Ils ne vont rien faire ? demande Eyja, mais Rúna ne daigne pas répondre. Elle a eu sa dose de conneries pour aujourd'hui, elle file se servir un verre.

# Confidences avec Dieu
## et Laura la strip-teaseuse

Les garçons font roussir des côtes de porc sur le gril au gaz tout neuf et Eyja prépare une salade composée de fraises, d'oranges et de laitue. Ils ne veulent surtout pas de vinaigrette, aussi dégustent-ils leurs fruits et légumes nature, tandis que la viande, elle, dégouline de sauce barbecue. Ils s'assoient dans l'herbe avec leurs assiettes, éloignant de la main les moustiques pendant qu'ils vident deux litres de Coca et bavardent si longtemps qu'Eyja en oublie Rúna et le Coup de Vent – elle ne songe même pas au fait étrange de n'avoir pas eu la moindre nouvelle de lui depuis deux jours, tant elle prend plaisir à discuter Tetris et *Trainspotting* avec deux gamins aux visages rouges.

La soirée aux nuances orangées est des plus douce. Le soleil traîne paresseusement à la surface du lac. Il fait encore clair lorsque la Reine du Ski les rejoint dans sa robe d'été rose pâle imprimée de fleurs rouges, les lèvres maquillées de son rouge en promotion et ses cheveux à la garçonne peignés en arrière. Ses jambes nues sont brunes et brillantes comme celles d'une jeune fille. Ses formes de sportive sont mises en valeur par la robe. Elle est belle.

Ils la regardent siroter son rhum Coca bien frais et attraper une côte dans laquelle elle mord. Puis une deuxième, et une troisième. Elle mâche la chair en souriant, cette même lueur de vieux sage dans les yeux que le soir où elles avaient lézardé sur la berge du lac. Elle tourne la tête quand des voitures arrivent dans la cour, et salue avec enthousiasme l'heureuse et nombreuse famille qui approche pour chercher les clés de leurs chalets.

Rúna disparaît bientôt dans sa maison pour remplir son verre à nouveau. Elle rayonne de bonheur lorsqu'elle ressort et que le cinquième véhicule de la soirée traverse la cour, bondé de campeurs à la recherche d'un endroit où poser leurs tentes. Eh oui, c'est le week-end : le moment venu de se faire plaisir !

La soirée est des plus délicieuse. Rúna s'est mise à rire de cette histoire de Finnois pendant que les gamins lui massent le dos et qu'Eyja fume à la chaîne, soulagée.

Et puis l'aiguille de l'horloge donne un à-coup d'un dixième de millimètre et minuit sonne. La Reine du Ski ne tient plus en place. Une guitare entre les mains, elle fixe Eyja et lui demande : Alors, tu as décidé si ça passe ou si ça casse ?

Comment ça ?

Le rythme cardiaque d'Eyja s'accélère.

Eh ben, tu viens à la fête ?

Comment ?

A pied, bien sûr !

Et l'ours ?

Quel putain d'ours ?

Rappelle-toi ! Tu as dit que la police avait signalé qu'on en avait vu un aux abords du lac, explique Eyja, confuse, regardant les deux garçons qui disparaissent à l'intérieur de la maison.

Rúna ouvre grand les yeux. Tu me tues ! lance-t-elle dans un éclat de rire viril avant de proposer à Eyja de boire un coup, la voix hoquetante.

Avant même d'avoir le temps d'y réfléchir, Eyja se retrouve avec un rhum Coca dans la main et ferme les paupières pour en savourer le goût sucré.

Lorsqu'elle les rouvre, elle aperçoit le paquet de muscles féminin qui court vers le campement, la guitare sous le bras. Il s'en est passé, des choses, entre-temps. Quoi donc ?

Elles ont chanté, oui. Des mélodies folkloriques, des chansons de variété islandaise. Et quelque chose comme *Ging gang goolie...* des trucs de ce genre, des hymnes de ski bien connus, selon Rúna. Et alors qu'Eyja avait eu l'intention de se glisser dans son lit, Rúna, elle, était prête à aller faire la fête.

Il était presque deux heures du matin. L'heure de sortir selon les standards islandais, aussi Eyja habilla-t-elle également ses lèvres de rouge pour partir en titubant sur la nationale avec Rúna.

Face à elles la route sinueuse se déroulait puis disparaissait dans l'épaisseur des bois. La nuit exhalait une puissante odeur de végétation. Pas d'ours en vue, juste des écureuils et des mulots qui traversaient à toute vitesse et à intervalles réguliers. Sinon, c'était le calme plat, jusqu'à ce qu'un écho de musique leur parvienne.

Tout ce dont elle se souvenait, c'était que, l'instant d'après, elles débarquaient d'un pas déterminé dans une majestueuse maison de bois peinte en jaune où hommes et femmes en vêtements de couleurs claires grignotaient les restes d'un buffet de fruits de mer et s'adonnaient à des danses de salon sur une musique jouée par les étoiles les plus prometteuses de la galaxie Gustavson : deux adolescents boutonneux, guitare en main, et un homme âgé au clavier, probablement leur arrière-grand-père. Rúna expliqua à Eyja qu'il s'agissait d'une réunion de famille. La plupart des invités avaient loué un chalet chez elle, aussi étaient-elles les bienvenues – la maîtresse des lieux et sa commise. Puis elle alla se glisser au milieu d'un couple svelte et se mit à danser avec les deux. Quand la Reine du Ski voulait danser, aucun lien ne pouvait l'entraver.

Elle dansa et dansa – jambes et bras en haut en bas à gauche à droite si bien qu'on apercevait sa culotte Sloggy blanc neige lorsque la robe d'été tournoyait autour de ses cuisses bronzées. Elle dansa jusqu'à ce que tout le monde ait déserté la piste, à l'exception du couple terrifié qu'elle retenait avec une poigne de fer.

Eyja sortit furtivement fumer. Elle venait d'allumer sa cigarette après trois tentatives infructueuses lorsqu'un fracas interrompit la musique. Un instant plus tard, trois hommes musclés se ruaient à la porte, soulevant Rúna avant de la jeter sur les gravillons. Elle ricocha sur quelques mètres dans la nuit estivale – devenue si claire qu'elle en était éblouissante.

Un instant, Eyja crut qu'elle s'était fracturé la nuque une nouvelle fois, mais non. Rúna se releva, épousseta de sa robe le sable caillouteux et quelques morceaux collés de ce qui ressemblait à des restes de nourriture, ajusta ses cheveux et chercha son rouge à lèvres en promotion dans le sac à main pendu à son cou après la cascade. Puis elle demanda, comme si de rien n'était, s'il n'était pas temps de rentrer.

Ce qu'elles firent.

Elle jura énergiquement sur toute la courte distance qui les séparait de leur résidence. Qu'ils aillent se faire foutre, ces putains de radins qui avaient eu leurs chalets pour une somme dérisoire et qui, pour la remercier, jetaient dehors comme un chien galeux cette femme bien intentionnée, cracha-t-elle avant de renifler. Elle arracha la cigarette de la main d'Eyja et la fuma en deux bouffées. Redoubla de force car la nicotine était son oxygène et alimentait son allure piétonne. Elle avançait à pas lourds, continuant de pester.

Eyja la suivit jusqu'au sentier de gravier mais pas plus loin. Elle se laissa tomber sur un tas de branches tandis que Rúna allait chercher sa guitare dans son chalet, déterminée à trouver des convives plus reconnaissants au campement – des gens qui sauraient apprécier la visite d'une championne islandaise des montagnes. Attends un peu qu'ils entendent nos chants folkloriques – ce fut la dernière chose qu'elle dit avant qu'Eyja rouvre les yeux.

C'était avant…

Et maintenant, un cri jaillit de la tente, si puissant qu'Eyja prend ses jambes à son cou et file dans le chalet. Elle avait oublié l'ours… est-ce possible ? Non, apparemment.

Les cris sont étouffés par des voix de casserole. Elle s'empresse de fermer la fenêtre et veille à ne pas regarder le campement incidemment tandis qu'elle choisit un disque au hasard dans le coffret Beethoven. Elle ouvre une nouvelle bouteille de vin blanc, grignote une biscotte suédoise avec du fromage à l'ail et songe à combien il est étrange que le Coup de Vent puisse être à la fois si près et si loin d'elle. Qu'en dirait David Lynch ? demande-t-elle à Laura, accrochée dans son cadre au mur lambrissé, mais les bras lui tombent de n'être aussi svelte que la strip-teaseuse. Les écrivains ne sont pas supposés être gros ; ils doivent être fins, chargés de mystère comme la danseuse exotique. Préférablement avec de longs membres comme Paul Auster, ou des yeux exorbités dans un visage creux comme Franz Kafka ; ils doivent cueillir en eux les mots avec une gravité surnaturelle et engendrer une éjaculation spirituelle, le visage aussi impénétrable que la strip-teaseuse dans la seconde précédant son jeté de culotte. Ou encore, évoquer Cléopâtre, comme Ásta Sigurdardóttir. Mais alors Eyja se rappelle Fay Weldon et rassemble le courage d'ouvrir son carnet. Elle mord le bout de son stylo et lève les yeux sur le ciel embrasé de l'aube. Elle écrit :

*Dieu !*
*Peux-tu m'aider à trouver les bons mots ?*

Mais la connexion aux cieux n'est pas des meilleures. A vrai dire si mauvaise que la musique céleste dans ses oreilles lui fait l'effet d'un râle. Elle continue de s'écouler de la radiocassette longtemps après qu'Eyja s'est éteinte.

# Le fil narratif
# d'un roman de gare

En 2009, la connexion céleste s'apprête à s'établir, enfin assez puissante pour qu'Eyja puisse recevoir des messages du ciel au-dessus de sa tête. Le fil narratif menant à ce point, si l'on peut parler de fil narratif, commence lorsque Eyja croise la vieille femme à la supérette Bónus au début de l'automne 2008. Peu de temps après, une porte mystérieuse s'ouvre à l'intérieur de son crâne quand sa sœur Agga donne naissance à une fille, la même année, environ trois mois après la révolution des casseroles, et la baptise de son prénom, qui est également celui de sa grand-mère. Au printemps 2009, d'autres portes s'ouvrent lorsque David Lynch vient en Islande pour sauver la nation de la banqueroute spirituelle – et par là même d'une pression artérielle trop importante – en lui apprenant à respirer.

Eyja rit de la naïveté de ses compatriotes mais tente malgré elle de planter dans sa tête le concept de mantra indien, se rappelant la révélation de Laura la stripteaseuse après que celle-ci est allée habiter le monde intérieur de Lynch.

La philosophie indienne ancestrale doit avoir ses bons côtés puisqu'elle a survécu aux ravages du temps. Néanmoins, Eyja évite l'association de méditation quand la pression sociale se fait trop prégnante. L'union spirituelle automatique convient peut-être aux réalisateurs hollywoodiens, mais Milan Kundera aurait certainement mal au cœur entre les murs d'une salle placardés des images d'un gourou. Ses romans aux héros cauchemardant sur les douches communes dans les piscines publiques trahissent le peu d'attrait de l'auteur pour l'esprit de groupe. Eyja continue cependant de méditer un certain temps après son stage.

Ce qui se passe ensuite aurait davantage sa place dans un roman de gare que dans la réalité :

Eyja s'assied deux fois par jour et répète son mantra vingt minutes, sans subir rien d'autre qu'un léger vertige. L'état qui suit cet exercice lui rappelle désagréablement les crises d'absence dont elle était victime enfant – comme si elle s'éloignait d'elle-même et sombrait dans une amnésie sans fond. Il faut bien faire des sacrifices pour être Dostoïevski.

Elle manque d'imagination après trois romans en quatre ans, vide comme une cartouche d'encre usagée, prête à tout pour redonner vie au pouvoir créatif de son esprit. Et puis, voyez-vous ça, un jour a lieu l'inespéré : la mémoire s'illumine !

Dans son esprit apparaît un pan de montagne recouvert d'herbe verte. A côté d'elle, un panneau de signalisation jaune. Bientôt, le panneau se remplit et elle lit l'inscription : Múlahreppur – tandis qu'une voix grave, difficile à reconnaître, s'éloigne, murmurant : ... *mais pas à Strandir.*

Elle se réveille en sursaut de sa méditation, si soudainement qu'elle est prise du mal des caissons, et se jette sur sa boule de cristal : son ordinateur portable. Tape sur Google : Múlahreppur. Mais ne trouve rien hormis quelques indices selon lesquels, un jour, un canton a porté ce nom.

Pas d'autre choix, lorsqu'on ne peut s'y retrouver dans sa propre tête, que d'appeler sa mère.

Où se trouve Múlahreppur ? demande Eyja.

Tu veux sûrement parler du Múlahreppur de la péninsule Skálmarnes ? Cette municipalité se situait dans le comté de Bardaströnd-Est, répond Maman avant d'ajouter qu'elle n'existe plus. Toutes ces communes ont depuis longtemps été réunies, sous le nom de Reykhólahreppur. Mais la famille de ma grand-mère, ton arrière-grand-mère, vivait là-bas.

Elle n'habitait pas rue Bárugata à Reykjavík ?

Si. Une maison grise, juste à l'angle. Mais ils venaient d'Eyrarbakki, souviens-toi.

Maman a à peine terminé sa phrase qu'Eyja se remémore l'invitation poussiéreuse de la vieille dame croisée à la supérette ; elle vit au croisement opposé, dans la demeure de sa mère, celle qui avait composé ces écritures automatiques avec l'arrière-grand-mère d'Eyja.

As-tu entendu parler de cahiers où elle aurait écrit… de manière automatique ? demande-t-elle avec enthousiasme.

Oui, ça me dit quelque chose, souffle Maman, comme s'il n'y avait rien de plus naturel à cela. Elle avait monté un club d'occultisme avec deux de ses amies dans le quartier Ouest.

Un club d'occultisme ? Comment ça ?

Viens prendre un café et je te raconterai. Mais pas aujourd'hui, j'ai pas envie de te recevoir.

Le lendemain, Eyja est assise dans la cuisine bric-à-brac que Maman a transportée bout par bout depuis la colline de Thingholt, quelques jours après la nouvelle année, pour la reconstituer dans un ancien salon de coiffure. Tout à sa place : les cartes postales sur les murs jaunis de nicotine, les quelques peintures de maîtres islandais d'un goût exquis, la salière et le poivrier achetés dans un bazar hambourgeois, le pichet à huile d'olive andalou, les piles de livres de poche qu'elle a traduits de l'anglais et des jouets d'enfant çà et là ; partout flotte une odeur de cuisine qui vaut tous les bistrots du monde. Les plantes sur le rebord de la fenêtre n'ont rien perdu de leur verdure, bien qu'elle oublie parfois de passer un coup de chiffon pendant un mois si bien que la poussière dans les coins évoque des congères.

Maman verse du café et, pour la première fois, raconte à Eyja que sa grand-mère a été la secrétaire privée des esprits.

Comment ça ? demande Eyja.

Eh bien, elle écrivait l'avenir dans des petits cahiers. Sa vie.

Comment ça ?

C'était une sorte d'autobiographie d'événements futurs, répond Maman dans un gloussement avant de reprendre son sérieux en voyant le visage sincère d'Eyja, puis de poursuivre : C'était une femme de son temps dans le quartier Ouest – comme toi, ma chérie – et à cette époque, c'était très en vogue d'écrire au fil de la plume. Elles se retrouvaient toutes les trois, entre amies ; il leur fallait souvent parler à leurs maris décédés, car chacune d'entre elles était propriétaire de sa maison et avait besoin de conseils sur son entretien – par exemple la plomberie sous l'évier, je m'en souviens.

Maman sourit de son expression douce et ironique. Elle se rappelle également que les veuves rendaient visite à une femme qui s'appelait Gydrídur et qui habitait une maison dans le Skerjafjördur ; elle était spécialiste de l'au-delà, dit Maman avant d'avouer qu'elle avait terriblement envie de se joindre à elles. Eyja hoche la tête, passionnée, et surprise que ces victimes de la grande crise aient possédé d'aussi imposantes demeures dans le quartier Ouest pendant qu'elle-même laisse la moitié de son salaire dans le loyer d'un minuscule appartement au même endroit.

Comment écrit-on de manière automatique ? demande-t-elle à Maman. Cette dernière la fixe, pensive, avant de répondre : Eh bien, il suffit de fermer les yeux et d'écrire.

Lorsque Eyja est rentrée chez elle, elle allume une bougie, habitée par l'idée d'écrire au fil de la plume ; à vrai dire, elle n'a pas été aussi enthousiaste à l'idée d'écrire depuis l'été en Suède, où elle dut rapidement assembler son premier roman. A l'époque, il lui avait fallu apprendre à penser – à présent, elle se demande ce qui se passera si, justement, elle arrête de penser.

Elle songe aux trois femmes et ouvre son ordinateur portable. Ferme les paupières. Vide son esprit, oublie toute notion de fil conducteur. A ce moment, elle compte trouver l'histoire et non la composer. Elle pose ses doigts sur le clavier et patiente un instant, se rappelant la concertiste qui se cache derrière sa mère, avant de se mettre à écrire.

Et là, quelque chose s'illumine.

Elle a toujours écrit. Mais cette fois, l'exercice est différent ; il est meilleur, comme s'il la libérait d'elle-même, la transportait dans un monde où l'écrivain n'existe plus, où ne subsiste que le son des mots.

Là-bas, l'auteure laisse ses paupières s'affaisser, à l'instar de la voyante de Keflavík qui attend des messages de l'au-delà avec le même empressement que les contrôleurs aériens à l'aéroport observent les avions du monde entier planant vers l'Islande.

Son esprit devient de plus en plus silencieux, et bientôt elle décèle un premier signe de progrès. Les mots s'échappent de son inconscient nuageux, ils luttent pour garder leur cap au cœur de la conscience et plongent – mais d'aucuns parviennent à flotter, là, preuves que dans les méandres de l'esprit se dissimule un mystère. Elle attrape la main de ceux qu'elle aime et les prie de bien s'accrocher, car il leur faudra traverser toutes sortes de climats et de vents sur le chemin menant à cette histoire. Des événements, des dires, des hasards. Des incidents de sa vie s'apprêtent à se dérouler une seconde fois, à l'intérieur d'un roman dont l'héroïne n'est plus elle mais une personne de bien plus grande ampleur. Ils se réunissent en un tourbillon ressuscité qui aspire et remet chaque chose à sa place lorsqu'elle pose ses doigts sur le clavier.

Elle poursuit les mots, les autorise, un à un, à poser le pied sur des espaces jusque-là inconnus où ils forment un noyau. Ils la remplissent d'un besoin imparable de dire au petit enfant ce qui a été avant qu'il soit venu au monde.

Et ce qui a été à cet instant :

*Maman et moi buvions du thé lorsque tu es née*, écrit-elle, à l'aveugle. *Sauf qu'aucune d'entre nous n'a pu y goûter. Nous avions saisi nos tasses et commencé des phrases que nous n'avons pu finir, car les ténèbres se sont mises à crier. Je venais de sortir du cinéma, moi qui n'y vais presque jamais, et ainsi le hasard a voulu que tu entames* ton voyage en ce monde pendant que je croquais du pop-corn devant de stupides gags américains.

C'était du vieux thé vert bio. Dieu sait combien de temps il était resté caché dans le placard de chez Maman sans que quiconque ait eu l'idée de le faire infuser. Et en parlant de Dieu, oublions ce malotru ! La dernière chose que je veux, c'est imposer une éducation rigide en quoi que ce soit à l'esprit cotonneux d'un enfant. Je veux juste te raconter tout ça. Recommençons.

Nous pensions boire du thé, Maman et moi. Aucune d'entre nous ne parvenait à avaler ne serait-ce que sa salive. Ainsi était la vie lorsque tu es arrivée.

Quand ta mère est née, grand-mère a tapé sur son tambour de cuivre russe qui résonnait. Elle s'est écriée : Tu viens d'avoir une sœur ! Je ne me rappelle plus ce que j'ai pensé, je me souviens simplement de la façon dont grand-mère se tenait comme un chef d'armée dans la cour de sa maison, et je me rappelle comme le soleil d'automne brillait sur les arbres et comme je n'avais pas la moindre idée à quel point j'étais devenue riche. Mais je l'ai su trente ans plus tard lorsque ma sœur t'a donné naissance et t'a baptisée du prénom de grand-mère, de mon prénom. J'avais les larmes aux yeux tant j'exultais, car grand-mère et moi nous sommes toujours comprises, bien qu'elle ait parfois soupiré : Je ne te comprends vraiment pas ! Je crois que c'est dû au fait que nous sommes homonymes.

J'ai envie de te la raconter, telle que je me la rappelle. Un jour, elle m'a bercée en chantant : Voici venue la nuit et nous allons faire dodo, demain viendront maman et papa, et tout ira pour le mieux.

Entre ses bras, je m'immergeai dans un rêve infiniment doux − c'est aussi ce que j'ai fait le jour où elle m'a demandé : Tu ne veux pas divorcer ?

Ou bien, peut-être est-ce plus juste de dire :

*Tu ne veux pas quitter cet homme ?*

… écrit Eyja, se rendant compte qu'il y a tant de choses qu'elle ignore au sujet de sa grand-mère. Elle sait que cette dernière veillait les morts et distribuait des journaux pour apporter sa contribution au foyer lorsqu'elle était petite ; elle sait aussi que grand-mère était une jeune femme indépendante avant de rencontrer grand-père, qu'elle travaillait au service radiologie de l'hôpital national et qu'elle vécut l'invasion de l'Islande durant la Seconde Guerre mondiale ; une femme qui avait de nombreux et charmants amis, comme ce mystérieux correspondant au Danemark, qui créait des énigmes où il s'agissait de deviner qui gagnerait la guerre, il les lui envoyait pour l'aider à passer le temps ; elle était si populaire et prévoyante que lors des premières années de son mariage avec grand-père, tous deux vivaient sur son crédit chez le commerçant du coin dans le quartier Ouest, bien que grand-père ait été ce grand écrivain. En dehors de cela, Eyja n'a jamais vraiment songé à son existence. Elle doit accorder une confiance totale aux mots pour la trouver, trouver sa mère, la mère de grand-mère et enfin, se trouver elle-même. Alors, elle continue d'écrire à l'enfant, jusqu'à tomber enceinte elle aussi, et plus loin encore.
Au fil de la plume.

# Le Coffret des mystères

L'arrière-grand-mère habitait rue Bárugata, à quelques pas du domicile d'Eyja. Cette dernière s'arrête de plus en plus souvent devant la petite maison toute de plain-pied, observant le jardin aux allures presque édéniques puisque l'arrière-grand-mère avait appris l'horticulture et la plantation, pour l'avenir. Elle contemple les tulipes hautes et les vieux arbres, puis elle caresse la clôture de fer que son arrière-grand-père avait confectionnée. Elle espère recevoir un message.

Elle a entendu quelques petites choses sur son arrière-grand-mère.

Celle-ci quitta le lycée avec un diplôme d'allemand – elle enseigna l'allemand, l'anglais et l'orgue. Elle faisait toutes sortes de travaux, cousait des vêtements et s'occupait de la lessive, si bien que ses genoux vacillèrent de bonheur, des années plus tard, lorsqu'elle vit une machine primitive faire tournoyer le linge dans le sous-sol de son aînée. Elle était peu encline à pécher, mais elle dévorait des romans de gare dès qu'elle en avait l'occasion et il lui arrivait d'aller s'isoler pour allumer une cigarette. Elle arrêta cependant quand elle commença à y prendre trop de plaisir.

Eyja la visualise en train d'écraser son mégot : avec ses cheveux gris et ses traits marqués, en robe traditionnelle islandaise – Maman dit que cette histoire de robe traditionnelle est complètement ridicule, sa grand-mère n'a jamais porté ce genre de vêtements. Elle était plutôt issue d'une lignée de trolls que d'elfettes. C'était tout sauf une dame classe – pas une once de classe en elle ! explique Maman au téléphone, assommante d'enthousiasme : Elle portait les cheveux plutôt courts, des chaussures à talons plats, souvent du sur-mesure, mais sans fioritures. Toujours à s'occuper de ses petits-enfants, mais elle se battait aussi pour les droits des femmes, oui, féministe jusqu'au bout de ses doigts usés par le travail, une vraie reine des classes ouvrières ! Qui a envoyé ses petits-enfants au défilé de Keflavík parce qu'elle avait mal aux pieds. Terre à terre et… A cet instant, Maman hésite et avale une bouffée de fumée avant de souffler ce mot dans une volute : … contemplative.

C'est bien que tu veuilles écrire à son sujet, ajoute-t-elle. On avait oublié de faire sa nécrologie.

Il en est ainsi des femmes qui gèrent tout au sein de leur foyer. Lorsque vient le moment de composer leur nécrologie, chacun est si occupé à chercher la chaussette manquante dans la pile de linge qu'il en perd ses mots.

Quelques jours après qu'Eyja a tenté d'écrire de manière automatique, elle s'écroule à la table de la cuisine de Maman et dit : Je crois que mon arrière-grand-mère souhaite que j'écrive sur elle.

Dieu tout-puissant, gémit Maman qui n'en croit pas ses oreilles, ne sois pas si bête ! Puis elle hésite, avale une nouvelle bouffée de cigarette et demande : Pourquoi voudrait-elle une chose pareille ? Tu ne la connaissais même pas.

Comment le saurais-je ? souffle Eyja, taisant les incidents étranges liés au réalisateur hollywoodien. Elles demeurent face à cette question à laquelle il est impossible de répondre jusqu'à ce que Maman rompe le silence en ajoutant, comme contre son gré, que puisque Eyja semble plongée dans de telles considérations littéraires, elle peut aller jeter un œil au Coffret des mystères.

Le Coffret des mystères ?

Eh bien, celui de grand-mère ! Il est rempli de lettres d'amour. De l'époque où elle vivait à Bardaströnd et grand-père à l'est de la montagne. En ce temps-là, pas de mails. Les lettres partaient avec le caboteur. Il y a tant d'amour dans ces missives qu'on a la sensation de vivre dans le plus beau des romans.

Où se trouve-t-il, ce Coffret des mystères ?

Quelque part dans un placard, répond Maman, hésitant à nouveau. Puis elle reprend : Je te l'apporterai quand j'aurai remis la main dessus – tu pourras le garder.

Le lendemain, elles se voient chez Eyja. Cette dernière offre à sa mère un café rehaussé d'une généreuse goutte de whisky avant qu'elles s'asseyent à la table du salon. Sur le plateau est posé un coffret antique et usé de bois sombre, avec une serrure en fer. Elles sont installées l'une face à l'autre, entre elles le coffret qu'elles observent timidement. Maman lève enfin la main pour en essuyer une poussière invisible, l'ayant de toute évidence déjà épousseté avant de venir.

C'est grand-père qui l'a façonné et personne n'a jamais consulté les lettres, dit Maman pendant qu'Eyja allume une bougie. Elle est étonnée par l'expression solennelle de sa mère lorsqu'elles ouvrent la boîte et aperçoivent une pile épaisse de missives desséchées à l'écriture délicate. De la main de grand-père, dit Maman en soulevant une feuille pliée racornie. Elle l'étale et se met à lire, élevant entre elles ces phrases longtemps oubliées :

275

*Très chère amie de mon cœur...*

*... je te remercie pour ces fleurs et ces baisers. Je t'envoie quant à moi des bruyères et des œillets marins, qu'ils te transmettent mes maints baisers amoureux...*

*... je te promets une mèche pour lorsque mes cheveux auront repoussé, puis je t'enverrai un bouton-d'or de ta terre – je l'ai aperçu il y a quelques jours, j'irai le cueillir demain et le ferai sécher...*

*... je traçais alors ton prénom dans le sable...*

L'écriture est resserrée et, en bas, l'auteur de la lettre a placé une fleur séchée. Lorsqu'elles ouvrent de nouvelles missives, de nouvelles plantes apparaissent : des myosotis, des matricaires maritimes, du lichen d'Islande ; elles n'en connaissent pas tous les noms, savent simplement qu'elles sont apparues dans le comté d'Árnessýsla il y a une centaine d'années.

Il était si doux, grand-père, dit Maman, d'une voix elle aussi douce et grave. Ses yeux plongent au plus profond d'elle-même, quêteurs et distants, et Eyja comprend immédiatement que Maman a établi une connexion avec les cieux. Elle se penche en avant, le regard embrasé tandis qu'elle cueille en elle ces mots :

Je liais grand-père à tout ce qu'il y avait de bon dans la vie. Il avait les yeux les plus doux que j'aie jamais vus : sombres et pénétrants. Il exhalait une odeur de bonbons, il avait toujours des sucres d'orge rouges sur lui. Par beau temps, il partait de Reykjavík en vélo jusqu'à la vallée. Par mauvais temps, il prenait le bus. Invariablement tiré à quatre épingles, même en habit de tous les jours : salopette de nankin sous une veste en denim – un ouvrier élégant. Le dimanche, il était plus soigné : du tweed bien chaud.

Il m'offrait souvent des sucres d'orge, et un jour il m'a donné des Prince Polo dans un coffret – la version originale des barres de chocolat de la même marque –, explique Maman, sans qu'Eyja la comprenne vraiment, comme c'est si souvent le cas lorsqu'elle décrit le monde de son temps, mais elle s'imagine qu'elle parle du vieil emballage doré avec des étoiles – ce en quoi elle a tort.

Lorsque grand-père m'a donné un billet de cinq cents couronnes tout neuf, je l'ai dépensé jusqu'au dernier centime. Maman se tait et observe Eyja sans sourciller, puis elle répète qu'elle liait son grand-père à tout ce qu'il y avait de bon dans la vie. Même lorsque sa mère l'avait disputée d'avoir dépensé son billet jusqu'au dernier centime et qu'elle avait ravalé un sanglot, les lèvres pincées et la gorge endolorie.

Son grand-père savait également voler.

On avait inondé les prés, dit Maman, ni ma mère ni ma grand-mère ne s'y connaissaient assez en agriculture pour deviner pourquoi, mais en tout cas, lorsque l'eau a gelé, il a chaussé des patins à glace, s'est accroché une voile et a volé sur plusieurs kilomètres, le vent dans le dos.

Eyja se rappelle que grand-mère lui a raconté que son père aimait un peu trop l'alcool, un jour qu'elle se plaignait de la consommation de Maman. Grand-mère avait dit que sa mère commençait à s'inquiéter s'il passait trop de temps dans son atelier où il forgeait le métal et le marquait de sa patte artistique. Maman, elle, explique qu'il aimait bien boire un coup avec le pharmacien mais que cela ne gênait pas sa grand-mère – enfin, pas plus que ça.

Ce qui lui tapait le plus sur les nerfs, dit Maman, c'était les bonnes femmes qui se battaient pour étendre en premier leur linge le matin. Ça lui cachait le soleil. Leur chez-eux était si beau, quand bien même ils étaient pauvres, d'ailleurs grand-père s'était retrouvé un temps sans travail. Pendant la crise, ma chérie, il se rendait au port chaque jour à la recherche d'un emploi. Il se levait aux aurores et attendait.

Eyja contemplait souvent une photographie de lui sur la commode de grand-mère. Il était remarquablement beau avec ses cheveux bruns soigneusement coiffés et ses yeux exactement tels que Maman les décrit : pénétrants. Peut-être rêveurs, aussi – du moins écrivait-il des poèmes. Elle aurait aimé le connaître – il était mort avant sa naissance, une voiture l'avait renversé dès le lendemain du jour où il avait enfin arrêté de faire du vélo, pour apaiser ses proches.

Elle observe Maman qui communique à l'aide de sa connexion aux cieux, lumineuse et rouge – sans prévenir, elle s'est mise à écrire de manière automatique, griffonnant ces phrases qui lui échappent alors qu'elle est installée de l'autre côté de la table, une colonne blanche émanant de son crâne tandis qu'elle sirote son café whisky dans une transe distante.

Ensemble, elles trouvent l'histoire :

*Histoire d'une mère et de sa fille sur leurs ancêtres et le club d'occultisme du quartier Ouest :*

*Elle aimait tant son mari qu'elle lui donna trois filles, une par an. Il fut clair qu'elle ne pouvait vivre sans lui le jour où elle fit chauffer de la graisse dans une marmite, rue Bárugata. La graisse s'embrasa soudain et des flammes lumineuses s'échappèrent de la marmite. Elle se précipita jusqu'à la barrière du jardin et s'écria : Svenni, il y a le feu à la maison !*

*Peu importait qu'il se trouve à sa forge à Kópavogur. Il était toujours auprès d'elle, à sa manière, même après sa mort. Cet homme calme qu'elle avait épousé chez le maire, en dépit des modes de l'époque, et qu'elle aimait d'un amour fort, elle qui ne pouvait se trouver sous le même toit que L'Ile de Felsenbourg, de sorte qu'elle en eut un malaise lorsque son gendre autorisa sa petite-fille à lire ces boniments de pêcheurs obscènes sous prétexte qu'il valait mieux pour un enfant lire tout plutôt que rien.*

*Par certains aspects – pas par tous, mais certains – elle avait une dent contre son gendre. Il avait seize ans de plus que sa fille : Dame Joliette de France, comme elle l'appelait – son aînée. Celle-ci aurait pu trouver un prétendant bien plus attirant que cet écrivain d'âge mûr, quelque peu efféminé avec sa pudibonderie et son excentricité capricieuse. Pourtant, ses bouquins avaient été intégralement lus chez elle, parfois même à voix haute lorsque l'humeur s'y prêtait. C'était avant que son aînée aille s'enticher de lui – c'est une chose de lire un écrivain, c'en est une autre de le laisser multiplier le nombre de ses descendants.*

*Elle avait élevé ses filles dans l'espoir qu'elles deviennent de grandes dames. Elle leur faisait lire des livres dans d'autres langues, apprendre le piano et coudre des robes à la mode des magazines étrangers. Mais elle ne parvint pas à leur transmettre un intérêt pour les choses spirituelles. Dans son club d'occultisme, elle se réunissait avec deux femmes qui portaient le même prénom. Chacune avait épousé l'un de ses cousins et toutes trois vivaient dans le quartier Ouest, veuves sur la fin.*

*Sans doute désiraient-elles appeler leurs maris respectifs après qu'ils eurent perdu tout numéro où les joindre, comme si l'écriture automatique était le télégramme d'une autre dimension. Lors d'une de ces conversations, son regretté époux les informa qu'après Noël, le troisième mari* tirerait sa révérence ; le Noël en question fut célébré en grande pompe – quand bien même le patriarche se portait le mieux du monde, la mère avait reçu le message, qui se révéla juste.

Elles traînaient rarement entre les maisons de poupées de tôle ondulée du quartier Ouest avant de s'installer rue Bárugata. Là-bas, elles buvaient du café sucré et mangeaient des crêpes (avec dix œufs) enroulées autour de confiture à la rhubarbe et de crème – sans oublier quelques morceaux de suif de mouton, typique des fjords de l'Ouest, car discuter avec l'au-delà requérait de l'énergie. Mais on attendait probablement la fin des opérations pour boire.

Les amies chantaient des psaumes avant que celle qui avait la plus grande connexion aux cieux tombe un jour dans une transe et qu'une autre écrive à toute vitesse tout ce qu'elle grognait. Parfois, celle qui était en transe écrivait elle-même de manière automatique, comme si elle était la secrétaire privée des esprits. A leur façon, elles l'étaient toutes.

Elles vivaient dans un monde de fiction. C'est du moins l'avis de certains de leurs descendants, pendant que d'autres disent que les médiums étaient les psychanalystes de l'époque, que les vénérables clubs d'occultisme du quartier Ouest ressemblaient aux groupes de développement personnel d'aujourd'hui, dont les membres racontent ce qu'ils ont sur le cœur, protégés par une empathie céleste. Et peut-être – peut-être – les femmes étaient-elles esclaves du besoin de mettre des mots sur la réalité, et qu'elles le firent de manière si abondante qu'elles éveilleraient en leur arrière-petite-fille, un demi-siècle plus tard, le désir de faire la même chose. Afin de ne pas TOUT perdre, comme le bric-à-brac d'un foyer s'éparpille et s'évapore lorsque ses habitants décèdent. Non, TOUT vit dans les cahiers.

*Les opinions divergeaient dans le club d'occultisme, qui se référait sans cesse aux AUTRES. Les AUTRES étaient les voix de l'au-delà qui racontaient aux secrétaires les futurs mariages de leurs filles et les conseillaient au sujet de l'alcoolisme d'un proche. Il finirait par lâcher sa bouteille, disaient certains AUTRES, assura l'une d'elles pleine d'espoir – elle avait dû mal entendre, car d'autres AUTRES affirmaient qu'on l'enterrerait avec. Fut-ce le cas ? Dur à dire. Une chose est sûre, c'est que la boisson a causé des ennuis autant aux vivants qu'aux morts. Les descendantes y réfléchissent, mais leurs souvenirs sont poussiéreux et la suite s'est envolée à la disparition de certains cahiers, comme si des fantômes amoureux de ces écrits étaient venus les chercher à la tombée de la nuit.*

*Alors elles se contentent de raconter une histoire parmi d'autres : l'arrière-grand-mère appela ses âmes sœurs et leur ordonna de se dépêcher, car elle était en compagnie d'une médium d'Amérique – elles devaient vite les rejoindre avant que la femme ne tombe en transe !*

*Un léger sourire aux lèvres, les descendantes dégustent la brève histoire avec leur café et se remémorent celles qui ont disparu. A moins que ces dernières soient assises en quelque endroit mystérieux et leur soufflent leurs mots, de ce côté-ci de la frontière entre l'existence et la mort, à l'instar du grand-père littéraire qui avait pour habitude de dicter ses textes à la fille de l'arrière-grand-mère – qui dactylographiait si vite que les pensées de l'homme se firent siennes.*

Parfois, dit Eyja à Maman, elle a la sensation que les trois amies apparaissent lorsqu'elle parcourt Bárugata pour rentrer chez elle et qu'elle caresse du bout des doigts la vieille clôture en fer que son arrière-grand-père a fabriquée et que son arrière-grand-mère empoignait lorsqu'elle l'interpellait, sa voix portant sur des pâtés entiers de maisons, tandis que sur la graisse brillaient mille flammes. C'est ainsi, lorsqu'on a ce qu'il faut d'imagination, répond Maman avant de lever sa tasse en demandant à Eyja s'il ne lui reste pas un peu de ce délicieux cocktail caféiné.

# L'incontestable valeur de la répétition

La Reine du Ski raconte ses mésaventures de la nuit. Elle a pour sûr une histoire à partager, bien que ladite histoire contredise le récit de la famille Gustavson et des campeurs sur la propriétaire de Munkbysjön.

C'est quand même dingue qu'on ne puisse croiser une étrangère sans vouloir immédiatement la foutre à la porte, soupire-t-elle, accablée de tristesse.

Waouh, ça craint, bafouille Eyja, le cœur battant la chamade.

Ouais, ça craint ! Putain, ça craint, répète Rúna, les traits contractés d'émotion, avant d'ouvrir une canette de bière d'un coup vif en faisant mousser le contenu.

Bien, bien, ma chérie, ajoute-t-elle ensuite, suspicieusement enthousiaste, le travail ne va pas se faire tout seul !

Mais j'avais l'intention d'…

… d'écrire. Oui, oui. Quand on aura tout remis en ordre.

Quand ?

Il y en a pour deux jours tout au plus, si tu te bouges, ma chérie.

Et elles se mettent à ranger la maison de Rúna – le tour des autres chalets attendra le départ de la grande famille.

Appuie sur le champignon, chérie, si tu veux qu'on ait avancé avant la tombée de la nuit ! s'écrie Rúna.

Rien n'est jamais assez bien, quel que soit le nombre de fois où elle boit la tasse dans cette piscine sans fond. Le cœur de la rééducation, ou tout du moins de la répétition, n'a pas changé : il s'agit de comprendre qu'il faut toujours faire mieux, assène la Reine du Ski de sa voix chantante, et pour comprendre ça, il faut déprimer un bon coup face à sa propre médiocrité – et puis réessayer.

Eyja plonge la tête dans les toilettes et appuie sur la bouteille d'Ajax – de toutes ses forces, cette fois. Pourquoi est-elle sans nouvelles de lui ? Devrait-elle l'appeler ? Pour lui dire quoi ? Il veut qu'elle lui téléphone pour lui dire qu'elle l'aime. Mais elle en est incapable. Elle veut juste l'appeler pour se sentir mieux. Si elle s'exécute, il se moquera d'elle. Mais pourquoi n'a-t-il pas téléphoné ?

Non non non. *No comprendo nada*, l'ami ! s'écrie Rúna soudainement, si bien qu'Eyja et les garçons lèvent la tête de leurs tâches. *Du og din familia*, vous êtes qu'une *banda* de merdeux, je vais pas laisser passer ça, alors allonge la monnaie !

Eyja a beau avoir étudié plusieurs langues vivantes, le cocktail latino-scandinave de Rúna lui donne le vertige. A croire qu'elles sont prisonnières d'une planète peuplée d'insectes où les mêmes incidents et travaux sont condamnés à se répéter jour après jour.

Eyja jette un œil par la porte de la salle de bains, son chiffon en main, et aperçoit un homme bronzé en short et tee-shirt jaune. Il représente l'ensemble de sa famille et est venu annoncer qu'aucun d'entre eux ne compte payer pour la simple raison que la propriétaire des lieux a gâché la réception qu'ils avaient mis des mois à organiser.

*Jeg kom* juste… *for a little dance* ! siffle Rúna en agitant la tête de l'aspirateur sous le nez de l'homme.

Si vous appelez ça danser que de s'effondrer sur le buffet, répond l'homme sèchement, en suédois, avant de tourner les talons. Qu'elle n'hésite pas à appeler la police, la défie-t-il en s'éloignant. Son beau-frère travaille au commissariat du coin et l'a d'ailleurs averti au sujet de Rúna lorsqu'ils l'ont croisé sur la nationale la veille.

L'intéressée l'observe, bouche bée. Puis elle se retourne vers Eyja et demande : Tu as compris la dernière phrase ?

Eyja hésite avant de mentir : Non.

# Troisième étape
## de la rééducation, seconde partie :
## faire de son mieux
## (et retrouver au passage la femme en soi)

L'injustice de ce monde ne connaît aucune limite. Rúna a désormais été trahie à deux reprises et la méchanceté du Breidafjördur n'a jamais été aussi bien illustrée. Elle ne pige rien aux réponses de la standardiste du commissariat, encore moins les retours de l'agent de police la seule fois où elle est parvenue à en avoir un au téléphone après que la famille Gustavson a mis les voiles sans payer, et où elle a raccroché lorsqu'il lui a dit de ne pas occuper la ligne – on était à la recherche d'un ours agressif.

Elle est parfaitement impuissante face à la canaille nordique.

Le clan Gustavson échangeait des plaisanteries innocentes, au milieu de rires légers et insouciants, chargeant les bagages dans leurs Volvo Station Wagons, attachant leur progéniture sur les sièges arrière et se lançant des au revoir avant que les voitures quittent la cour au pas. Ils n'avaient pas daigné accorder un regard à Rúna, assise là sur la terrasse, le visage dissimulé par la visière de sa casquette.

Elle fumait et les observait, le coude appuyé sur ses jambes croisées. Remuait nerveusement son mollet musculeux.

Ils verraient bien que Rúna Sigurgrímsdóttir ne s'en laissait pas conter ainsi, surtout pas par une tribu de Scandinaves avec leur marmaille. Si ça continuait comme ça, elle serait connue dans toute la péninsule comme la femme qu'on pouvait gruger.

Les jours suivants, Eyja abat le ménage toute seule – il y a tant à faire entre la gestion des chalets d'été, du campement et bientôt de la colonie de vacances que Rúna a à peine le temps de penser. Elle n'a même pas pris une minute pour siroter une bière – non, quand la situation est telle, mieux vaut s'en tenir au café.

Eyja s'apprête à apporter la touche finale au dernier chalet, le troisième jour, lorsque Rúna apparaît en peignoir d'hôtel blanc, les cheveux enroulés dans une serviette rose. Elle semble étonnamment sereine mais inspecte les quartiers comme un ingénieur en chef qui rechigne à accorder son feu vert à une fusée.

Enfin, dit-elle au prix d'un grand effort.

Eyja sent son cœur se délester. Le sentiment de légèreté qui l'étreint est indescriptible lorsque Rúna ajoute : Finalement, t'es peut-être pas un cas désespéré.

Tu crois ?

Je vais pouvoir dire sans crainte à ta grand-mère que tu progresses dans la tenue d'un ménage, dit Rúna, étonnamment bienveillante, avant de regarder Eyja avec tant d'amour que cette dernière la fuit des yeux.

Merci, répond-elle, baissant la tête, timide.

Pas besoin de me remercier, dit Rúna, du moins pas tout de suite. Mais excuse-moi.

T'excuser ? lance Eyja, à tel point étourdie d'émotion qu'elle a envie de disparaître sous terre.

Ouais, excuse mon barouf, là, l'autre jour, quand l'autre con est venu, explique Rúna en enfournant un chewing-gum dans sa bouche. J'étais déçue. Je ne m'attendais pas à... un tel comportement après tout ce qu'on avait fait pour ces gens.

On ?

Oui, on, mâchonne-t-elle. Tu t'es débrouillée comme un chef, à nettoyer tout ça *prestissimo*. Aussi bien avant qu'après leur visite. Le même bourreau de travail que moi, tu vois.

D'accord, si tu le crois vraiment.

Imagine ! soupire Rúna. Ces types-là se croient tellement au-dessus de tout le monde qu'ils se contrefoutent qu'on ait dû tout récurer à deux reprises.

Oui, pas faux, dit Eyja en relevant les yeux de son imposante poitrine qui ne semble en rien diminuer bien qu'elle tente de se cantonner à quelques biscottes suédoises avec du fromage à l'ail.

Rúna n'a pas tort. Elles s'étaient acharnées à la tâche sans recevoir la moindre couronne en retour, simplement parce que quelqu'un était rentré un peu brutalement dans le buffet de fruits de mer qui avait commencé depuis longtemps à refouler dans la chaleur nocturne. Les Gustavson avaient peut-être leurs principes, mais c'était loin d'être justifié, songe Eyja en prenant le risque de jeter de l'huile sur le feu et de partager ces pensées avec Rúna. Les flammes ne s'embrasent pas davantage. Rúna approuve de tout cœur les mots d'Eyja et sourit à son alliée avant d'affirmer, hautement satisfaite de sa propre éloquence, que la chicane devrait être punie par la loi.

Ne voulant pas gâcher son bonheur, Eyja ravale son envie de lui demander si cela vaut aussi pour le ménage lorsque Rúna souffle : Nous voilà, deux FEMMES innocentes, et c'est comme si on venait de nous violer !

Un sentiment d'exultation remonte le long de la colonne vertébrale d'Eyja. Elle n'est plus une fillette qui ne sait pas faire le ménage. Elle est une FEMME qui a accompli son devoir et nettoyé ni plus ni moins que six chalets de vacances avec tant d'ardeur que la superfemme bouillonnante de vie face à elle la regarde fièrement, comme une amie, presque une confidente.

Devrait-elle saisir l'occasion et demander si le Coup de Vent a téléphoné ? Elle n'en a pas le temps, car Rúna inspire profondément et dit : Maintenant, je crois que le moment est venu de faire quelque chose pour toi. On a toutes les deux bien mérité de s'éclater un peu après tout le mal qu'on s'est donné.

## Quatrième étape de la rééducation : préparation d'un jeune poète à l'autocritique

Assise sur la jetée, elle fume. Les hormones du bien-être s'écoulent dans son corps, comme si elle venait de donner naissance, songe-t-elle sans connaître le moins du monde cette expérience ultime de la féminité. Le soleil vespéral danse dans ses yeux. A cet instant, la vie est trop belle pour qu'elle s'imagine que l'ours peut apparaître. Les oiseaux filent en frôlant la surface du lac. Et le meilleur pour la fin : Rúna a demandé à entendre des extraits de son roman.

Quelle précieuse merveille que cette femme ! Personne, excepté grand-mère, ne lui a jamais réclamé une telle chose. Elle a parfois supplié le Coup de Vent de l'écouter en le soudoyant avec un hamburger ou un café frais. Mais qu'un individu qui n'est pas sa grand-mère la prie spontanément de lui réciter ses mots, à voix haute, c'était inespéré.

Elle écrase sa cigarette et remonte la prairie en direction du feu de camp que Rúna et les garçons ont allumé. Ils l'attendent, tout sourires, armés de marshmallows, de soda et de deux bouteilles de vin blanc sorties du frigo, son manuscrit en une pile bien rangée sur un plaid à carreaux.

Bieeeen le bonsoir, veuillez vous asseoir, ma Poétesse ! s'exclame Rúna avant de demander si elle peut lui offrir quelque chose à boire. Par exemple, un Coca *on the rocks* – oui, ou du vin blanc ! Eyja accepte le vin, au goût amer après le premier marshmallow. Le sourire au visage des garçons, lui, est tout doux. Elle est à deux doigts de sentir le trac monter – mais Rúna prend les rênes un moment et dit : Bien, bien, Eyja va maintenant lire pour nous. Alors, motus et bouche cousue. Sinon, c'est mon pied au cul !

Le feu crépite contre le ciel orangé. Les garçons enfilent les marshmallows sur des brochettes qu'ils échangent bientôt contre des fines branches pour aiguiser le sentiment d'aventure. Ils se prennent à rêver de faire griller un de ces nombreux crapauds qui coassent au bord de l'eau, puis évitent d'ouvrir la bouche car Rúna ferme les paupières, parée à l'écoute.

Eyja commence à lire. Elle fait claquer ses phrases. S'essaie à diverses tonalités. Lève les yeux sur son auditoire pour observer la réaction à ses mots. Sent la chaleur monter en elle en constatant qu'ils ont pénétré dans son monde, rêveurs comme des enfants à l'heure de la lecture.

Ils ressentent l'histoire qui émane de sa plume.

Un long moment, on n'entend rien d'autre que le crépitement du feu. Elle a terminé le premier chapitre. D'abord enfiévrée, soudain horrifiée. Qu'est-ce que c'est que ça ? Elle scrute la feuille comme une femme de ménage observe une maison qui vient d'être nettoyée.

C'est comme si elle voyait son texte pour la première fois. Le chapitre est rempli de fautes d'orthographe et de solécismes, de phrases incohérentes, d'expressions décousues, de contradictions et le pire : de pensées confuses qu'elle-même ne comprend pas.

Comment a-t-elle pu passer à côté pendant tout ce temps ? Son récit lui rappelle le fond de la douche dans son premier chalet avant que Rúna ne lui conseille d'utiliser de l'Ajax et une éponge dure plutôt qu'un torchon : sale, couvert de taches laides et bouché tout comme l'évacuation, tartinée de poils pubiens et de grumeaux de shampooing.

Etait-il possible qu'elle ait... bâclé son travail ? Elle vide son verre de vin d'un coup et le remplit, confuse. Si elle ne peut pas faire mieux que cela, autant s'en tenir au ménage. Elle devrait être au point, ou du moins proche du but.

Son auditoire, lui, est bien plus conciliant envers le texte. La Reine du Ski sourit jusqu'aux oreilles en ouvrant une nouvelle bouteille de vin, ayant suffisamment aidé à reconstruire Eyja pour que cette dernière parvienne à se briser d'elle-même.

La suite ! s'exclame le petit brun tandis que le petit blond se serre contre elle et lui demande si elle pourra lui offrir un exemplaire lorsque le livre sortira et en embrasser la première page avec du rouge à lèvres rose. Sa mère éclate d'un rire rauque, sirote une gorgée de vin et ébouriffe la tête du garçon. Elle regarde son fils les yeux remplis d'un tel amour maternel qu'Eyja est prise d'une nostalgie soudaine à l'égard de Maman. Pourquoi Maman n'a-t-elle pas un gentil mari comme Rúna ? Elle aurait pu rencontrer l'homme idéal et voyager avec lui aux quatre coins du monde, à l'instar de Rúna avec son époux lorsqu'elle n'est pas occupée à acheter des terrains ou à grimper sur des glaciers.

Certes, Maman était partie en virée avec Ken quand ils rendirent visite à Eyja dans les fjords de l'Ouest. Eyja se rappelle l'instant où elle était sortie du taxi. Maman ! En larmes tandis qu'elle réglait la note de Hrói, le chauffeur au volant de sa vieille Benz. Dans un film auquel elle n'appartenait pas. Les ruines en arrière-plan tandis qu'elle s'écriait : « Dame Joliette de France ! » et agitait la main, extatique à l'idée de revoir sa fille. Etrangement, sa mère lui semblait être une inconnue, ou bien était-ce la fille qui était une étrangère pour sa mère ?

Là, devant l'immeuble fatigué couleur vert pastel, en bottes blanches et vêtements de travail, trois sacs de la coopérative dans les mains. Après avoir acheté tout ce qu'il y avait de meilleur au magasin et avoir récuré des jours durant.

Salut, balbutia-t-elle lorsque sa mère lui sauta au cou. Le voyage s'est bien passé ?

L'étreinte enthousiaste fut un instant l'unique réponse. Enfin, Maman soupira : Splendidement ! En un mot : splendidement, Dame Joliette de France. Doux Jésus, qu'il est bon d'être arrivée chez toi. Sa voix chantante éclata, sanglot et rire se mêlèrent dans un son unique lorsqu'elle posa les mains sur les épaules de sa fille, s'inclinant en arrière, incrédule. Elle sourit et jeta un œil à l'immeuble ; fronça les sourcils sans s'en rendre compte avant de se reprendre et de demander : C'est ici que tu vis ?

Oui, dit Eyja. Nous habitons ici.

Toi et… lui ?

Oui.

Quand le verrai-je ?

Bientôt, balbutia Eyja, ne sachant pas si le Coup de Vent dormait ou s'il était allé traîner au hangar à appâts après qu'elle se fut rendue à l'usine de congélation. Elle s'empressa d'ouvrir la porte de l'immeuble, nerveuse lorsqu'elle sentit que, malgré le nettoyage acharné de ces derniers jours, l'appartement avait encore l'odeur de bar des derniers mois et des chatons récemment venus au monde – et les effluves de pisse qui allaient avec. Elle aurait dû acheter des bougies parfumées. Mais Maman ne dit rien excepté : Oh, mais c'est fabuleusement beau ! J'ignorais que tu étais si bien installée !

# Ken et Barbie dans les fjords

Maman lâcha qu'il était rare de trouver une personne au goût aussi sûr que sa fille. Eyja avale le compliment à grandes goulées comme un agneau en train de téter. Oui, c'était bel et bien son foyer. Qu'elle avait elle-même érigé – d'une certaine manière. Elle avait jeté les canettes de bière vides, empoté des fleurs sur le rebord de la fenêtre, aspiré le canapé, acheté à la coopérative une nappe en plastique à mettre sur la table de la cuisine et disposé des fruits dans une corbeille. Elle n'avait pas pu faire grand-chose pour les rideaux poussiéreux du salon à part éteindre le plafonnier ; elle avait résolu le problème de la machine à laver en panne en empilant le linge sale dans un placard. La chambre d'amis, elle, était parfaite : le lit était fait au carré avec des draps neufs de la coopérative, *L'Idiot* sur la table de chevet.

Sympa, ton appart', commenta Ken d'un ton joyeux et gêné. Il observa le canapé usé jusqu'à la moelle et la table basse maculée de taches avant de lever les yeux vers l'étagère murale. Y étaient entreposés deux albums photos, un tas d'outils poussiéreux, le livre *La Vie passionnée de Vincent Van Gogh* et des galets qui avaient eu meilleure allure sur la plage humide.

Ken resta à regarder l'étagère sans un mot. Prétendit être aspiré par l'image suspendue au-dessus du canapé :

un dessin au stylo-bille d'une femme nue, un serpent entre les cuisses et des diablotins dans les cheveux. Marrant, ce dessin ! dit-il.

Oui, hoqueta la mère d'Eyja. Vraiment marrant, ah !

Eyja demeura les yeux rivés sur Ken, cet homme placide qui n'avait besoin que de quelques gorgées pour faire ressortir le diable en lui.

Elle n'avait même pas pensé qu'il puisse avoir ses propres goûts, à vrai dire. Il trouvait leur salon sympa, naturellement, vu qu'un cadre était accroché au-dessus du canapé.

Très pragmatique, Ken avait son opinion de ce qu'il convenait d'appeler normal. Si le cadre du salon était à sa place, Ken était content. De même que si on lui servait de la viande et des pommes de terre et qu'on l'invitait à s'affaler dans le canapé pour regarder les infos, sa chemise froissée rentrée dans son jean, les manches retroussées et sentant l'adoucissant, comme ses chaussettes blanches. Il portait toujours des chaussettes blanches. Même quand il enfilait le peignoir éponge de Maman et qu'il avait éteint la télévision pour mettre Enya. Lorsqu'il grimpait sur le toit nu comme un ver et s'y tenait tout droit, les chaussettes blanches prenaient une teinte grise dans la neige épaisse. Il ne sentait pas le froid, dans le plus simple appareil avec ses chaussettes de tennis, et se tambourinait le torse afin que tous en ce monde éclairé par les étoiles sachent qu'il était Tarzan. Tous : Maman et la petite sœur.

A cette époque, Eyja avait déménagé. Vagabondant depuis qu'elle avait quinze ans, ayant emménagé plusieurs fois dans la capitale et puis dans l'Ouest et puis de nouveau dans la capitale et puis encore dans l'Ouest avec une halte occasionnelle chez Maman ou grand-mère. Mais les deux benjamines demeuraient à la maison qui était si normale qu'elles étaient forcées de chuchoter quand Ken faisait son petit somme de l'après-midi et ne devaient surtout pas se resservir dans le plat parce que Ken voudrait peut-être une nouvelle portion et ne surtout pas mettre une cassette vidéo parce que Ken voudrait peut-être regarder la télévision. Peut-être désirait-il tout autre chose mais ne savait-il pas comment le dire ? Il se montrait si aimable et serviable quand il était sobre. Maman l'avait rencontré chez des amis. Difficile de résister à son sourire Colgate, à sa tignasse dorée et à son beau parler... En fait, elle avait juste voulu s'échapper de la maison pendant que les trois aînés s'occupaient de la petite, et s'était empressée de se servir un verre pour ne pas trop penser à eux.

Une mère célibataire devait bien glousser et flirter de temps en temps pour ne pas perdre la raison. Il fallait qu'elle oublie un peu sa progéniture : l'aînée, étrange cocktail de puberté et d'épilepsie, l'enfant désirée qui se consolait aux narcotiques et finit par faire un choc anaphylactique, le prince arrivé par surprise qui souffrait de crises migraineuses et finit par aller vivre avec son père, et enfin la petite dernière, chez qui on avait diagnostiqué une maladie rare des os.

Eyja connaissait assez Maman pour savoir qu'elle trouvait Ken attendrissant quand il ne comprenait pas ses plaisanteries. Et puis, il était bon de se reposer entre ses bras puissants et de regarder ce visage joliment modelé de dieu grec. Elle cuisina du bœuf Stroganoff avec des feuilles de laurier le jour où il emménagea, prêt à la sauver du directeur de banque. Le ventre plein à craquer, il fit son petit nid dans ce foyer marqué par les épreuves qu'avait traversées la maîtresse des lieux. Il comptait deux bâtiments : une maison en bois vert brun, que le biologiste avait construite à la période hippie, et l'extension, un bloc de

pierre couleur glace, que le producteur de cinéma allemand fit ériger et qui eut son rôle dans la banqueroute,
grâce à la signature hâtive d'une lettre de change cinématographique. Au premier regard, la maison semblait ainsi
séparée en deux mondes irréductibles.

Elle fit des stocks d'adoucissant pour les jeans de Ken
en même temps qu'elle jeta les vieilles chemises Boss du
producteur, et elle sourit lorsqu'elle se rappela avoir
plaisanté avec l'Enfant de la République quelques mois
auparavant, affirmant que le moment était venu de
publier une petite annonce : Mère de quatre enfants
dans la mouise cherche homme financièrement bien
pourvu.

Le Coup de Vent en imposait lorsqu'il apparut dans le
salon. Maman et lui échangèrent un coup d'œil. Aucun
d'eux né d'hier. Il vit une belle femme. Au nez noble et
aux lèvres bien proportionnées lui donnant un air particulièrement sympathique. Le regard fort, taquin, impré-
gné de lumière.
Elle vit elle aussi un homme beau, mais de façon
rustre. Le regard empreint d'ambiguïté. La bouche mar-
quée d'un sourire permanent. Les cheveux emmêlés. La
peau parsemée de taches rouges après l'hiver. Il émanait
de lui une vibration si masculine que Ken en eut les
genoux affaiblis.
Bonjour, dit Ken, d'une voix tendue, mais le Coup de
Vent ne lui prêta pour ainsi dire pas attention. Il se
contenta de hocher la tête sans quitter Maman des yeux.
Leurs iris à tous les deux scintillèrent lorsqu'ils se saluè-
rent.
Salut ! dit Maman, d'une voix plus neutre et légèrement plus joyeuse.

Salut, grogna le Coup de Vent, mielleux. Alors, c'est toi la vieille belle-mère ?

Eh oui, la voilà, dit Maman dans un gloussement typique de son indéfectible autodérision, celle-là même qu'elle avait ingurgitée avec le lait maternel – ou plutôt le biberon de lait de vache.

Un quart d'heure plus tard, ils trinquaient au vin rouge, que le Coup de Vent appelait le lait du vieillard, ne portant pas le moindre intérêt à Ken qui lisait l'étiquette de la bouteille à voix haute. Après tout, c'était un des meilleurs vins disponibles au magasin de spiritueux de Reykjavík, et qui portait l'appellation d'une région viticole réputée en Argentine.

Eyja le but rapidement et s'en délecta. Contrairement aux autres qui trinquaient en espérant que quelqu'un suggérerait bientôt de passer à quelque chose de plus fort. Elle les regarda à tour de rôle, remplit son verre et eut la sensation de jeter des bonbons à des gamins de maternelle lorsqu'elle leur demanda si elle pouvait leur offrir un apéritif.

Gin tonic pour moi, dit Maman, rayonnante.

Pour moi aussi, ajouta Ken avant d'enlacer Maman car elle était soudain si sexy qu'il ne pouvait se refréner.

Pareil, ricana le Coup de Vent, le même sourire bienveillant collé au visage, sans lâcher Maman des yeux. Et fais gaffe de bien mettre plus de gin que de tonic !

Les deux autres hochèrent la tête en riant, Maman d'humeur joyeuse dans les bras de Ken. Eyja sourit, jetant un regard au Coup de Vent, heureuse d'avoir une si bonne mère et un petit ami si délicieux. Elle eut une tendresse soudaine pour Ken, à tel point qu'elle ne comprenait plus pourquoi elle l'avait surnommé Ken. Cela lui faisait tellement plaisir qu'il soit là. Il tenait Maman tout contre lui et ses yeux respiraient l'amour. Tout le monde aimait Maman. Eyja elle aussi, et à présent Maman était là... et... elle but encore une gorgée de vin et demanda : Maman, ça te dirait de nous préparer tes spaghettis après ? Et ta salade de tomates et ton huile aillée et...

Ta mère a tout ce qu'il faut, annonça Ken d'un ton amical avant de lui lancer un clin d'œil paternel, comme s'ils avaient vécu ensemble pendant vingt ans. Elle a de quoi tenir un vrai dîner de gala dans ses bagages, ajouta-t-il en la serrant plus fort, encore surpris qu'un tel rat de bibliothèque lui ait mis le grappin dessus – lui, un homme qui ne lisait pas, en dehors d'un manuel de développement personnel de temps en temps qu'il appelait essai philosophique et pour la lecture duquel il requérait le calme total à la maison.

Hemingway, ouais, Hemingway, chantonna le Coup de Vent, pipe en bouche. Il lisait ceci ou cela – il disait trouver ça douillet, de lire. Par tempête, en mer, il en avait parfois le temps, habitué à emporter lors de ses rondes une caisse de bouquins ; certains membres de l'équipage, qui avaient lu tout le stock, en apprenaient par cœur les pages avant de les réciter à qui voulait bien les entendre une fois arrivés à terre.

Ouais ! Si ça, ce n'est pas dévorer des livres, alors Ken ne savait pas ce que c'était ! Maman rit du mot de son homme, parfaitement heureuse lorsqu'elle se glissa dans la cuisine pour faire renaître les souvenirs d'enfance de sa fille.

Au plus fort de la félicité, le Coup de Vent laissa échapper qu'il n'avait jamais vu l'appartement aussi beau. En un claquement de doigts, Maman avait étalé la nappe à carreaux sur la table de la cuisine, allumé des bougies et aligné les salades dans toutes sortes de plats qui avaient eu l'air de vieilleries dans leur placard et que l'on aurait pu désormais qualifier de nobles antiquités.

On dégusta des spaghettis. Les meilleurs spaghettis que le Coup de Vent ait jamais goûtés. Et on trinqua au gin. Puis au White Russian, car Ken avait envie d'en préparer. Il avait commencé à neiger. Des flocons printaniers frappaient la fenêtre de la cuisine, mais ils ne se laissèrent pas abattre pour autant ; ils entonnèrent « Guantanamera », venus dans l'Ouest prendre du bon temps et rattraper celui qui était perdu.

Ils continuèrent de grignoter des rondelles de tomates pour accompagner leurs boissons, longtemps après que les spaghettis furent terminés ; chantèrent encore « Guantanamera », et puis de vieilles comptines islandaises.

Ensuite, mère et fille trottèrent avec leurs surhommes sous la tempête de neige jusqu'au pub du port où Ken fit tourner Enya en boucle toute la soirée. Il n'en croyait pas sa chance. Si heureux que, soudain, cinquante personnes l'applaudissent, lui l'homme qui avait payé un verre à tous les clients, sans exception. White Russian pour l'assemblée !

Tralalalalala.

Maman et Ken dansèrent et s'embrassèrent et Ken était à deux doigts d'offrir une nouvelle tournée – peut-être de Martini Bianco, cette fois, hein ? – quand un groupe d'emmerdeurs décidèrent qu'ils avaient eu leur dose d'Enya, et peu importait qu'il mette leur boisson sur son compte, non, soit on la faisait taire sur-le-champ soit…

Ken plissa les yeux, stupéfait par la mauvaise humeur des gens, et remua le poing innocemment – pas habitué à ce que son interlocuteur ait du répondant, lui qui ne sortait que pour le pot de Noël de sa start-up à Reykjavík. Cela aurait pu mal finir si le Coup de Vent ne s'était pas rapidement interposé.

Quelqu'un avait murmuré à Eyja que le Coup de Vent n'avait pas hérité de ce surnom en raison de ses marathons mais parce qu'il était aussi vif et froid que le vent du nord lorsqu'il s'agissait des rixes de bars. Il ne se montra cependant pas froid à cet instant, songea Eyja. Non, le Coup de Vent était chaud. L'instinct maternel s'alluma en lui au moment où il supplia son beau-beau-père de rentrer – la testostérone des clients commençait à avoir raison de leur patience à l'égard d'Enya.

Les deux hommes disparurent dans la nuit. Eyja resta assise un moment avec Maman et une blonde bavarde dans la cinquantaine.

Cette dernière était originaire de Raufarhöfn et récemment divorcée, comme elle l'expliqua – elle arborait une permanente toute fraîche et un fard à paupières violet. Elle avait un rire saccadé et parlait tant de divorce et de vieux beaux avec Maman qu'Eyja se sentit immédiatement rejetée.

Dans sa confusion, elle alla commander trois orgasmes et pria les deux femmes de trinquer avec elle. La divorcée avala le shooter et demanda aussitôt à Eyja une nouvelle tournée. Oui, trois autres, mets-les sur mon compte ! s'écria Eyja.

Elle avait envie de boire. Et de boire encore. De boire jusqu'à battre Maman à plate couture.

Tout à fait, oui ! Elle le ferait, elle boirait plus qu'elle. C'en serait trop pour Maman, enfin. Alors elle supplierait Eyja d'arrêter. Eyja la fixerait, aussi malicieuse qu'elle au cinquième verre. L'ironie charmeuse dans les yeux sombres. Maman se mettrait à hurler : Arrête arrête arrête ! Mais Eyja continuerait de boire. Boire boire boire. S'enfiler orgasme après orgasme.

Voyons, calme-toi, ma petite Eyja, nous sommes en train de discuter, dit sa mère.

Je suis en train de boire ! hoqueta Eyja.

Arrête de chercher à attirer l'attention comme ça, ma chérie. Je parle avec… comment tu t'appelles, déjà ?

Dóda.

Oui, Dóda, suis-je bête. Cette chère Dóda est vraiment marrante, ma petite Eyja. Ecoute donc ce qu'elle a à dire sur la prétention des Nordistes…

Maman !

Ecoute-la, ma chérie. Ton père et toi n'êtes pas du Nord pour rien.

Maman, je te parle !

Quoi ?

Tu as déjà eu un orgasme ?

Ce truc pâteux que tu as commandé ? Non, va plutôt me chercher un Campari.

Je parle d'orgasme. Tu as déjà eu un orgasme ? Avec Ken. Ou quelqu'un d'autre ?

Maman se figea. Eyja sourit.

Savoura l'instant comme le goût crémeux du White Russian. Se pencha par-dessus la table, sérieuse lorsqu'elle murmura : Moi, j'ai eu plein d'orgasmes. Souvent. Même plusieurs fois par jour. C'est pour ça que je vis avec le Coup de Vent.

Je crois qu'il est temps de rentrer, ma petite Eyja. Ça suffit pour ce soir, dit Maman d'une voix stridente. Eyja la regarda d'un air victorieux.

Vous voulez pas parler d'orgasme ? lança-t-elle dans un ricanement avant de finir le verre de sa mère. C'est parce que vous avez la quarantaine ? J'ai lu ça. Les femmes de quarante ans simulent et refusent de parler d'orgasme et de tout, quoi. De tout !

Maman se tourna vers la divorcée de Raufarhöfn l'expression contrite, horrifiée et honteuse, mais l'intéressée avait déjà revêtu le masque de l'honnêteté lorsqu'elle murmura, solennelle : C'est vrai, c'est tellement vrai. Kjartan Björn, vous savez, mon ex – c'est comme ça que disent les jeunes, non ? –, il a jamais été capable de me faire jouir...

Eyja grimaça. Ce n'était pas l'amusement qu'elle avait cherché, mais elle se ressaisit à la seconde où Maman l'interpella : Ça suffit. J'ai pas l'intention d'aller babiller sur l'orgasme. Où est mon mari ?

T'occupe pas de lui ! hoqueta l'ex-miss Raufarhöfn. Ta fille a tout à fait raison. En ce qui me concerne, peu importe combien Kjartan Björn essayait de stimuler mon... mon espace privé, là en bas, il caressait et pilonnait mais ne voulait jamais jouer de la langue, alors je...

Où est mon mari ? répéta Maman en tournant sur elle-même. Lorsque la seule réponse fut la chanson « Stál og hnífur » de Bubbi Morthens, elle hurla : Il est parti ? Où est-il parti ? Quelqu'un veut bien me le dire ? Qu'est-ce que ça signifie, quand on a fait tout ce chemin pour venir voir sa fille et que...

Mais Eyja n'entendait plus. Elle avait roulé sous la table et s'était endormie, un sourire doucereux aux lèvres. A l'image de l'enfant que Maman avait un jour connue.

# Cinquième étape de la rééducation : apprentissage

Les femmes dans la cinquantaine, et surtout les mères célibataires, ont en tête une certitude sur un sujet tabou inconnu à toute autre personne, songe Eyja après une vie entière avec Maman et quelques jours de cohabitation avec la Reine du Ski.

On a un aperçu de ce mystère si une femme de ce genre vous envoie un paquet pour Noël contenant un peignoir en soie de Chine, une bouteille de vin rouge dans une chaussette aux couleurs de Noël (sciemment) miteuse, un jeu de tarots et *Madame Bovary*.

Car ces femmes-là ont fait l'amour pendant presque trente ans, participé à d'innombrables dégustations de vin rouge, décoré et cuisiné pour Noël, perdu la foi en Noël et retrouvé le plaisir de prendre du bon temps, à leur manière, avec un livre usé, comme *Madame Bovary* ; elles ont joué cartes sur table, encore et encore, avec leurs maris, avec les employés de banque, avec leurs enfants. Si la chatte a neuf vies, la mère célibataire en possède dix.

Rúna est de ces femmes, bien qu'elle ait un gentil mari aujourd'hui. Et bien qu'elle préfère le blanc au rouge et s'amputerait la jambe droite plutôt que de lire *Madame Bovary*.

L'occulte brille dans ses yeux à la lumière du feu. Celui-ci s'affaiblit peu à peu mais regagne en puissance d'un coup lorsque Rúna se tourne vers Eyja et regarde en elle. Puis elle dit, la bouche pâteuse : Tu ne fais que commencer, chérie.

Comment ça ? demande Eyja, engourdie et somnolente. Plus elle boit, plus les mots sur la feuille lui paraissent affreux ; elle s'embourbe dans ses phrases bancales, prisonnière, sans entrevoir l'ombre d'une sortie de secours.

Ben... tout le tintouin, répond Rúna en versant du vin dans leurs deux verres. Si seulement tu arrêtais de penser à cet homme, le reste marcherait beaucoup mieux.

Tu crois ?

Une lueur d'espoir dans le regard lorsque Eyja lève les yeux sur elle, reposant son manuscrit.

Rúna sourit, assurée. J'étais jeune et stupide comme toi, dit-elle, quand j'ai rencontré un homme à qui j'ai tout donné. Peu importe combien il buvait et devenait mauvais.

Elle se tait, joue délicatement avec les cheveux de son fils, à demi endormi sur l'épaule de son ami, puis allume une cigarette. Elle aspire la fumée et la mystérieuse certitude devient plus profonde, plus diabolique. Elle laisse échapper une volute. Dit : Tu sais quoi ?

Non.

Quand je suis partie. Enfin. Il ne lui a fallu que quelques jours pour s'en trouver une nouvelle.

Ouais, OK !

Pas d'OK ici, ma chérie. Je lui avais tout donné, moi aussi. J'avais cru à ses enfantillages, quand il disait qu'il mourrait sans moi. Il est toujours bien vivant, ce sale merdeux.

Oui, O… Eyja se tait. Rúna rit face à sa gêne avant d'aspirer une nouvelle bouffée, mystique, et ajoute qu'il a même rajeuni. Ce genre d'hommes part toujours à la quête de femmes innocentes.

Oui.

Qui souffrent de mégalomanie, tu vois. Ces femmes. Parce que, naturellement, ce n'est rien d'autre que de la mégalomanie, de se croire capable de sauver toute une vie par sa simple présence.

Oui.

Mais ça prend parfois du temps, de piger ça. Tu vois ?

Oui.

OUI OUI OUI ! Putain, ce que tu peux être bête ! s'exclame Rúna dans un rire en ébouriffant les cheveux d'Eyja. Hein ? Tu bats des records ! Même moi, j'étais pas aussi stupide… Enfin, je crois.

Et Rúna continue de jouer avec sa cigarette. Mystérieuse et, quelque part, seule. Songe Eyja. Sa clope entre les lèvres et les clés du minibus accrochées à la ficelle de sa culotte. Ses puissantes cuisses de footballeuse qui apparaissent sous l'ourlet de sa jupe. Elle ne sait pas se tenir en robe, bien qu'elle ait envie de s'habiller en accord avec l'été suédois. A-t-elle déjà eu un orgasme ?

Eyja a terriblement envie de le lui demander mais elle sait que c'est impossible. Car Rúna est comme Maman. Elles claironnent et ironisent chaque jour ; pourtant, si une jeune fille en sous-vêtements vient à se glisser à côté d'elles pour se tartiner une tranche de pain, elles rougissent comme des communiantes et murmurent que les gens ne devraient pas exhiber leurs cuisses de la sorte, à moins de vouloir à tout prix se faire violer. Un instant plus tard, elles s'emploient à ce que la même jeune fille ait en sa possession un bikini et une crème à la carotte pour ne pas avoir l'air d'une mère-la-vertu.

Ta grand-mère a téléphoné pendant que tu étais partie nager, dit Rúna en tisonnant le feu à l'aide d'une branche.

Ah bon ?

Je lui ai promis que tu la rappellerais, et puis j'ai oublié. Excuse-moi. Tu pourras toujours le faire demain.

OK. Elle a dit quelque chose ?

Elle t'embrassait juste de tout son cœur. Elle a demandé si tu avais commencé à perdre du poids.

Tu as répondu quoi ?

Je lui ai dit que si c'était le cas, ça se voyait pas, réplique Rúna dans un éclat de rire avant de faire un clin d'œil à Eyja. Mais ça ne fait pas longtemps qu'on est là.

Oui, acquiesce Eyja, désespérée, avant de prendre son courage à deux mains et de demander : Et le Coup de Vent ? A-t-il…

Rúna lui coupe la parole : Elle a aussi voulu savoir si tu avais arrêté de penser à ton homme.

Et tu lui as dit quoi ?

Qu'il me semblait que tu t'étais calmée à ce sujet. N'est-ce pas ?

Oui, si, si.

Hein ?

Oui, je crois, dit Eyja, surprise de constater à quel point elle réussit à ravaler sa personnalité en présence de Rúna, surtout quelques petites heures après que cette dernière a loué sa détermination de femme.

Rúna l'observe attentivement. Ta grand-mère n'avait pas de nouvelles de ta mère et ça l'inquiétait. Elle disait avoir tenté de la joindre plusieurs fois depuis ton départ, mais qu'elle répondait rarement ou qu'elle était trop occupée pour lui parler.

C'est toujours comme ça.

Comment ?

Ben… Maman. Elle peut être vraiment dure avec grand-mère. Je ne comprends pas pourquoi. Grand-mère fait de son mieux pour nous aider, tous autant que nous sommes.

Rúna écrase sa cigarette. Peut-être qu'elle veut trop bien faire, dit-elle en regardant Eyja, l'expression neutre.

C'est pas possible, rétorque celle-ci en se penchant pour attraper la branche qu'utilisait Rúna pour tisonner le feu. Elle redistribue à son tour les braises et des cendres viennent leur voler sous le nez.

Eh, fais gaffe, gamine !

T'inquiète pas, répond Eyja, forte d'une soudaine obstination. Je trouve juste bête que Maman soit toujours furieuse contre elle. Grand-mère ne peut rien dire sans qu'elle s'emporte.

Cesse donc tes jérémiades, dit Rúna d'un ton bienveillant. Prends plutôt une clope. Tiens !

Eyja la regarde, surprise, et accepte la cigarette qu'elle approche du feu. Elle la porte à ses lèvres et aspire profondément une volute de fumée. Le goût de la cigarette, l'odeur des braises et la nuit d'été limpide la remplissent d'une agréable torpeur, malgré le sujet de conversation.

Rúna l'examine. Elle hausse les sourcils, louchant presque dans sa candeur en disant : Ma petite Eyja, notre mère, c'est notre mère. Une femme qui ne s'énerve pas contre sa mère a quelque chose qui ne tourne pas rond, tu vois. Comme les psychopathes, quoi. Hein ? Ceux qui ne ressentent jamais rien pour les autres. Et les tueurs en série que leur mère a laissés tomber sur la tête, à leur faire péter quelque chose là, derrière le front, et à…

La bouche de la Reine du Ski continue toute seule pendant que celle-ci offre un regard maternel à sa protégée. Eyja scrute ses lèvres ; elle zoome et dézoome sur sa logorrhée jusqu'à ce que Rúna fasse un détour inattendu et dise qu'Eyja ne devrait pas avoir peur des ours.

Comment sait-elle qu'elle a peur ? Eyja a une seule fois, tout au plus deux, parlé de l'ours qui sème la panique chez les riverains – ce qui n'a rien d'anormal, quand on sait que la police fouille la zone de fond en comble à la recherche de l'animal. Cette femme est incompréhensible – mais Eyja tente de la comprendre. Comprendre cette personne face à elle qui ne sait pas quel jour ni à quelle heure elle est née, car il y avait tellement de gamins dans la maison où elle est venue au monde que ses parents ont oublié de le noter. Oui, cette femme au mari invisible qui sauve ses consœurs de leurs relations de couple sans avenir. Elle doit avoir connu l'orgasme. Au moins avec l'homme invisible. Ou tout simplement seule.

# Toujours la même histoire

Quand grand-mère a donné naissance à Maman, les femmes devaient davantage se soumettre aux besoins du foyer qu'à leur sexualité. Et bien qu'elles aient exposé le problème avant que Maman donne naissance à sa fille – exhibant leurs seins, se présentant à des concours de beauté en meuglant et tenant en laisse des vaches laitières –, les femmes coupent rarement le cordon ombilical, mères comme filles.

*Nous sommes le reflet de notre époque, c'est de là que viennent nos tourments,* écrit Eyja dans son carnet de notes avant d'avaler une gorgée de vin blanc pendant qu'elle observe de son regard emphatique de jeune écrivain les berges du lac où la Reine du Ski s'est endormie au coin des braises refroidies.

A cet instant, l'autocritique s'est évaporée ; elle a recouvré la foi en ses mots, du moins pour le moment. Peut-être cela a-t-il à voir avec le vin blanc, d'un producteur différent – elle en buvait un autre, plus sucré, dans son chalet. A présent, elle sait tant de choses qu'elle ne comprend pas comment elle a pu avoir plus tôt la sensation de ne rien savoir.

Elle ignore alors qu'elle répète des clichés connus – et oubliés – de tous. Elle est loin de faire de son mieux, comme lors du premier ménage avec la Reine du Ski, mais là, tout de suite, elle se sent supérieure au reste de l'humanité, le taux d'alcool dans son sang amplifiant son sentiment nouveau de victoire après la rééducation de ces derniers jours. Elle boit au goulot, le vin a pris un goût aigre. Il sera bientôt temps d'ouvrir une autre bouteille. Quoique... celle-ci fera l'affaire pour la nuit. Elle quitte son corps, jambes nues dans sa robe de coton turquoise à sequins, et pénètre dans le monde de sa mère.

Maman vient de naître.

Elle pleure. Dans les bras de sa mère. Elles sanglotent toutes deux.

Eyja rend une courte visite à cette histoire qui commence juste à l'instant, lorsque grand-mère place l'enfant en larmes dans son berceau. Elle a l'intention de les enlacer. Quand grand-mère murmure : Au revoir, mon cœur. Maman revient très vite. Elle revient !

Grand-mère a aussi été envoyée en Suède, à Sundsvall.

Eyja s'en souvient, elle qui se tient là, une jambe dans l'histoire de grand-mère et l'autre dans la sienne propre. Seule dans l'été suédois pendant que la réalité bouillonne en Islande. Comme à l'époque.

# Soif

Elle patienta et réessaya mais rien à faire, elle ne parvenait pas à allaiter et l'enfant hurlait, assoiffée au point que la soif la poursuivrait toute sa vie. Que lui arrivait-il ? Elle ne pouvait en aucun cas faire part de ses inquiétudes à son mari qui ne voulait rien savoir de la biologie de la femme. Elle ne se sentait pas comme elle était supposée se sentir. Elle était comme accablée.

N'était-elle pas censée nager dans le bonheur, à présent ? Quel était son problème ? Après tout, elle était une femme tout ce qu'il y avait de plus normal, ou bien… ?

Evidemment, la grossesse et l'accouchement avaient posé des problèmes et pour ne rien arranger… non, elle n'allait pas ressasser ces inepties. Et pourtant ! Là, tout à l'intérieur, elle ressentait toujours une gêne. Sa sœur et une amie proche avaient suivi l'homme à l'étranger pour un de ses habituels périples poétiques, toutes deux délicieusement charmantes et spirituelles alors qu'on débattait de la genèse et de l'évolution du monde à la table du dîner, en compagnie du commandant de bord. Bien sûr, elles avaient été d'une aide précieuse, et c'était elle qui avait organisé de son mieux ce voyage. Mais elle ne pouvait nier que… que les choses auraient pu se dérouler autrement.

Elle avait vraisemblablement passé trop de temps seule à la maison, enceinte jusqu'aux dents parmi des congères plus hautes qu'elle, à bavarder avec le chien et tout simplement si... impuissante. Enfin, rien ne servait de se formaliser. Le temps avait passé lentement en son absence.

En leur absence.

Elle connaissait son époux assez bien pour savoir qu'il aimait la beauté plus que tout, sous toutes ses formes et dans tous ces jeux secrets qui s'éveillent lorsque deux personnes intéressantes se rencontrent ; elle savait que le monde demeure rempli de gens intéressants même après que l'on s'est marié – une phrase qu'elle répéterait à sa petite-fille un demi-siècle plus tard. Elle ne pouvait pas blâmer ses copines. Elle leur faisait d'ailleurs entièrement confiance, et de toute façon, il était constamment entouré de femmes délicieuses, étant lui-même un homme exquis.

A quelques reprises, quand elle s'y attendait le moins, elle s'était sentie mal à l'aise. Juste avant de s'endormir, lorsqu'elle contemplait la vallée plongée dans la pénombre et écoutait le sifflement du vent pendant qu'eux se gargarisaient dans des réceptions avec tous ces gens passionnants. Et ces femmes délicieuses. Pensaient-ils à elle ? Pensait-il à elle ? Assise au bord du lit. Seule avec une enfant.

Elle devrait faire preuve d'un peu de bon sens, elle qui possédait tout ce dont elle avait besoin. Quelle idiote !

A présent, l'enfant était venue au monde et lui était rentré à la maison. Le printemps battait son plein, avec les cris de joie du pluvier et du courlis corlieu, les couches blanches comme neige dans la brise de juin glaciale et pourtant baignée de soleil ; la truite, que le fermier de Thingvellir avait pêchée à l'aube, rissolait dans la poêle ; tout était à sa place – sauf que rien n'y était. Non, impossible. Elle avait toujours les mains occupées, mais à présent elle ne les distinguait plus dans le noir de son humeur. Un hiver sans fin en plein été.

Je me sens déprimée, lui dit-elle, hésitante, à lui qui était tellement plus âgé et mature qu'elle, doué d'une rare perspicacité de poète en ce qui concernait le comportement humain, après l'avoir observé pendant deux guerres mondiales. Il la regarda, pensif, à bonne distance du bébé qui hurlait. N'as-tu pas tout simplement besoin de voyager un peu, de te changer les idées ? demanda-t-il enfin.

Où, par exemple ?

Peut-être en Scandinavie. Nous y avons des amis proches.

Et le bébé ? dit-elle, hésitante, les mots provoquant un pincement dans sa poitrine.

Ta mère s'en occupera. Et nous engagerons de bonnes nourrices, répondit-il, déterminé, mais toujours ce sourire doux et plein de sagesse au visage, sur les lèvres comme dans les yeux.

Elle devait lui faire confiance. Ils se mirent d'accord sur le fait qu'elle demeurerait en Suède durant l'été, puis qu'il pourrait venir la chercher à l'automne ; ensemble, ils passeraient quelques jours à Copenhague avant qu'elle rentre à la maison pendant que lui ferait un périple hivernal en Irlande, à la recherche de documents pour son prochain roman qui lui vaudrait le grand prix littéraire, l'année suivant la naissance d'un autre enfant.

Elle navigua seule vers ses amis, un couple de médecins de Sundsvall qui l'accueillirent à bras ouverts et tinrent des réceptions chic dans la chaleur palpitante de l'été pendant que de grosses mouches à miel bourdonnaient dans les buissons et que le tonnerre grondait au loin. Le docteur était un homme respecté, il savait remonter le moral des femmes, même si on ne parla jamais de dépression post-partum – ils auraient sans doute ri au nez de quiconque énonçait de telles sottises : elle avait juste les nerfs un peu à vif ces jours-ci, voilà tout.

La fillette était née à la fin mai, elle n'avait pas encore un mois quand sa mère partit pour la première fois. Elle pleura jusqu'à l'automne, dans les bras de sa grand-mère maternelle et d'autres femmes. Les oiseaux, eux, chantèrent.

Cui-cui-cui.

# Traces de sang

*L'esprit du temps : esprit ironique qui nous fait éternellement trahir le bon sens.*

Ecrit Eyja en bâillant. A-t-elle rêvé ou réellement entendu le tonnerre gronder au loin ? Elle est trop fatiguée pour avoir les idées claires, mais tente de transcrire ses pensées. Fin de l'histoire : quand j'aurai atteint mon poids idéal. En attendant, les questions se suivent : Est-elle encore si grosse ? Est-elle encore si mince ? Mange-t-elle suffisamment ? Mange-t-elle toujours autant ? Voilà les interrogations des ancêtres d'Eyja, qui est à présent si ivre qu'elle n'est pas loin de voir en l'esprit du temps un esprit de femme aux menstruations incessantes. Elle se ressert du vin blanc, hoquette et comprend tellement la soif de Maman qu'elle vide son verre cul sec. Puis se ressert. Et boit encore. Ecrit :

*Grand-mère veut que je devienne mince car elle vit pour moi. Pour tous ses petits-enfants. Elle sauve toujours la situation quand on va droit dans le mur. Elle monte la garde dehors, par la fenêtre, pour savoir si Maman dort chez elle. Mais Maman ne peut pas dormir parce qu'elle a soif, alors elle gémit :* Ma mère dans le parc, parc, ne

redoute pas cela, cela[1] ! *A une époque, les femmes aban-
donnaient leurs enfants en pleine nature car elles ne pouvaient faire autrement – dehors, on entend encore leur râle
dans les fossés qui longent l'infinie voie rapide. Chut,
chut, esprit du temps, on devrait t'empaqueter dans une
serviette hygiénique usagée et te jeter vers l'horizon – sauf
que cela engendrerait une atroce pollution et tuerait toute
vie dans l'océan. Grand-mère a regretté de t'avoir obéi
tout au long de son existence. Je le sais, lorsque je pénètre
dans l'histoire. Je regarde ses yeux bruns qui étincellent de
vie d'habitude, mais deviennent gris lorsqu'elle croit que
personne ne l'observe, comme s'ils s'étaient d'eux-mêmes
éteints. Je l'enlace. Fort. Chère grand-mère avec Maman
dans les bras. Je murmure : je m'occuperai de vous. Toujours.*

*Aux nuits claires, santé !*

La petite fille pleurait dans la nuit estivale. Grand-
mère chantonnait pour apaiser son enfant autant qu'elle-
même tandis qu'elle entassait ses affaires dans une valise.
Elle ne pouvait s'autoriser un sentimentalisme infantile,
elle était désormais adulte. Il était temps de faire montre
de force, pour le bien de tous ; elle avait eu un comportement étrange, esclave de son imagination, depuis déjà
trop longtemps. Tout était prêt ?

*Robes d'été dans leurs housses X*
*Maillot et bonnet de bain X*

---

1. *Móðir mín í kví, kví.* Comptine islandaise, voir « Ma mère
dans le parc, parc », in Jón Arnason, *La Géante dans la barque de
pierre et autres contes d'Islande*, traduits de l'islandais par Jean
Renaud et Asdís R. Magnúsdóttir, José Corti, 2003.

*Chaussettes hautes sans accrocs X*
*Mouchoirs de poche repassés X*
*Obscurité infinie pendant l'été X*


Au revoir, mon petit cœur. Dame Joliette de France. Je reviens vite, promit-elle en ravalant la boule dans sa gorge. La petite fille pleura, affamée de sa mère, lorsque celle-ci fit valser une veste d'été sur ses épaules. Puis elle attrapa la poignée de la valise et ferma les yeux pour geler d'un coup son cœur, comme la bouteille d'aquavit dans le congélateur. Papa et elle en avaient bu un fond avant le repas. Aucun d'eux ne savait boire immodérément. Comment pouvaient-ils deviner que l'enfant pleurait d'une soif insatiable ?

Spontanément, il affirma qu'il n'y avait rien de plus sain pour un enfant que de perdre ses parents et elle sourit, sans savoir si c'était du choix des mots ou pour assentir. Ça ne changeait rien. La littérature est insondable, c'est tout ce qu'elle savait. Elle savait également qu'une femme enceinte n'offre pas matière à de la littérature substantielle.

*Un grand soleil jette de longues ombres*
*Dame Joliette de France*
*Un grand soleil jette de longues ombres*
*Dame Joliette de France*


La mère avait à peine quitté le pays, le père occupé à autre chose, lorsque le club d'occultisme prit vie. Ces femmes spirituelles étaient agacées du fait que le vieil écrivain préfère envoyer sa jeune épouse naviguer en eaux étrangères plutôt que s'occuper de baptiser la nouvelle Dame Joliette de France – qu'il appelait Drauma devant Dieu et les hommes.

Le club d'occultisme ne pouvait se résoudre à laisser l'enfant valser ainsi anonyme dans les aléas de la vie, aussi les amies filèrent-elles, la petite dans les bras, rendre visite au révérend Jón Audunn de l'église libre, lequel les arma d'eau bénite qu'elles utilisèrent pour la baptiser en deux temps trois mouvements – celle qui avait la meilleure connexion aux cieux se chargea de la cérémonie. Ainsi Maman fut-elle dotée de son prénom.

Eyja renifle. Elle joue de ses doigts sur une missive dactylographiée de grand-mère reçue la veille – grand-mère ne sait rien mieux qu'écrire des lettres, elle prend place derrière sa machine à la minute où le voyageur passe le seuil de la porte. Sur le papier, elle donne des nouvelles de la famille, de cette personne dont elle a reçu la visite et de toutes les choses amusantes qu'elle a racontées devant une tasse de café et une part de gâteau roulé. Elle décrit également le climat et les événements lus dans les journaux. Enfin, elle demande, comme toujours, si Eyja a minci.

Heureusement que Maman n'est pas à proximité. En général, cette question lui tape tellement sur les nerfs qu'elle ressent le besoin de se préparer un gin tonic afin de se plaindre sans demi-mesure de l'interventionnisme de sa mère. Elle se ressert à trois reprises, puis son regard ironique s'intensifie avant qu'elle demande à son tour, d'une voix suspicieusement innocente, si c'est pour Eyja un objectif absolu que de ressembler à Meatloaf.

Lorsque Eyja sanglote et lui dit qu'elle est répugnante, Maman ricane et rétorque qu'elle aurait dû entendre son arrière-grand-mère qui n'hésitait pas à comparer ses descendantes à des pingouins se dandinant quand quelques kilos se mettaient en travers de leur chemin.

Huit ans plus tard, Eyja songe à l'obsession de la minceur chez les femmes de sa famille maternelle. Elle vit alors de l'autre côté de la mer, à Copenhague.

# Régime de l'au-delà

Bien plus tard, elle va rendre visite à une voyante dans le quartier d'Østerbro. Elle fuit son ordinateur, plongée dans l'écriture d'un livre, l'esprit ailleurs. Les cyclistes hurlent tandis qu'elle titube sur son vélo rouillé qui crisse en descendant la rue Østerbrogade, comme un char militaire que rien ne fait vaciller.

Sa tignasse désordonnée lui vole dans les yeux, comme d'antan. Ses vêtements : aussi kitsch qu'à l'époque. Sa poitrine ballotte dans son tee-shirt à rayures rouges distendu. Le tissu fin de son pantalon H & M s'enroule à intervalles réguliers autour des pédales. Elle s'en fiche. Tandis que la douce brise joue avec ses sens et que les visions de son esprit se morcellent, dans une tentative perpétuelle de s'ordonner d'une manière ou d'une autre pour former une histoire, son corps peut se reposer.

A cet instant, elle veut cependant savoir où sa propre histoire l'emmène, comme lorsqu'elle était petite et allait discrètement jeter un œil à la dernière page d'un roman afin d'avoir le cœur à le lire jusqu'à la fin. Ecrira-t-elle d'autres livres ? Donnera-t-elle naissance à un enfant ?

La voyante vit comme les femmes qu'on interviewe dans le magazine *Alt for damerne*. Dans un appartement blanc au parquet ciré, aux meubles blancs et aux bougies allumées sur les rebords blancs des fenêtres. Cette journée demeurera blanche et lumineuse dans sa mémoire. Elles sont assises sur des chaises hautes avec vue sur la ville. Eyja aperçoit les tours vert saphir, les ferrys au départ et d'autres à l'ancrage pendant que des trains rouges filent sur les rails qui s'échappent du port. Elle se tourne ensuite vers la voyante. Une femme classe : mignonne, charmante, teint de miel, cheveux châtains et regard lumineux. Vêtue avec goût d'un débardeur en lin et d'un bermuda à la mode. Eyja admire tant son style impeccable qu'elle oublie de l'interroger sur les livres et l'enfant – mais elle se ressaisit quand la voyante lui passe le bonjour d'une vieille tante. Cette dernière travaillait dans un atelier de son vivant, dit son interlocutrice d'un ton distant.

Je ne connais aucune femme qui ait travaillé dans un atelier, dit Eyja, agacée que la voyante à la pointe de la mode perçoive une telle chose. A ce compte, autant s'adresser à une poétesse plutôt qu'à une diseuse de bonne aventure. Mais celle-ci ne lâche rien et affirme voir une femme aux traits prononcés. Brune, les mains puissantes. Elle œuvrait à la main, dans cet atelier. Eyja n'a-t-elle aucune idée de qui cela peut être ?

Eyja s'imagine un garage, un atelier de réparateur de radios, même une usine – mais non, elle n'a jamais connu personne qui travaille dans un atelier.

Elle dit que vous devriez prendre un fruit plutôt que du chocolat lorsque vous avez envie de sucre, poursuit la voyante, sûre d'elle. Par exemple, un kiwi ou une orange.

Un kiwi ? répète Eyja.

Oui, il faut toujours avoir quelques kiwis dans sa corbeille à fruits, confirme la voyante en pointant la corbeille qui repose sur le buffet, pendant que les doigts moites d'Eyja serrent les billets dans sa poche – elle n'est pas venue pour obtenir des conseils nutritionnels. Elle règle quand même la note, condamnée à la défaite au terme de ce débat en danois sur un régime de l'au-delà. Au moins, son portefeuille, lui, est plus léger.

Lorsqu'elle rentre dans son terrier au sous-sol, le crâne chauve du Mari à Venir apparaît derrière l'écran d'ordinateur ; ses yeux marron scintillent de malice lorsqu'il lui demande si elle a tiré profit de cette visite chez la voyante.

Si on veut, répond-elle en s'asseyant à son bureau, face à lui.

Comment ça, si on veut ?

Juste... tu vois. Chut, je travaille.

Tu n'as même pas allumé ton ordinateur.

Je viens de le faire, rétorque Eyja, soulagée d'entendre le tintement de son Mac blanc neige flambant neuf.

Elle se dépêche de taper l'adresse du site Internet de sa maison d'édition en Islande, prétendant être en train d'écrire. La première image qui apparaît à l'écran est une photographie de sa grande-cousine qui vient de sortir un recueil de poèmes. La grande-cousine et Maman sont les filles de deux sœurs, mais contrairement à Maman, la grande-cousine a plusieurs livres publiés à son actif. Sous la photo, on peut lire un poème sur le thème de l'horloge biologique, tiré du nouveau recueil.

Lorsque Eyja s'imagine sa grande-cousine, elle se rappelle que la mère de celle-ci était orfèvre et qu'elle travaillait dans un atelier à domicile. Eyja adorait y jouer lorsqu'elle était petite, tripoter les machines et les objets que sa grand-tante utilisait pour créer de l'art avec de l'or. Elle se rappelle ses mains, usées par le labeur, parsemées de taches brunes, et professionnelles comme celles de grand-mère – à qui sa sœur manque chaque jour.

Il y a un esprit dans mon ordinateur, balbutie Eyja, le regard fixé, étonné, sur le Mari à Venir lorsqu'il lui demande si ce n'est tout simplement pas un bug du système d'exploitation. Il doit encore terminer l'installation des différents programmes.

Non, il y a un poème de ma grande-cousine ici, dit Eyja, abasourdie. J'ai reçu un message de ma grand-tante tout à l'heure – elle disait que je devrais faire un régime et manger des kiwis plutôt que du chocolat.

Il se met à rire. Qui, d'après toi, viendrait de l'au-delà pour aller dire aux gens qu'ils sont trop gros ?

Mes aïeules.

Sérieusement, les vieilles Islandaises ne reviennent pas de l'au-delà pour ordonner aux gens de manger des kiwis, rétorque-t-il. A la rigueur des rutabagas, ou encore des pommes.

Mes aïeules étaient incroyablement sophistiquées, précise Eyja, convaincue que la logique de l'univers ne requiert pas plus de justifications.

L'histoire du régime de l'au-delà fait presque douter Maman de son athéisme invétéré : Hmm-hmm, Dame Joliette de France ! Elle voulait juste que tu fasses un régime ? soupire-t-elle au bout du fil, de l'autre côté de l'océan.

Je viens de te le dire. Tu imagines ?

Silence.

Oui. C'est quelque chose.

Ce n'est pas rien, approuve Eyja de tout cœur, réfléchissant à la possibilité que son ordinateur abrite le fameux esprit du temps lorsque Maman demande : Et sinon, tu as maigri ?

L'occulte vit dans l'ordinateur. Dans les prédictions annuelles de la prophétesse. Dans les discours divinatoires des sagas islandaises, mijotés dans la chaleur du salon pendant que les enfants pleurnichaient sur les genoux de leurs mères. Dans les romans de gare. Dans la littérature de la femme enceinte.

Dans l'esprit du temps qui saigne.

Eyja serre la lettre de grand-mère contre son cœur. Les nouvelles de la belle-famille dans le jardin et des traducteurs arabes de Papa et le goût de la truite du fermier de Thingvellir. Elle s'endort la missive dans la main à l'heure où les oiseaux se réveillent. Ils accueillent la nouvelle journée avec un tel tumulte que la Reine du Ski marmonne dans son sommeil, la joue noire, et se retourne dans son lit, un goût de cendre dans la bouche.

# Premiers secours pour grands voyageurs

Le lendemain, on la laisse seule à ses écritures. Le soir venu, le calme est devenu presque pesant, aussi se rend-elle chez Rúna dans l'espoir de partager un café en cette fin de journée.

Les yeux rouges, celle-ci est assise près du téléphone, l'annuaire ouvert devant elle, si fébrile qu'Eyja se refuse immédiatement à réclamer une tasse. Elle n'ose même pas demander qui elle appelle à une heure pareille, car elle connaît la réponse. Sa certitude ne fait qu'amplifier lorsque Rúna crache : Joue pas au coq avec moi !

Je n'ai rien dit, dit Eyja, sentant un malaise parcourir tout son corps.

Elle s'est enfin décidée à montrer à la famille Gustavson de quel bois elle se chauffait ; elle a appelé chaque membre de la tribu, un par un, lançant salve après salve d'insultes – activité entreprise au petit matin, les yeux encore crottés et l'haleine amère, mais elle s'est arrêtée lorsque Eyja a réussi à la tirer jusqu'au lac sous le prétexte audacieux qu'elle devait se remettre de ses émotions.

Eyja serait restée sur ses gardes si elle avait eu la moindre idée de l'incident survenu à midi. Malheureusement, elle ne l'apprend que maintenant.

Juste avant 13 heures, ce même jour, un-des-incapables-de-la-police-du-coin a appelé, sans doute le fameux beau-frère, et demandé s'il était vrai qu'elles harcelaient des citoyens suédois avec des menaces téléphoniques nocturnes.

C'était en fait le *morgen*, le matin, *la mañana* ! a répondu Rúna, abrupte – à présent, elle sourit fièrement, se rappelant avoir ajouté, dans un scandinave étonnamment correct : Evidemment, c'est la nuit qu'on appelle les criminels !

Peut-être Rúna se serait-elle contentée d'avoir le dernier mot, et ce de manière si directe, si le policier n'avait pas eu la stupidité de la rappeler un instant plus tard, cette fois pour discuter de la famille finnoise. Le père refusait de payer la moindre couronne de plus. Tout d'abord, la propriétaire des lieux avait menacé leur chien, et celui-ci avait fait une crise de nerfs. Ensuite, elle avait heurté la pudeur des enfants en allant et venant nue comme un ver entre le sauna et le lac, encore et encore.

Quel ramassis de conneries ! crache Rúna à la fin de son récit. Quel genre de gamin est traumatisé parce qu'il a vu une bonne femme s'essuyer le dos ? demande-t-elle, le regard rivé sur Eyja. Si ça se trouve, ce type-là est un pédophile. Il n'y a qu'un pédophile qui puisse avoir des idées pareilles.

Il n'a pas dit que tu avais… abusé d'eux.

Il a dit quoi, dans ce cas ?

Eyja ne sait quoi répondre et peut-être vaut-il mieux garder le silence, car Rúna a le don de tout interpréter à sa manière très personnelle.

Je croyais que le Finnois lambda allait au sauna nu – c'est ce qu'ils faisaient à l'hôtel, à l'époque ! S'y prendre autrement, c'était pure impolitesse, un manque total de bonnes manières !

Je ne sais pas.

Je serais bien tentée de porter plainte pour diffamation, martèle Rúna, fixant Eyja, concentrée, espérant obtenir son soutien. Et atteinte à la liberté individuelle ! Je suis sûre que ce vieux pervers me matait le cul et que sa peau de vache lui a fait une crise de jalousie. T'en penses quoi ?

Eyja n'en pense rien, elle se tapit sur son tabouret de cuisine et attend. Le silence vide Rúna de toute contenance. Elle se laisse tomber sur la table et soupire lourdement.

Rúna ! murmure Eyja.

Elle ne répond pas.

Rúna ! murmure-t-elle à nouveau avant d'aller s'asseoir à côté d'elle. Elle passe une main dans ses cheveux coiffés à la garçonne et lui empoigne l'épaule. Rien n'y fait. Cette fois, la Reine du Ski semble complètement éteinte. Eyja s'attendait à tout avec Rúna, sauf à cela – la cousine n'est pas plus que grand-mère supposée connaître le mot « abandon ».

Rúna, allez, parle-moi.

Son soulagement est indescriptible lorsque Rúna remue enfin. Quoi ? dit-elle d'un ton terne.

Ça va aller ?

Qu'est-ce que tu crois ?

Rúna lève les yeux et la regarde avec un air mauvais.

Je veux dire… Je peux faire quelque chose ? réplique Eyja hâtivement.

Toi ?

Oui.

Dieu tout-puissant…

Oui, non. Je ne faisais que demander.

Rúna secoue la tête avant de la replonger entre ses bras. Eyja tremble d'impuissance. C'est grâce à cette femme qu'elle s'empresse désormais de se lever le matin

– on peut difficilement faire mieux comme motif de gratitude. Elle doit lui remonter le moral, quoi qu'il lui en coûte.

Comment redonner vie à une Reine du Ski râleuse ? Eh bien, on l'invite à un bal. C'est qu'Eyja commence à en connaître un rayon, question famille.

Le Coup de Vent avait cette propension. A sombrer dans un désespoir sans fond, sans prévenir. Lorsque la situation se présentait, il était judicieux de voler à son secours avant de plonger avec lui. Il se sentait comme ça, le soir où elle avait eu l'intention de se rendre à une soirée célibataires à la chaîne de télévision. Tête baissée sur un carton de bouquins, il nettoyait sa pipe, son seul ami perché sur son épaule : le chat.

Oui, oui, elle pouvait bien aller où elle voulait. Il resterait assis là. Comme toujours. Seul.

Elle enfila une courte robe noire, un goût amer en bouche. Glissa ses jambes dans un collant vert pâle. Appliqua du mascara sur ses cils. Du rouge sur ses lèvres. Dans quel but ? Elle était mariée, non ? Que lui arrivait-il ?

Finalement, elle était revenue au salon et avait demandé : Tu veux m'accompagner ?

Aussitôt, il s'illumina. J'ai le droit ? dit-il d'une voix mielleuse. Bien sûr que tu as le droit, mentit-elle. Donc, le Coup de Vent s'incrusta et fut le seul conjoint à se joindre à la fête. Avachi là avec son pull en laine sale à siroter un punch au mousseux et aux fraises, s'amusant à contempler les pétasses en minijupes – qui flashaient leurs parties sous le nez de leurs supérieurs, toussa-t-il sous les spots clignotants.

Elles ne font que danser, rétorqua Eyja, froissée. Et enlève-moi ce pull !

Mais il ne voulait pas.

Pas plus que danser.

Il était venu boire l'élixir de vie. Un punch-au-mousseux-et-aux-fraises qui lui insuffla suffisamment d'ardeur de vivre pour sauter hors du taxi sur le chemin du retour, subtiliser quelques chèques en bois à madame et disparaître dans la nuit. Le roi de la nuit. Le prodige des ténèbres. Le martyr de l'aube lorsqu'il s'écroula sur le lit, du sang sur les lèvres. Ou bien avait-il vomi les fraises ?

La soif de vivre s'embrase dans son regard. Rúna s'élève d'entre les morts et ouvre une canette de bière. Bien sûr qu'elle veut aller au bal, du moment qu'il ne s'agit pas d'une réunion de famille ! Sinon, il est où, ce bal ?

A deux pas de chez elle, si on veut. Dix ou quinze kilomètres. Selon Eyja. Il y avait des affichettes sur les boîtes aux lettres du voisinage.

Apparemment, c'est toi le boss, grogne Rúna. Pas de doute là-dessus : un bal ne leur fera pas de mal, ni à l'une ni à l'autre. Eyja pourra reluquer les garçons et elle-même enfin rencontrer des gens normaux. Ouais, allons danser, ma chérie ! s'exclame-t-elle en remuant le rouge à lèvres en promotion sous le nez de sa protégée. Va mettre la jolie robe bleue à sequins que je t'ai trouvée et fais-nous voir tes genoux ! Si tu veux avoir ta chance.

## Sixième étape de la rééducation :
## coucher avec un autre

Elle avait oublié ce que c'était de fumer avec un inconnu après avoir partagé avec lui ce qu'on a de plus intime.

Ils sont assis sur la pelouse et se passent à présent la dernière cigarette du paquet de l'inconnu en question. Il fume des Salem light. Regarde au loin et voit un nuage gorgé de pluie s'approcher ; il précise tout cela l'air attentif, car il est météorologue, si elle a bien entendu dans le tumulte des musiciens du coin qui jouent au bal.

La fête se tenait à ciel ouvert. Ouvert à tous, aussi Rúna put-elle laisser libre court à son besoin irréfréné de mouvement – elle remuait les jambes dans tous les sens pendant qu'Eyja cherchait une victime parmi les gens du pays. Au départ, elle avait eu l'intention de se montrer mesurée, mais la situation avait changé dans le taxi, lorsque le téléphone avait sonné et que Rúna l'avait furtivement éteint. Cela ne lui ressemblait pas, aussi Eyja avait-elle assemblé les morceaux du puzzle en un tourne-main.

Pourquoi as-tu coupé ? demanda-t-elle.

Parce que nous sommes en route pour faire la fête.

Mais si cela concerne les chalets ?

Pas à cette heure-ci.

Alors, c'était qui ?

Silence.

C'était le Coup de Vent ?

Silence.

C'était lui ?

Rúna lui jeta un regard bref. Une expression pensive au visage tandis qu'elle attrapait sa flasque de whisky et la tendait à Eyja. Bois un coup ! ordonna-t-elle.

Réponds-moi d'abord.

Si tu bois.

A condition que tu me répondes.

Prends trois bonnes gorgées et je te répondrai.

Eyja obéit. D'abord réticente. Elle prit une gorgée généreuse et grimaça en sentant l'étreinte brûlante dans sa poitrine. Puis, elle but une deuxième goulée et, après la troisième, elle en voulait encore davantage. Elle regarda Rúna et lui demanda s'il avait tenté de téléphoner ces derniers jours.

Quelque chose comme ça, oui.

Ah. Souvent ?

Oui. On peut dire ça.

Et quoi ?

Il est pas temps de couper le cordon ? répliqua Rúna avant de pointer la flasque sous son nez. Eyja but une quatrième gorgée. Et une cinquième, une sixième, une septième. Lampa l'alcool jusqu'à ce que la campagne luxuriante se mette à tourner autour d'elle. Lorsqu'elles sortirent du taxi, Rúna lui colla une cigarette au bec, l'alluma et murmura : Trouve-toi un étalon, ma chérie !

Elles se glissèrent dans la foule électrisée – des fêtards aux mines ensoleillées venus de la campagne environnante qui se serraient les uns contre les autres pendant que le groupe interprétait des tubes à la demande. Eyja réclama *Who the fuck is Alice*.

Elle jeta un regard circulaire. Elle était en terrain connu : la fête. Elle n'avait pas pris de bon temps depuis qu'elle était devenue une épouse installée. Une pause des plus longues pour une femme qui avait quatorze ans lorsqu'elle apprit à boire jusqu'à s'oublier, à avaler de l'alcool maison imbuvable pour fuir le quotidien et sombrer dans la folie furieuse jusqu'à se réveiller dans un lit avec un inconnu, soit déprimée, soit amoureuse. Elle était rarement capable de penser à autre chose qu'à boire et tenter sa chance. Cette fois, elle avait une excuse : elle se trouvait forcée de coucher avec un autre que le Coup de Vent pour réussir la sixième étape de sa rééducation.

Ici, il n'y avait pas grand-chose à se mettre sous la dent. Enfants et vieillards dansaient la valse et sirotaient de la limonade. Des couples dans la quarantaine remuaient joue contre joue, en tenue légère. D'aucuns s'arrêtaient au bar, pour la plupart bien plus âgés que le Coup de Vent.

Elle était déterminée à coucher avec quelqu'un. Ses cinq sens aiguisés tandis que, prédatrice, elle cherchait sa victime. Un goût de sang familier sur la langue – elle avait joué à ce jeu si souvent. L'oubli, bientôt, total.

Elle jeta un rapide coup d'œil alentour. Qui, où ? Pas celui-ci, trop jeune. Celui-là, trop vieux. Lui, trop kitsch, avec son nœud papillon et son short. Et lui ? Non, il avait une femme, à n'en pas douter. Et le groupe ? C'était une belle bande de jeunes. Le batteur, peut-être ? Hmm.

Soudain, son regard s'arrêta sur un homme. Il l'observait. Souriant. A deviner, la trentaine… pas plus de trente-cinq ans. Blond, la peau mate. Un short marron clair et un tee-shirt blanc. L'homme fumait et buvait une boisson transparente.

N'était-il pas l'élu ?

Il affirma être météorologue.

Tu passes à la télé ? gloussa-t-elle.

Non, gloussa-t-il.

Tu fais quoi, alors ? gloussa-t-elle en plongeant dans ses yeux verts verts verts.

Je prédis le temps, gloussa-t-il avant de lui offrir un verre.

Il lit dans les nuages. Il se tourne vers elle et lui reprend la cigarette en lui demandant comment elle se sent.

Bien, dit-elle avec un sourire, au bord des larmes. Que vient-elle de faire ? Que va dire le Coup de Vent ? Doit-elle lui avouer ? Le pauvre. Il n'a cessé d'appeler et Rúna n'a fait que... diablement dommage que l'homme n'ait pas d'autres cigarettes sur lui.

Elle a terriblement mal au crâne. Et si elle était prise d'une crise d'épilepsie ? Le météorologue connaît sans doute les premiers secours. Qu'est-ce qu'il fait ? Elle n'en croit pas ses yeux lorsqu'elle le voit secouer les cendres de son mégot avant d'enfoncer ce dernier dans sa poche.

Pourquoi tu as fait ça ? laisse-t-elle échapper, mais le regrette immédiatement en voyant son air incrédule.

Tu jettes tes mégots en pleine nature, toi ? demande-t-il, du dégoût dans la voix, comme s'il n'en revenait pas d'avoir eu une relation avec une telle pollueuse.

Non, ment-elle en creusant l'herbe avec ses orteils.

Il l'observe en silence puis reboutonne sa veste sur son tee-shirt blanc, lentement et consciencieusement. L'air ordinaire avec ses cheveux blonds en brosse et son front dégarni ; ses yeux sont plutôt petits, vert océan et comme immergés dans son crâne, de sorte qu'il paraît plongé dans son propre monde. A quoi pense-t-il ?

Il bâille et déclare vouloir rentrer chez lui avant qu'il se mette à pleuvoir. Sait-elle comment faire ?

Elle ? Non. Elle est toute nouvelle ici.

Je vais par où, dans ce cas ? demande-t-il, confus.

Elle ne sait pas. Tout ce qu'elle sait, c'est qu'elle va aller se chercher à boire. Ensuite, s'endormir, dormir.

Je vais bien tomber sur un arrêt de bus, dit le Météorologue, visiblement encore incrédule, avant de déposer un baiser léger sur sa joue. Il pêche son portefeuille dans sa poche et en tire une carte de visite. Appelle-moi si un jour tu as envie de faire la fête, dit-il d'un ton indifférent avant de la prier de l'excuser de ne pas avoir de cigarettes à lui laisser.

Enfin, il s'en va, s'éloigne pendant que les bancs de nuages approchent. Un instant plus tard, elle s'est endormie sous une table en bois près de la jetée.

Le tonnerre s'infiltre dans ses rêves.

Il s'est arrêté de pleuvoir lorsqu'elle se réveille ; elle avale l'air frais à grands traits et rentre dans son chalet. Dans le réfrigérateur, il y a quelques bouteilles de Coca. Elle s'empare de l'une d'elles et en dévisse le bouchon, la vide en une gorgée et en ouvre une seconde. S'étonne de l'absence de Rúna et n'hésite pas à profiter de l'occasion pour prendre un paquet de cigarettes dans la cartouche dissimulée dans son placard à sous-vêtements. La Reine du Ski devrait bientôt reparaître, elle est après tout réputée se volatiliser quand bon lui semble.

Eyja va s'installer sur la terrasse et savoure la première bouffée, inspirant profondément le tabac. Le soleil encore doux joue sur son visage pendant qu'elle fume, intensément et avec plaisir ; le sucre se diffuse dans son sang après chaque gorgée de soda, si rapidement qu'elle se sent soudain revivre. Une vague puissante envahit son corps, comme si de sylvestres diablotins lui instillaient un souffle de vie – avec un imperceptible parfum de Marlboro light.

Elle termine sa cigarette, l'écrase, l'enfonce dans sa poche. A présent, elle n'est plus tenue de coucher avec un seul homme. Il ne reste plus qu'à le lui dire.

# Rechute

Où t'étais passée ? s'écrie Rúna en arrivant d'un pas titubant, une chaussure dans chaque main. Eyja s'aperçoit qu'il manque un talon à l'une d'elles. Elle semble également avoir un œil au beurre noir, côté droit – ou bien est-elle tombée de sommeil contre un rocher ?

Eyja sent le souffle de la vie s'échapper par son fondement ; soudain, il n'y a plus d'air du tout en elle.

J'ai juste…

Tu m'as abandonnée.

Oui.

Victime de la cruauté scandinave dans ce qu'elle a de pire.

Ah ? s'étonne Eyja, prenant soin d'éviter son regard vitreux.

Ah, ah, ah ? Tu ne sais rien dire d'autre ?

Silence.

Les yeux vitreux sont toujours fixés sur elle. On va rester assise là toute la journée comme une cloche ? éclate Rúna.

Non, rétorque Eyja. Je pensais seulement…

Oui ?!

Que s'est-il passé, au juste ? Pourquoi tu ne rentres que maintenant ?

Figure-toi que j'espérais me faire ramener dans leur putain de chariot à fleurs, là.

Leur chariot à fleurs ?

Ouais, un chariot à l'ancienne fait pour transporter du foin, sauf qu'ils ont décoré cette vieille carcasse avec des fleurs et des guirlandes. Les Scandinaves aiment bien aller au bal là-dedans.

Ah ?

Arrête avec ça ! Je m'étais installée dans leur foutue charrette, comme le reste du groupe, quand on m'a jetée dehors comme une malpropre.

Hein ?

Ouais, c'est ce que j'ai dit ! Je venais d'inviter cette bande d'enfoirés à la maison pour un after, en précisant que c'était moi qui payais le coke, du moment qu'ils apportaient l'alcool !

Le coke ?

Le soda, pour mélanger ! Tu comprends rien ou quoi ?

Les nuances linguistiques se perdent aisément lors des communications internationales, mais le risque d'incompréhension décuple lorsqu'on a appris une langue étrangère en cours express dans un hôtel de montagne.

Eyja est submergée face à Rúna. Doit-elle tenter de lui expliquer le malentendu ?

Une peur mordante s'empare soudain d'elle. L'ours est là, aux alentours, quelque part. Quelle idée lui a pris de dormir ainsi seule à l'air libre ? Et s'il s'était approché ? S'il s'approchait tout de suite ? Y a-t-il quelque chose qui puisse l'en empêcher ? Elle devrait peut-être remettre ses explications à demain et convaincre Rúna de prendre les bonnes mesures au bon moment, soit pas plus tard que maintenant – s'il n'est pas déjà trop tard.

C'est tout ce que tu as l'intention de dire ? crache enfin la maîtresse des lieux pendant qu'Eyja contemple ses pensées, épaisses et collantes comme de la pâte à pain.

Non, je suis juste fatiguée, soupire-t-elle, sans défense.

Tu sais que les jeunes ne vont pas tarder à arriver ! On a douze gamins qui débarquent ici dans quelques jours.

Oui, waouh, je...

... n'y avais pas pensé.

Non, enfin si on veut, oui.

La bonne à rien va semble-t-il encore nous être d'une très grande aide ! lance Rúna, si stressée que sa peau semble à deux doigts de se détacher de son visage. Eyja ferme les yeux. Si Rúna est à ce point nerveuse maintenant, qu'en sera-t-il lorsque les enfants seront arrivés ?

Elle n'avait pas soupçonné que la colonie de vacances puisse être source de stress pour Rúna, elle l'avait à peine mentionnée, mais peut-être n'était-ce pas un hasard : elle ne supportait pas d'en parler tant cela l'angoissait. Avait-elle décidé d'acheter le lotissement sur un coup de tête, n'improvisant un village-vacances qu'après coup ? Elle devait savoir ce qu'elle faisait, non ?

Eyja ouvre les yeux lorsque Rúna file droit dans sa chambre, un litre de Coca sous le bras, avant de claquer la porte derrière elle.

Eyja repart à pas de loup dans son chalet.

Elle s'allonge sous le drap fin, enfonce sa tête dans l'oreiller et tressaille tandis qu'un sentiment de culpabilité se met à la ronger de l'intérieur. La morsure est vive. Elle n'a pas hésité à le trahir pour un instant de plaisir.

Elle se rappelle l'époque où elle a lu *Crime et Châtiment*. Se rappelle le jour où Maman a dit qu'il n'était de plus répugnant menteur que celui qui trompe. Excepté la petite idiote qui avait téléphoné à la police pour que quelqu'un vienne mettre fin à la violente dispute à la maison. Conséquence : son père mit les voiles et jamais ne revint.

Elle ne supportait pas les cris, voilà tout.

Maman criait.

Sur papa.

Sur le producteur.

Elle crie sur Ken.

Eyja tire le drap sur sa tête. La seule chose qu'elle sache, c'est qu'elle n'est pas parvenue à consoler le Coup de Vent – de la même manière qu'elle échoue sans cesse à consoler Maman. Car Maman vit dans la certitude qu'un jour, elle sera abandonnée de tous. Seule.

# Le souffle d'une mère, le souffle d'une fille

Il semble approprié de commencer une histoire dans le ventre de la mère.

Le souffle d'Eyja était le souffle de Maman tandis que cette dernière était assise à l'ombre d'un paravent usé et lisait un livre de poche Penguin sur le balcon d'une chambre d'hôtel trois étoiles de la Costa del Sol. Elle était interdite de voyage, ne pourrait s'envoler pour l'Islande tant que les saignements n'auraient pas cessé. Au pire, elle devrait donner naissance en Espagne.

Sa mère lui avait envoyé du Malt[1]. C'était tout ce qu'elle pouvait avaler, en dehors de bananes et de tomates. Elle se sentait mal, parfois prise de vertige au souvenir de l'hôtel avec une piscine sur le toit qui s'était effondré avant que l'enfant soit conçu. Elle buvait alors du gin tonic avec son petit ami, sous le soleil de fin de journée, tandis que des nuages de poussière s'érigeaient en volutes dans un grondement. Par chance, l'hôtel n'avait pas encore été inauguré, la construction ayant été retardée par des entrepreneurs somnolents qui en volaient pierre après pierre jusqu'à subtiliser celle de trop.

A présent, elle était assise seule à l'ombre et attendait son petit ami qui ne rentrerait pas avant minuit, car il

---

1. Boisson à base de malt, populaire en Islande.

accompagnait un groupe de touristes dans les rues de Grenade. Plusieurs fois par semaine, il déambulait à bord d'un bus rempli d'Islandais brûlés vifs et suants, qui partaient de Malaga à Grenade pour visiter le palais arabe de l'Alhambra.

Parfois, il allait jusqu'au Maroc pour aider les touristes à marchander des tapis à Tanger et se faire tirer le portrait, un boa constricteur autour du cou. Il se pavanait la tête haute, un groupe de voyageurs essoufflés à sa suite, aussi mat qu'un Maure avec sa tignasse à la Jimi Hendrix, maigre, le pas léger dans son pantalon évasé, ses bottes en cuir espagnol, sa tunique orientale et son sac en cuir passé sur l'épaule. Incroyablement beau, le regard envoûtant, comme un des vendeurs de tapis. Elle savait que les femmes ne le lâchaient pas des yeux.

Lorsqu'il rentra à l'hôtel, Maman dormait, malgré le bruit de la climatisation. Elle ronflait légèrement, les jambes posées sur deux coussins, les pieds nus, vêtue d'une robe de grossesse sans manches nouée sur les épaules, vert mousse avec des baies, la peau claire et bronzée tout à la fois. Le soleil avait redonné de la lumière à ses cheveux châtains qui tombaient en cascade, mais ils commençaient déjà à s'obscurcir car elle n'avait pas le droit de s'exposer au soleil. Tout comme son gros nez rouge pâlissait. Cela dura ainsi jusqu'à l'automne. Au début de l'hiver, elle parvint à attraper le dernier charter pour l'Islande. Il y avait un vent à décorner les bœufs et l'appareil fut secoué comme un shaker à cocktails au-dessus de l'océan Atlantique.

Que faire de cette enfant maintenant qu'elle était venue au monde ? La mère, du haut de ses vingt ans, n'en avait pas la moindre idée.

Eyja demanda un jour pourquoi elle n'avait pas cherché conseil auprès de sa mère et la question paraissait justifiée, car le couple vivait chez grand-mère juste après sa naissance. Parce qu'elle avait assez à faire avec papa, répondit Maman de manière si brusque qu'on percevait un peu de la méchanceté du Breidafjördur dans sa voix lorsqu'elle ajouta : C'était toujours le même barouf autour de lui.

En raison de tout ce barouf, Maman demeurait avec Eyja sans savoir qu'en faire dans sa vieille chambre, contemplant le soleil d'avril. Elle ne savait pas donner le sein, sans parler de changer la couche. Elle avait envie d'une cigarette. Confuse et accablée de responsabilités face à ce petit être dont elle devait encore faire la connaissance.

Jusqu'à ce que son amie d'enfance apparaisse à la porte. L'allure théâtralement légère, comédienne en bouton qui avait déjà eu deux enfants. Elle partageait les opinions de Maman en ce qui concernait le radicalisme bourgeois. Elles se voyaient hippies mais voulaient se marier – sans que cela se sache. L'une avait une mère catholique, l'autre un père ancien moine ; ces gamines sarcastiques devaient avoir la fibre de la sainteté, car toutes deux parvinrent à passer la corde au cou de leurs petits amis. L'une à la mairie, l'autre devant un prêtre de campagne, sans invités.

Elles devaient également avoir la fibre de la spiritualité pour que l'amie ressente à trente kilomètres de distance le besoin de cigarettes de Maman. Elle fila à travers champs tôt le matin, de minuscules sous-vêtements dans un sac, et passa la soirée avec Maman, lui apprenant à changer une couche, à donner le bain, le sein et à faire le signe de croix avant de lui mettre son body. Au nom du Père, du Fils et du Saint-Esprit. Amen.

Eyja sait que son père vivait là-bas. Quelque part, en errance, tentant de faire ses preuves tant vis-à-vis de sa femme que de sa belle-famille. Il peignait la maison, dactylographiait les manuscrits de son beau-père, remplaçait son épouse au pied levé pour ses cours et apprenait l'espagnol en secret. La nuit, il jouait aux échecs comme un champion contre lui-même pendant que Maman dormait avec Eyja dans ses bras. Parfois, il s'exerçait seul au football, escaladait une montagne muni de skis, parfois il se contentait de bavarder avec le chien. Car bien qu'il voie en son beau-père une figure paternelle tandis que tous deux débattaient de Jónas Hallgrímsson ou des diverses variétés de fougères islandaises lors de longues randonnées, ce n'était jamais assez.

Sa famille avait volé en éclats lors du divorce de ses parents, à la suite duquel il emménagea chez ses futurs beaux-parents. Mais il s'avéra difficile pour le jeune homme de vivre chez sa belle-famille alors qu'il avait perdu la sienne.

Ses parents s'étaient en réalité égarés bien avant leur séparation. Il n'avait que trois ans quand il avait été envoyé chez sa tante dans le Nord, pendant qu'eux se laissaient porter par l'esprit du temps à l'étranger, conscients de bénéficier d'une occasion en or, comme c'était le cas des gens qui savaient que le monde ne se limitait pas à l'Islande – avant que les spécialistes viennent rappeler à la société que pour l'enfant, le parent est bien plus grand que le monde.

Son père, ancien salarié dans le milieu du football puis membre de la garde nationale écossaise, était un homme ambitieux qui désirait tant jouer lors du premier match international des Islandais qu'il naviguate jusqu'en Islande à bord d'un chalutier sur une mer déchaînée, et souffrit du mal de mer au point de ne parvenir à participer, avec difficulté, qu'à la première mi-temps. Professeur d'anglais et de latin, il ne se lassait jamais d'apprendre et d'enseigner, car ses parents, des gens du peuple, élevant leur nombreuse famille dans un village de pêcheurs, n'avaient pu investir que dans les études d'un seul de leurs enfants. Il avait eu un jumeau, décédé de la polio lorsqu'il était encore bébé ; et se tint alors quotidiennement au seuil de la chambre où son frère était mort pour l'attendre. Il est dit que qui perd son jumeau sera éternellement en quête. En tout cas, il ne put jamais rester vivre au même endroit, guide touristique en Europe du Sud, passant d'une langue à une autre tout au long de sa vie. De petite taille mais leste et la peau plus hâlée que certains autochtones de la Méditerranée, portant invariablement aux pieds des chaussures rutilantes, où qu'il se rende.

Sa mère était plus belle qu'une actrice hollywoodienne, même après avoir donné naissance à quatre enfants. Eyja se rappelle une photo d'elle datant de l'époque où son grand-père étudiait la littérature anglaise aux Etats-Unis – elle avait écarquillé les yeux en apprenant que sa grand-mère s'était elle aussi inscrite à un cours de littérature. Eyja n'avait connu d'elle qu'une femme âgée en fauteuil roulant qui vivait avec son frère dans un immeuble d'où elle avait une vue sur la ville et l'océan. Le frère vendait des appareils électriques, il était doux et beau comme sa sœur : le portrait craché d'Elvis Presley jeune, disait Maman, et faisait plus grand-père que les deux grands-pères d'Eyja réunis. C'était la grand-mère de Maman qui gérait le foyer : elle écrivait des listes de courses et supervisait leur arbre généalogique, mais Eyja ne l'avait jamais associée à la littérature. Pourtant, cela aurait dû lui sauter aux yeux vu tous les titres étranges dans sa bibliothèque. L'aïeule lisait des romans dans quatre langues et lui racontait des histoires fantastiques qu'Eyja avalait goulûment pendant que toutes deux sirotaient du thé aux fruits. Des contes de pêcheurs de requins, de guérisseurs et d'ouvrières épileptiques dans le Nord, d'où elles venaient – sa grand-mère paternelle est d'ailleurs si parente de sa grand-mère maternelle qu'Eyja s'estime chanceuse de ne pas souffrir de débilité congénitale.

Les grands-mères se comprennent bien, la méchanceté du Breidafjördur coule dans leurs veines à toutes deux, bien que l'aïeule paternelle soit autrement plus délicate que la maternelle.

Elle avait également conté à sa petite-fille son propre père, qui voyagea dans tout le pays pour photographier les gens du peuple et ainsi mit de l'argent de côté pour ouvrir un cinéma dans la capitale du Nord. Sa mère à elle était une infirmière qui aimait lire Hamsun et Dickens ; elle travaillait à l'hôpital, le même d'où partait l'électricité qui alimentait le foyer de grand-mère lorsqu'elle était jeune et accouchait de son aîné dans l'une des pires tempêtes du siècle.

Sur la photographie, la grand-mère paternelle d'Eyja est aussi mystérieuse que belle. Elle porte une robe de danse courte à la jupe ample, elle a passé un cardigan par-dessus ses épaules et se tient à côté de son époux – tous deux sourient de manière insondable dans la lumière du soleil couchant. A la même époque, leur fils célébrait son quatrième anniversaire chez sa tante qu'il appelait Agga. Plus tard, il fut envoyé chaque été à la campagne, chez des éleveurs de truites dans la région de Mývatn, un couple qui fut si bon avec lui qu'à la fin, il voulut rester avec eux l'hiver durant.

Papa voulait avoir une vie de famille plus que tout au monde, mais il ignorait que, quelle que soit leur opiniâtreté, lui et sa femme pleine d'esprit mais trop sensible ne parviendraient jamais à se faire entièrement confiance. D'aucuns sont condamnés au divorce, et ces jeunes gens honnêtes devinrent avec le temps un poison mortel. Ils ne croyaient en personne, ils se disputaient dans une rage sans fond ; deux gamins avec toute leur marmaille. Qui avait fait quoi n'était même pas la question. La culpabilité retombait sur tous. Même Eyja, Agga et Haengur.

Maman ne soupçonnait rien de cela tandis qu'elle écoutait le grésillement du climatiseur et se caressait le ventre. Elle deviendrait une mère si scrupuleuse que l'enfant ne serait confié à personne avant ses cinq ans. Et puis vint un autre petit… et encore un autre.

Tous ces enfants l'aimeraient davantage qu'ils ne s'aimaient eux-mêmes.

Elle ne sera jamais seule.

# L'insoutenable légèreté de l'être

Culpabilité et soulagement se passent le relais, de sorte que son rythme cardiaque est fluctuant.

Les jours s'écoulent sur une montagne russe d'émotions dans l'accomplissement des diverses tâches ménagères. La culpabilité remporte la victoire chaque fois qu'elle croise Rúna, si débordée dans les préparatifs de la venue des enfants qu'une nervosité électrique anime chacun de ses mouvements. Eyja a la sagesse de s'occuper de ses affaires.

Un moment, elle est submergée d'une vague de honte devant sa trahison. L'instant d'après, elle jubile comme une folle d'avoir enfin couché avec un autre, prise d'une envie de coucher avec le monde entier. Tout le monde sauf le Coup de Vent. Mais que lui dire ? A présent, c'est elle qui prétend ne pas entendre le téléphone.

Quel est le pire : lui avouer la vérité ou mentir ? Pourquoi culpabilise-t-elle à ce point ? Elle devrait peut-être lui envoyer un colis ? Quelque roman accompagné de sucreries. Il adore Kundera, il a lu et relu *L'Insoutenable légèreté de l'être*. Peut-être trouvera-t-elle *La Valse des adieux* à Sundsvall.

Il faut qu'elle arrête de penser, pense enfin Eyja, le jour où le minibus arrive en patinant dans la cour, rempli d'enfants chahuteurs, des drapeaux islandais dans les mains. C'est probablement Rúna qui les leur a donnés – Eyja se rappelle l'avoir aperçue qui transportait une caisse dans le véhicule le matin même, crispée de nervosité au point de n'adresser la parole ni à Eyja ni aux deux garçons qui avaient eu la sagesse de ne pas lui traîner dans les pattes et l'attendaient à l'intérieur. Eyja n'avait rien à faire là-bas, son rôle était de préparer des rafraîchissements dignes de ce nom pour les enfants – qui seraient morts de soif, ça ne faisait aucun doute, après une longue route dans cette chaleur accablante.

Ils sortent en groupes : six garçons et six filles, la plupart en short et plus rapides les uns que les autres à perdre leur drapeau. Un grand dadais dirige la file – bien plus âgé, peut-être dix-sept ans, voire dix-huit. Les cheveux blonds et frisés, les yeux bleus. L'allure sportive avec son jean et son tee-shirt blanc. Il offre un sourire décontracté à Eyja et hoche la tête – il ressemble tellement à un mannequin de publicité pour after-shave que le Coup de Vent aurait tôt fait de le surnommer *chaton*. Ce doit être le garçon dont Rúna a fait mention pour la première fois la veille. Elle a annoncé avoir engagé un assistant, car elle ne pouvait imaginer Eyja capable de faire face ; aussi serait-elle aimable de lui rendre service, merci d'avance, et de laisser le jeune homme tranquille – sinon, elle le regretterait.

Eyja en fit la promesse, extatique à l'idée de rencontrer le garçon.

Et le voilà. Aussi délicieux qu'une canne à sucre cubaine. La Reine du Ski lui lance un regard mauvais de sous sa casquette, aussi Eyja se lève-t-elle d'un bond et jette un dernier coup d'œil à la table, couverte de snacks pour les enfants. Impeccable, selon elle, mais l'expérience lui a appris qu'elle est loin d'être irréprochable.

Les enfants la font presque tomber à la renverse en se jetant sur la table, droit sur les pichets de jus de fruits, le liquide éclaboussant les murs pendant qu'ils étanchent leur soif, étonnamment puérils vu que la plupart auront bientôt douze ans – et pourtant ! Ils n'ont pas souvent l'occasion de venir à la campagne, qui plus est à l'étranger et sans leurs parents – tout ça le même jour !

Le groupe se disperse, aussi rapidement qu'il se réunit à nouveau lorsqu'un blondinet menu en baskets bien trop grandes pour lui s'écrie : Regardez le lac ! Les autres poussent un cri de joie, puis ils serpentent comme un mille-pattes jusqu'à la rive.

Tu les as laissés partir sans manger ? grogne Rúna, qui se tient dans le cadre de la porte avec six sacs de courses pleins à craquer et, derrière elle, une tour de cartons qui tangue entre les bras du garçon.

Ils ont filé d'un coup.

Ils ont filé ?… Qu'est-ce que tu leur as mis à grignoter ?

Ce que tu m'as dit.

Fais-moi voir ça… Tu comptais vraiment leur faire manger du fromage à l'ail ? Les yeux de Rúna lancent des éclairs tandis qu'elle agite une tranche de pain molle sous le nez d'Eyja et soupire : Tu crois qu'un gamin de douze ans a envie de s'empiffrer de ton espèce de pâte à tartiner ?

Rúna observe Eyja, interrogative, jusqu'à ce que cette dernière balbutie : Il y a aussi des petits-fours au concombre, regarde, là, sur l'assiette bleue !

Au concombre ?!

Oui.

Tu crois qu'un gamin normal est fana de concombre ?

Ne sont-ils pas supposés manger des légumes ?

Il faut leur donner autre chose, avec les légumes. Qu'ils mangent vraiment. Pourquoi tu n'as pas mis du vrai fromage avec le pain ?

Il n'y en avait pas.

Si, dans le réfrigérateur de la réserve. Ainsi que du pâté de foie, et de la confiture de fraises. Si mademoiselle prêtait attention à ce qu'elle fait au lieu de toujours rêvasser à va-savoir-quel-homme.

Quoi ?

Comme si je ne savais pas à quoi tu penses !

Eyja fixe Rúna, pétrifiée. Son malaise est sur le point d'atteindre le paroxysme. Que doit-elle dire ? Elle soupire de soulagement lorsqu'un enfant se met à hurler : Une guêpe ! – et que les autres foncent dans tous les sens. Rúna lève le camp en criant des ordres çà et là : Ça suffit, par ici, les enfants ! Allez ! A table !

Ils sont tout excités après la course, carrément d'humeur à jouer avec la dame à la visière. Elle les rassemble comme un troupeau de moutons pendant qu'elle siffle à Eyja qu'il va lui falloir désormais importer une cuisinière d'outre-Atlantique. Et mettre la main au porte-monnaie, parce qu'il est clair que CERTAINES PERSONNES n'ont pas honoré leur part du contrat. Elle n'aurait jamais eu l'idée d'inviter Eyja si elle avait soupçonné l'étendue de la rééducation nécessaire.

Je comprends, lâche Eyja.

Tu ne comprends rien du tout. Tiens, attrape les gamins, fais comme le garçon. Ils pourraient aller jouer dans les roseaux et se blesser.

S'il arrive quelque chose à un enfant, ce sera sa faute, Eyja en est certaine – si elle avait placé des mets plus tentants sur la table, ils ne se seraient évidemment pas enfuis. Elle demeure figée sur place pendant que Rúna et les garçons réunissent le groupe autour de la table. S'apitoyer sur soi-même est parfaitement inutile lorsqu'elle voit l'expression que provoque le fromage à l'ail sur les adorables visages. Rúna avait raison. Malheureusement. C'est bien elle, la coupable. Elle : Eyja.

## Septième étape de la rééducation : développement des capacités physiques au triathlon

Le lendemain, elle se réveille sous une tente militaire, entourée de six petites filles qui marmonnent. Elles sont allongées sur des lits de camp et lèvent les yeux vers la Reine du Ski qui souffle pour la troisième fois dans son sifflet strident avant de hurler : Deeeebouuuuut !

Eyja ravale un soupir et force ses paupières à se soulever, épuisée après avoir écouté les ronflements des fillettes jusqu'au petit matin. Vers 4 heures, elle avait pris peur, d'avoir entendu toutes les terrifiantes histoires de loups et d'ours que les garçons, en terrain connu, avaient racontées aux voyageurs avec emphase. Cela ne faisait pas assez longtemps qu'Eyja avait quitté l'adolescence pour avoir le cœur à faire taire ces histoires.

Il est désormais 7 h 30.

Que ceux qui veulent déjeuner rappliquent sur-le-champ ! s'écrie la Reine du Ski avant de filer la tête haute vers les quartiers des garçons.

Eyja ne sait si elle doit se sentir mal ou soulagée en apercevant la table dressée pour le petit déjeuner. Rúna a de toute évidence pris les choses en main : la table ploie sous le poids de la nourriture – jus de fruits, pain, garnitures, fruits et flocons d'avoine. Elle

354

a dû se lever avant le chant du coq, si elle s'est même couchée.

Le groupe se sustente avec les gloussements habituels, puis Rúna et le Scout s'occupent de charger les sacs à pique-nique, l'eau et les couvertures dans la voiture. Il s'agit de faire une randonnée sur les berges du lac, connu pour sa beauté et la variété de ses oiseaux ; là-bas, ils iront nager, ramer à bord de barques et faire griller des marshmallows au-dessus d'un feu de bois avant de poursuivre leur route vers des simulacres de camps samis où ils dégusteront un gigot d'élan cuit en terre ; après le repas, ils dormiront sous des peaux de renne dans d'authentiques tentes traditionnelles.

Eyja se laisse gagner par l'excitation pendant que les fillettes sautillent autour d'elle, des étoiles plein les yeux :

Tu as un petit copain ? demande l'une d'elles, énergique, le visage en forme de cœur. Tu crois que je dois prendre mon appareil photo ? demande une autre, arborant des frisettes blondes de mouton. Tu as quel âge ? demande une dégingandée aux yeux écarquillés. Tu aimes les Smarties ? demande une fillette aux lunettes de soleil roses en ouvrant son sac à dos et en montrant furtivement à Eyja tout un tas de friandises. Tu aimes Madonna ? demande une petite avec un appareil dentaire et de fines taches de rousseur sur le nez. Tu sais que j'ai été adoptée et que je viens de Colombie ? demande celle qui lui ressemble. Eyja s'efforce de répondre aux questions en adressant un sourire au Scout, lui-même entouré de six garçons galopants. Il lui sourit en retour – avec un calme admirable, songe Eyja. Lent mais décidé, se dit-elle avant de se reprendre tandis que la Reine du Ski grimace. Ensuite, on lève le camp.

Elle reprend conscience dans un brouillard vert gluant. Elle a un goût de sang dans la bouche ; un pas de plus et elle meurt.

Bouge un peu tes fesses, on t'attend ! s'exclame Rúna, en tête du groupe, enveloppée dans l'épaisseur de la forêt et toute petite vue d'ici.

J'arrive, lâche Eyja dans un souffle, surchargée de paquetages, une douleur si aiguë dans la poitrine qu'elle est prête à jeter ses cigarettes pour alléger son attirail. Elle n'a qu'une envie : se laisser tomber et pleurer.

N'était-ce pas pure méchanceté de la part de Rúna d'avancer ainsi en guide du peloton avec le Scout ? – au prétexte qu'Eyja n'était pas digne de confiance pour surveiller les enfants, elle devait se contenter de porter le chargement : sac à pique-nique, bouteilles d'eau et trousse de premiers secours. S'ils n'avaient marché qu'une demi-heure, le poids aurait déjà été conséquent, mais après une randonnée ininterrompue de deux heures…

Elle doit presque courir, courbée sous son attirail. Impossible de garder le rythme de qui n'a rien à porter. A présent elle a mal autant aux bras qu'aux jambes, couvertes de griffures sous sa robe légère et ses sandales en cuir.

A chaque fois qu'elle ralentit le pas, Rúna se met à hurler – elle n'ose même pas s'offrir une gorgée d'eau, terrifiée par son regard. Sa gorge est sèche comme le désert. Les arbres dansent sous ses yeux. Ses pensées s'évaporent, l'esprit devient uniforme : vert ; rien que le feuillage et le bourdonnement des insectes. Elle ne doit pas penser à l'ours. Trop faible pour craindre quoi que ce soit d'autre que Rúna. Tandis que le régiment d'enfants trottine, inépuisable, emboîtant le pas au Scout qui écarte les mauvaises herbes d'un coup de couteau suisse en chantant *Marchons, marchons*, d'une voix grave encore juvénile.

Lorsqu'ils échappent enfin à la forêt, ses jambes s'ankylosent et s'effondrent sous elle – prise d'un vertige, elle tombe dans l'herbe épaisse.

Bon, dit Rúna. Tu ne peux pas rester allongée là. Allez, debout, et va chercher les enfants !

Eyja grogne, gisant parmi les bagages, recroquevillée sous un énorme sac à dos. Que veut dire Rúna ? Chercher les enfants où ?

Ils se sont tirés à droite, à gauche ! Va les attraper avant qu'ils s'attirent des ennuis.

Pourquoi moi ? insiste Eyja.

Pourquoi pas ? On doit préparer le feu. J'aurais vraiment rien dans le ciboulot si je te laissais manipuler des allumettes. Alleeez, j'ai pas l'intention de me répéter !

Eyja la fixe des yeux, désarmée. Concentre sa respiration rapide en un profond soupir et, lentement, regarde alentour. Où sont les enfants ?

Ils s'éparpillent sur une butte que Rúna appelle colline, Eyja montagne. Elle prend la route, titubant sur ses jambes cotonneuses, forcée de courir. Le goût d'acier revient dans sa bouche. C'est une question de secondes avant qu'elle trébuche et se fracture la cheville. Mais elle presse le pas à la poursuite des enfants qui crient. Essoufflée, épuisée, jusqu'à ce qu'une puissante vague de plaisir se diffuse dans son corps. L'étourdissement tourbillonne jusqu'au troisième œil et explose en un tapis de fleurs blanches.

Au pas suivant, le poids disparaît ; elle court de plus en plus vite, plus vigoureuse qu'un tigre. Extatique lorsque, enfin, deux fillettes lui obéissent. Suivies de tous les autres.

Le mille-pattes se tortille en descendant la colline haute jusqu'au ciel, le tigre à ses trousses.

Au sortir des deux premières étapes du triathlon, elle est chargée d'une énergie surhumaine, libérée des kilos de graisse et de culpabilité. Elle lape l'eau fraîche d'un ruisseau et respire l'indescriptible légèreté de quelque chose qu'elle ignore.

Quoi que cela ait été, c'est terminé.

Elle regarde, comme en transe, le feu de camp qui brille toujours plus intensément, mais ne réagit pas quand Rúna s'échappe des flammes et s'écrie qu'elle devrait nager jusqu'à la barge, là-bas, et interdire aux petits filous de ramer plus loin à bord de leur barque.

Chacun de ses muscles gonflé de force vitale alors qu'elle se laisse glisser dans l'eau puis plonge toujours plus loin, toujours plus profondément, entre les pierres poisseuses et les poissons qui sommeillent, jusqu'à ressortir à deux pas de la péniche. Les muscles se raidissent, la dopamine afflue dans son corps au moment où elle se rappelle qu'il y a peu elle osait à peine tremper ses orteils dans le lac.

A présent, elle baigne au beau milieu d'une grande étendue d'eau et ordonne aux garçons de retourner sur la berge. Les enfants naviguent à sa suite, heureuse troupe d'une championne en pleine traversée.

Deux heures plus tard, tous sont assis autour d'une Sami bien en chair, ses épais cheveux gris réunis en une tresse qui tombe dans son dos. Elle leur distribue des tranches de viande et leur offre du sel dans un pot en bois, pour saupoudrer l'élan séché. L'atmosphère est apaisée, l'air ni froid ni chaud, presque hypnotique dans son calme de circonstance. Bientôt, la fatigue s'abat sur le groupe et tous se faufilent sous leurs couvertures en peau de renne autour du feu crépitant dont la fumée s'échappe à travers la cheminée au sommet de la tente et tournoie jusqu'aux cieux.

C'est ici – nulle part ailleurs – qu'elle veut se trouver. Dans le souffle régulier des enfants, le ronflement puissant de Rúna et les gémissements sporadiques des petits garçons qui ont réalisé leur rêve de déguster un têtard grillé.

# Nouvelles

Rúna s'amuse de plus en plus avec les enfants à mesure que les jours passent. Elle semble les comprendre autant qu'elle y échoue avec les Scandinaves. Elle fredonne une chanson et l'autre pendant que le groupe navigue à bord de canoës ou de barques au fil du lac et des rivières, observe les colonies de tétras-lyres ou part à la quête de daims et à la pêche.

Les enfants trouvent que Rúna est une aventure sur pattes, mais ils ne tiennent pas moins en estime Gudrún, la cuisinière arrivée des fjords de l'Ouest en s'annonçant seulement quelques heures plus tôt. Eyja est parfaitement satisfaite de sa remplaçante aux fourneaux : la cuisinière prépare des crêpes pour le petit déjeuner, fait griller de la viande pour le déjeuner, lave des fruits pour le goûter et élabore un petit snack végétarien pour le dîner. Quatre fois par jour, les enfants se massent autour de cette femme maternelle au sourire de Mary Poppins qui va et vient dans la cuisine à grands coups de son fessier en poire dans son jean, avec son débardeur et ses cheveux blonds en queue-de-cheval et ses grands yeux gris clair perçant un visage fin. Elle les serre contre elle, apaisante avec sa voix qui chante lorsqu'elle leur souhaite, de tout son cœur, un bon appétit.

Le lac est un reflet du paradis, malgré les piqûres de moustiques et la culpabilité vis-à-vis du manuscrit qui sommeille dans l'ordinateur chaque heure qu'elle ne consacre pas à ses écrits. Eyja est déterminée à s'y mettre, mais le soleil est si agréable et les petits anges si mignons – et le grand Scout encore davantage. La culpabilité fond comme du caramel tandis que tous deux discutent de films et des boîtes de nuit de la capitale islandaise où elle lui conseille de se rendre discrètement plutôt que dans les cafés innocents qui entourent le lycée de Reykjavík. L'écriture peut attendre, tant qu'elle ne l'oublie pas. Mais elle oublie le Coup de Vent.

Et Maman.

Et la Fille aux yeux d'oiseau marin.

Agga.

Le petit frère chez papa et sa femme.

La petite sœur qui se cache sous sa couette pour pleurer pendant que Ken écoute Enya.

Au lieu de se brûler avec des mégots de cigarette, elle enduit sa peau de crème à l'aloe vera. Elle glousse tandis que la Reine du Ski lui siffle : T'es quand même une sacrée nympho, gamine !

Elle sait qu'elle n'en pense pas un mot. Car Rúna est elle-même resplendissante. Tout va bien et l'ours est parti rejoindre d'autres contrées, si l'on en croit les bavardages des voisins. Puis, le journal local paraît. La bête est revenue – on a cette fois aperçu son museau couvert de miel de l'autre côté du lac.

Blablatant sur l'ours, le facteur essuya la sueur de son front avant de tirer le journal de la sacoche accrochée à son vélo. Un type amical avec une moustache blonde et un regard sincère sous sa tignasse claire. Il eut un sourire navré et tendit le papier à Eyja en lui disant de ne pas croire que tous les gens du coin faisaient partie de la rédaction.

Il ne leur était pas venu à l'idée que le hameau avait son propre journal. Un genre de bulletin d'informations. Il s'intitule *Les Nouvelles de Munkbysjön*. A la une, dans le coin droit, on trouve la photo floue d'un ours. Le reste de la page affiche une image plus grande de chalets de vacances d'allure familière. La grande maison jaune et les petits bungalows, la canne et ses canetons. Dessous, en lettres capitales : *DROGUE À MUNKBYSJÖN, VOIR P. 2.*

## *DROGUE À MUNKBYSJÖN*

*Comme la plupart de nos lecteurs le savent, une Islandaise a récemment pris possession d'un terrain ayant appartenu à notre ami Stefan Peterson. Ses héritiers y ont fait construire un lotissement de maisons de vacances et ont sauté sur la première occasion pour le vendre à un investisseur étranger.*

*Selon la police, la propriétaire des lieux a été la source de mécontentement – des touristes suédois se sont plaints à plusieurs reprises au cours de leur séjour chez l'Islandaise, autant dans les chalets que sur le terrain de camping.*

*A présent, l'Islandaise reçoit chez elle des enfants islandais. Il reste à espérer que ces rejetons en garderont un souvenir aussi riche que celui que nous autres, habitants de la région, avons des vaches du regretté Stefan qui paissaient là.*

*Des sources anonymes nous ont cependant fait part de leurs inquiétudes ; en effet, tout n'est pas aussi rose qu'il y paraît. Quelques convives présents au bal tenu il y a quelques jours se sont vu offrir de la cocaïne par la propriétaire du village-vacances, comme s'il s'agissait d'un geste anodin. Elle avait probablement l'intention de leur faire payer, mais nos sources ont affirmé ne pas le savoir, car la femme ne parle que l'islandais.*

*Ici, à la rédaction, nous espérons de tout cœur que l'Islandaise fait une utilisation strictement personnelle des stupéfiants et que cette anecdote fait figure d'exception. En d'autres termes, nous espérons qu'elle n'ira pas agiter sa drogue sous le nez des enfants qu'elle accueille ni sous celui des nôtres. Et que c'est également le cas de sa jeune assistante – qui, selon des sources sûres, serait d'origine turque.*

Waouh, lâche Eyja, admirative, après que le Scout leur a traduit dans les grandes lignes le contenu de l'article, fier comme un coq avec son diplôme d'études danoises en poche. Waouh, répète-t-elle en secouant la tête pour cacher son enthousiasme du fait que les sources sûres du journal lui attribuent des origines aussi exotiques. Voyez ça, on occupe presque tout le papier !

Essaie de faire mieux dans ton bouquin, soupire Rúna, définitivement aigrie par cette vie.

# Le paradis perdu

Putains de Finnois !

S'il n'y avait pas eu ces putains de Finnois, ces putains d'imbéciles de flics ne se seraient jamais mélangé les pinceaux comme ça. Comment démêler un quiproquo inextricable lorsque ces enfoirés de Suédois font croire dans les médias que quand elle parle leur langue – apprise, *nota bene*, dans un hôtel haut standing, le genre où ces sales bouseux ne mettraient jamais les pieds –, c'est en fait de l'islandais. Comme si elle avait le temps pour ces conneries. Il faut emmener les enfants ici avant de les emmener là-bas ! Oui, c'est ce qu'elle vient de dire. Comment ça, Eyja n'a pas compris ?

C'est juste…

Juste… quoi ? Serait-elle en train d'essayer de la faire mourir de rire ? Ha, ha, ha…

Non, non.

Alors, quoi ? Elle compte rester plantée là comme un piquet encore longtemps, ou elle va l'aider à vider le bateau ?

J'arrive, dit Eyja, épuisée après une longue journée. Rúna s'est réveillée aussi furieuse que lorsqu'elle s'est endormie la veille. Elle est parvenue à s'adresser à tous avec un calme feint, sauf avec Eyja qui dut répondre du nationalisme présumé des Suédois dès qu'elle ouvrit les yeux et jusqu'au retour de l'expédition en canoë, activité du jour.

Ni le Scout ni la cuisinière ne semblèrent y prêter la moindre attention. Ils avaient bien assez à faire – le Scout concentré sur sa tâche et Gudrún riant nonchalamment de la méchanceté de sa cousine, feignant le stoïcisme lorsque Rúna ravala sa fierté et lui montra le journal. Elle enfila alors ses lunettes de confort, parcourut l'article et eut un petit rire : Sans blague !

Eyja se roule en boule devant la véhémence de Rúna. Plus d'une décennie s'écoule avant qu'elle la retrouve en esprit, plante son regard dans le sien, déterminée, et lise ses pensées en lambeaux :

Quelle idiote de m'être traîné cette gamine jusqu'ici ! Elle ne sait rien faire de ses deux mains à part fumer et rêvasser aux hommes. Tout se serait bien passé si on avait eu le temps de faire ce qu'on avait à faire au lieu de s'inquiéter de la gosse. Et ce type ! Qui appelait à pas d'heure. Qui la réveillait la nuit, parfois coup sur coup. Soit en colère, soit dégoulinant de bons sentiments. Elle n'avait pas eu une bonne nuit de sommeil pendant des semaines. Mais qu'il n'aille pas croire qu'elle l'aurait laissé parler à la gamine ! Elle avait fait une promesse à la mère et à la grand-mère de cette dernière. Et Rúna Sigurgrímsdóttir n'était pas femme à revenir sur ses paroles.

Eyja aurait pris la tangente sur-le-champ si elle avait su combien de fois il l'avait appelée. Parce qu'elle ne soupçonnait pas les nuits blanches de sa bonne fée, elle traînait continuellement sur la terrasse et passait son temps à fumer, dans une sorte d'auto-apitoiement romantique. Toujours à rêver à ses amourettes. L'esprit à son mari, là-bas, mais pas contre traîner un Suédois chez elle après le bal – et voilà que maintenant elle faisait de l'œil au pauvre gamin avec une avidité notoire. Putain de nymphomane ! Et par-dessus le marché, mademoiselle Nympho leur avait trouvé une place dans le journal ! Ces gonzesses-là ne s'arrêtent pas tant qu'elles ne se sont pas pointées au bal en robe de pute. Pas étonnant que les Suédois les aient prises pour des junkies, quand ils ont aperçu la pouffe en minijupe.

Qu'est-ce qui lui a pris de l'emmener au bal ?

Sa vue s'assombrit. Laisse tomber, espèce de feignasse ! hurle-t-elle, un pied dans le bateau qui tangue et l'autre dans l'eau pendant qu'Eyja s'empare du sac avec la caméra et le matériel de photographie dans l'autre barque. Je serais bonne à enfermer si je te laissais t'occuper de ça !

Dans ce cas, qui va prendre les appareils photo ?

Lâche-moi ce sac, ordonne-t-elle, dansant la danse de l'équilibre, légère comme une feuille. Je vais venir le chercher.

Tu ne veux pas que je te le donne ?

Non, il y en a pour cent mille couronnes, là-dedans.

Eyja repose prudemment le sac et regarde Rúna qui se balance d'une barque à l'autre, attrape le sac, repart dans une éclaboussure, puis glisse et plonge la tête la première. Son cri fait fuir les oiseaux de la forêt, résonnant tout le long du lac tandis que la femme troll se dirige vers la berge d'un pas enragé avec un sac rempli de matériel bon pour la poubelle. Eyja devrait dire quelque chose, oui, n'importe quoi, mais son cœur bat si fort que ses cordes vocales sont nouées – plus jamais elle ne laissera échapper un son.

Eyja se languissait tant de sa grand-mère et de sa maison qu'elle cessa de parler le jour où la famille prit la mer pour l'Angleterre, environ un an après la Journée de la femme, et ne dit plus un mot pendant six mois.

La famille au complet était assise à la table de la salle à manger, chez grand-mère, et discutait de la nécessité de partir. Cela aurait pu être un repas du dimanche ordinaire, si ce n'était que la réalité s'apprêtait à prendre une tout autre forme. Grand-mère portait un tablier pardessus sa robe jaune curry de chez Gudrún, la couturière, et ses cheveux étaient devenus indomptables, les mèches poivre et sel se balançant lorsqu'elle riait, impassible dans ces moments-là, car il valait mieux en rire qu'en pleurer, les fillettes pourraient prendre peur si elle se laissait aller à l'angoisse de l'au revoir. Une chaîne en or roula sur le dos de sa main lorsqu'elle remplit les tasses, et ses ongles étaient désormais roses, comme ses paumes que les travaux ménagers avaient peintes de la même teinte.

Je devrais remplir une nouvelle carafe, non ? proposat-elle, tournant les talons vers la cuisine avant que quiconque réponde. Grand-père avait plus de difficultés à cacher son trouble. Il remuait sur son siège et grignotait nerveusement sa calzone, les mains soigneuses époussetant la farine du revers de sa veste grenade et essuyant ses lèvres après chaque bouchée. A cet instant charnière, il parlait de l'Angleterre avec son gendre coiffé à la Hendrix et vêtu d'un gilet coloré par-dessus une chemise serrée sur son corps maigre. Mon traducteur anglais est plein de ressources – il dirige un hôtel et sert de l'essence, dit grand-père d'un ton ironique, et papa ne gloussa pas, mais éclata d'un rire franc, si juvénile lorsqu'il répondit : Rien ne les arrête, ces Britanniques.

Ils étaient beaux, chacun à leur manière : le poète à la tenue aristocrate et le biologiste hippiesque en route pour un doctorat, désormais plus intéressé par le comportement des insectes que celui des touristes islandais vadrouillant en Espagne ou en Afrique. Ils pouvaient bavarder de tout ce qu'on trouve entre ciel et terre : des pâturages des moutons aux œuvres classiques de la littérature. Le jeune homme aimait autant parler d'*Ulysse* et de *Don Quichotte* avec l'homme âgé que ce dernier aimait discuter de l'écosystème islandais avec le plus jeune, tous deux habitués à parcourir la campagne pour rendre visite à un poète dans une ferme fleurie au toit d'herbe ou aller observer des chenilles ou des fougères. Maman, elle, n'avait pas envie de parler de bestioles ou de tous ces chefs-d'œuvre reliés et dorés. Elle n'aimait pas les livres reliés. Elle préférait les romancières françaises excentriques en format de poche – ou d'autres, britanniques et sarcastiques.

En revanche, Maman comme papa faisaient la fine bouche face aux pâtisseries – aucun ne partageait le goût des grands-parents et de l'enfant pour les sucreries.

Maman avait déjà le mal de mer rien qu'à regarder Eyja s'empiffrer de tranches de gâteau roulé. Elle riait nerveusement et échangeait des plaisanteries avec sa sœur qui fumait la pipe, vêtue de son pull en laine islandaise et ses cheveux raides attachés, de la même couleur que le miel noir de grand-mère ; ses yeux brillaient de malice au-dessus de son nez retroussé et de son menton allongé. Bien sûr, elle avait elle-même tricoté le pull, lâche et si long qu'il ondulait sur son pantalon à pattes d'éléphant. Maman portait elle aussi un jean et un pull islandais décoré de cœurs gris, que grand-mère lui avait confectionné. Maman ne pouvait apprendre à tricoter ; elle ne faisait que dessiner.

Puis, soudain, TOUT prit fin.

Le soleil se faufilait à travers les rideaux et dessinait des formes sur la nappe violette. Mais Eyja ne se rappelle pas quel temps il faisait l'instant suivant lorsqu'ils grimpèrent la passerelle menant au *Mánafoss*. Elle se rappelle son état d'extase à l'idée de découvrir enfin ce bateau, persuadée que son aïeul y exerçait la profession de marin, après avoir maintes fois entendu sa grand-mère dire que grand-père était à bord du navire, occupé à travailler.

A travers la foule, on apercevait grand-mère, l'épouse laissée sur la terre, et grand-père, le marin, tous deux vêtus d'une gabardine avec un chapeau. A côté d'eux, la tante dans son manteau en peau de mouton qui tentait de dissimuler sa tristesse en faisant des singeries, comme tourner le dos au navire et mimer AU REVOIR avec ses fesses.

Eyja avait la respiration haletante. Comment dire au revoir à tant de gens à la fois ? Et si elle oubliait quelqu'un ? Et qu'en était-il de tous les autres qui se tenaient sur le quai et à qui personne ne faisait ses adieux ? Maman attrapa le bas de son pull lorsqu'elle se pencha par-dessus la rambarde et hurla : Au revoir à tous !

Et ils prirent la mer.

Et Maman vomit durant toute la durée du voyage.

Ils passèrent leur première nuit en Angleterre dans une cité universitaire, à Oxford, chez une amie de Maman qui avait un visage en forme de cœur et un nez délicat en pointe. Elle avait le geste si consciencieux que c'en était presque oppressant.

Elle caressa la joue d'Eyja et dit : Tu es si mignonne, ma petite, on dirait un mélange entre le bonhomme Michelin et la Vierge Marie.

Merci beaucoup, répondit Eyja, emphatique – et à la fois, non. Les mots ne faisaient que tournoyer dans son cerveau. Les six mois qui suivirent, elle fut si bouleversée par ce nouveau monde que ses pensées ne se transformaient plus en mots mais résonnaient dans sa tête, pressant contre ses tempes.

Maman rit malgré le mal de mer – elle tremblait de rire en empoignant les meubles. La pièce tournait à toute vitesse sous ses yeux.

Si tu avais vu ma cousine, dit l'amie d'un ton doux d'aristocrate. Elle prenait le bateau de Reykjavík à Copenhague – elle a été tellement malade que son malaise a mis trente-cinq ans à passer, lorsqu'elle s'est enfin décidée à rentrer en Islande.

Merci beaucoup, répondit Maman, elle aussi, et elle rit jusqu'à se laisser glisser dans un fauteuil, pâle comme un linge. L'habitation était d'un goût sûr mais l'air était froid et humide, la moquette étonnamment épaisse. Lorsque l'amie s'endormit, Maman se mit à pleurer. Elle voulait rentrer à la maison.

C'est impossible, dit papa.

Je vais quand même rentrer, dit-elle.

C'est impossible, répéta-t-il, patient.

Bien sûr que si.

Eyja observa ses parents, inquiète. Elle voulait qu'ils soient heureux, eux qui étaient si bons avec leur fille que, certains matins, elle s'écriait : Regardez, le soleil s'est levé pour moi !

Ils eurent des moments heureux en Angleterre, aussi loin qu'Eyja s'en souvienne. Elle possède une photographie d'eux trois allongés à côté d'un panier à pique-nique, à deux pas d'un hippodrome et de ses grands chevaux. Ils sourient de manière espiègle au photographe. Ni Maman ni papa n'avaient la moindre idée qu'ils avaient parié sur le mauvais cheval.

Trois ans plus tard, ils reprirent la direction de l'Islande. Maman s'y était déjà réinstallée avec Eyja pour donner naissance à Agga et tenter de se débarrasser de cette méfiance à l'égard de son mari, seul à l'étranger et occupé à... quoi ?

A travailler – et travailler encore, écrivait-il dans une lettre en expliquant être rentré seul dans son trou à rats d'étudiant pour faire la vaisselle jusqu'au milieu de la nuit avant de pouvoir se faire frire un morceau de viande. Elle se satisfit de cette réponse mais continua de se sentir mal. Amère lorsque sa mère lui dit avoir eu un comportement étrange quand elle était dans-sa-situation, et elle refusa les restes de nourriture avec un haut-le-cœur tandis qu'Eyja s'empiffrait de rognons et de cœur avec des morceaux de pommes et de la purée de pommes de terre.

Lorsque papa fit enfin son retour, tout avait changé. Elle n'était plus enfant unique et ses parents s'étaient mis à se chercher des poux dans la tête bien qu'ils aient eu encore souvent par la suite de bons moments ; avec le temps, ces petites piques se métamorphosèrent en disputes, aussi allait-elle se cacher entre les pattes du chien – et la tension ne fit que grimper les sept années suivantes, jusqu'à atteindre son paroxysme.

Ils n'étaient plus des adolescents après avoir vécu indépendants en Angleterre – papa avait de plus en plus de mal à vivre au ras des champs chez l'encombrante belle-famille.

L'été, il partait pour de longues randonnées observer la nature et, à la maison, il concentrait son attention sur les insectes qu'il avait importés dans l'intérêt de la recherche. Il autorisait Eyja à assister au dîner de la tarentule : des sauterelles qui se tortillaient. Maman hurlait de dégoût, sans réponse face à l'effronterie de papa lorsqu'il lui rappelait qu'ils étaient tous des animaux – et qu'il en allait de même du grand-père littéraire qui avait appris à Eyja que les hommes mangent dans des assiettes et les bêtes dans des auges. Eyja, elle, adopta le point de vue de la nature et continua de faire bondir dans ses bottes de cuir luisantes son grand-père lorsqu'elle criait à tue-tête au moment des repas : Amène ton auge !

La première nuit en Angleterre avait été longue. Au petit matin, Maman cessa enfin de pleurer et ils emménagèrent dans une maison en briques avec un jardin et des poules. Elle créa une atmosphère chaleureuse dans la maison glaciale : ordonna des boîtes de thé parfumé pour éliminer l'odeur de moisissure et donna à Eyja quelques livres en anglais à placer sur sa table de chevet. L'un d'eux avait pour titre *Little Red Riding Hood*. Maman dut chercher l'image du loup pour qu'Eyja reconnaisse le conte et croie enfin que le Petit Chaperon rouge portait bien ce nom stupide.

Pourquoi a-t-il un nom différent en Angleterre ?

Parce qu'à l'étranger, les choses ont des noms différents. Ici, il y a même des loups, alors qu'on n'en trouve pas en Islande.

On les entend hurler dans les montagnes qui entourent Munkbysjön.

# Huitième étape de la rééducation : vue d'ensemble

La mission du jour est d'aller chanter « Ging Gang Goolie » sur le plus haut sommet de Suède. C'est une belle journée, le soleil ne cogne pas trop et le petit déjeuner de la cuisinière vaut tous les hôtels cinq étoiles du monde. Astiqué au petit matin, le minibus patiente, rempli de fruits et de bouteilles d'eau. Le Scout dirige les enfants vers leurs sièges, douze porcelets criblés de piqûres de moustiques, appareil photo autour du cou. Eyja n'a pas plus le droit de les approcher qu'un pédophile. Le regard de Rúna est électrique, probablement parce que Eyja a pour ainsi dire ruiné du matériel photographique d'une valeur de cent mille couronnes la veille.

Eyja abandonne son corps pour la suivre des yeux et se frayer avec difficulté un chemin dans sa tête. Pourquoi slalome-t-elle constamment d'un état psychologique à un autre ? Quelle est son histoire ? La seule chose qu'Eyja sache au sujet de Rúna est qu'elle a tout un tas de frères et sœurs et qu'elle s'est distinguée sur des skis avant même d'apprendre à marcher.

Elle oublie ces considérations d'un coup, la respiration coupée par le stress. N'a-t-elle pas déjà son compte avec toutes ces autres histoires ? Elle piétine, elle n'arrive pas à réfléchir, avec tous ces gens qui se marchent les uns sur les autres dans sa tête. Pauvre Rúna, de l'avoir comme assistante !

Debout !

Je ne peux pas, martèle Eyja, bloquée sur la planète de l'éternelle répétition, encore une fois.

Oh que si, tu peux ! Debout ! crache Rúna, sans pitié.

Eyja lève les yeux vers le ciel. La tour de bois sur le plus haut sommet de Suède tournoie sous son regard ; la bâtisse vacille sous le poids de douze enfants, d'un Scout et d'une Reine du Ski. Si Eyja grimpe l'abrupt escalier en colimaçon long de dix mètres, il s'effondrera.

Les enfants gloussent sardoniquement ; ces enfants qui avaient semblé si extrêmement amicaux jusqu'ici. Le Scout, lui, la regarde sérieusement, il a peur pour elle. Elle ne supporte pas son expression de pitié.

Eyja ferme les yeux et entend le bois craquer lorsqu'elle se met en route. Tout l'effraie parce qu'elle est écrivain ! gueule un gamin hyperactif à la crinière châtaine, de sorte que les gloussements du groupe éclatent en un rire frénétique.

Va lire Hemingway, pauvre imbécile, songe Eyja, s'efforçant d'ignorer les craquements sinistres. Le rire la pousse en avant ; elle a survécu au triathlon, elle devrait surmonter cette épreuve – seulement si elle s'arrête de penser. Les mains et les jambes grimpent jusqu'à ce qu'elle arrive en roulant sur la terrasse. Et se lève, enfin, au-dessus de tout.

Rúna a cessé de rire, elle sourit fièrement et la serre contre elle. Le bulletin d'informations local s'évapore pendant que les oiseaux planent dans le bleu du ciel. L'air est frais, si limpide qu'Eyja désire y plonger, ne faire qu'une avec la voûte céleste. Lors du triathlon, elle a repris possession de son corps ; à présent son esprit se sent capable de tout – comme si, avec sa tête dans les nuages, elle pensait pour l'ensemble des êtres.

Enfin, elle voit la forêt derrière les arbres ; le monde est bien plus grand que la maison de Maman dans sa vallée et bien plus grand que le village sous les monts noirs de l'Ouest ; il est d'une beauté frappante, vert sous tant de formes et vibrant de vie, une vie qui s'étend à l'infini. Son unique devoir est de se saisir de son souffle et de le préserver.

Ils avaient eu hâte.

Maman et ses enfants. Elle allait cuisiner des spaghettis – comme tu les fais d'habitude, avait dit le petit frère d'Eyja lorsqu'on lui avait laissé le choix de son repas d'anniversaire. Il allait le célébrer chez elle ; pas chez papa et sa femme – ou du moins allait-il dîner aux deux endroits. Maman était ivre de joie.

Elle ne se rappelait plus la dernière fois qu'elle avait préparé à manger pour tous ses enfants réunis. Son petit garçon était toujours au village, chez son père, occupé à jouer avec ses copains de football, Eyja et Agga constamment à vagabonder et la plus jeune pleurnichant pour savoir où se trouvaient les grands.

Maman s'était mise sur son trente et un et les filles avaient promis de s'apprêter également en cette journée. La sauce bouillonnait sur la gazinière et la nappe à carreaux rouges avait été étalée sur la table.

Son fils était assis tout au bout, un sourire timide aux lèvres, sa petite sœur dans les bras – elle avait perdu l'habitude de les voir ensemble : il semblait avoir la peau si sombre et le corps si menu comparé au bébé qui arborait des cheveux roux vif et de longs membres. Elle se sentait bien rien qu'à le voir là ; elle et lui étaient à la fois proches et mal à l'aise en la présence l'un de l'autre, comme deux tourtereaux se faisant la cour. Si seulement les petites pestes daignaient faire leur apparition – elle percevait la nervosité grandissante de son fils qui avait voyagé à bord de deux bus sur cent kilomètres au total, tiré à quatre épingles dans un costume qu'elle lui avait offert à Noël l'année passée et avec aux pieds des chaussures soigneusement cirées.

Il était si calme, si mesuré qu'elle en avait parfois mal au cœur. C'était autre chose que ses sœurs, avec leur face insolente de chipies – ainsi qualifiait-elle les grimaces indignées qu'elles dessinaient sur leur visage ; elles qui fumaient comme des sapeurs avec leur gros fessier serré dans un jean moulant et leur grande gueule pour débiter tout et n'importe quoi. Elles auraient de ses nouvelles si...

Salut !

Les filles étaient arrivées. Eyja prit tout de suite place près de la gazinière, ostensiblement je-m'en-foutiste en enfonçant un doigt dans la sauce – mais elle s'empressa de ranger sa main lorsqu'elle vit l'expression de sa mère. Elle devait ne pas oublier qu'il s'agissait d'une journée spéciale, quand bien même la façon dont Maman était aux petits soins de son frère, comme s'il s'agissait de quelque prince héritier au trône du Perpétistan, lui tapait sur le système. Agga, elle, alla droit vers le garçonnet et le prit dans ses bras – elle avait beau être la plus sarcastique d'entre tous, elle avait toujours porté la fratrie haut dans son cœur, si proche de son frère qu'il mit plusieurs années à apprendre à parler, car elle traduisait tout pour lui.

La benjamine entoura Agga de ses bras presque instantanément, au grand dépit d'Eyja, dépit qui ne fit que s'accentuer lorsque Maman et Agga se mirent à échanger des plaisanteries que personne ne comprenait à part elles mais que tout le monde trouvait hilarantes à part Eyja. Y avait-il quelqu'un ici qui daignerait lui dire bonsoir ?

Elle alluma une cigarette et jeta un œil mauvais alentour – parfois, il suffisait de mettre un pied ici pour être de mauvaise humeur. Que lui arrivait-il ? La sauce bolonaise parfumait la pièce et le chien lui sautait dessus et son frère avait parcouru tout ce chemin et... on entendit un bruit.

Il est là-haut ? demanda soudain Eyja.

Maman plongea son visage dans ses casseroles, remua la sauce, alluma une cigarette. Eyja répéta sa question et la fixa.

Je ne sais pas ! soupira Maman avec un regard implorant.

Tu avais promis qu'il ne serait pas à la maison.

Je n'ai pas à juger de ses allées et venues. Toi non plus.

Eyja entendit la benjamine éclater en sanglots alors qu'elle claquait la porte d'entrée derrière elle et s'échappait, encore une fois, dans les ténèbres de décembre, le chien sur les talons. Si la soirée était gâchée, c'était la faute de Maman.

Elle poursuivit droit devant. La vue prenait fin à la nationale éclairée lorsqu'elle s'enfuyait de la maison. Désormais : presque à chaque fois qu'elle y mettait les pieds – la route devenait de plus en plus étroite, et l'espace entre chaque réverbère grandissait toujours, comme des fissures de lumière dans un tuyau noir.

Elle était fière d'avoir fait du mal à Maman. L'anniversaire ne s'était pas déroulé comme elle l'avait prévu. Mais qui était la championne de la soirée ruinée ? Toutes ces fêtes de Noël et ces voyages et... toutes ces journées pleines de promesses transformées en véritable cauchemar.

Et Eyja foulait le sol. Toujours plus loin, vers le grand tuyau de lumière. Le ciel noir, la terre blanche, comme toujours.

# Fuite

Les arbres se resserrent sur elle. Depuis qu'elle a acquis une vue d'ensemble, elle rêve d'eux la nuit : des murs sombres et verts se rapprochent, parois d'une caverne sous-marine sur le point de s'effondrer. Les monts des fjords de l'Ouest sont des galets comparés à tous ces arbres. Elle veut les expulser hors d'elle dans une explosion.

Il lui vient l'idée d'appeler le Météorologue. C'est juste qu'elle ne sait pas quoi lui dire. En vérité, elle ne sait même pas si elle a envie de lui parler. Par moments elle se dégoûte d'avoir couché avec lui, et par moments naît en elle le désir d'attraper discrètement le téléphone et de composer le numéro inscrit sur la carte de visite. Mais pourquoi ne pas appeler le Coup de Vent, si elle doit appeler quelqu'un ?

Elle l'ignore. Alors, elle convainc le Scout de faire griller des marshmallows avec elle – et tous deux chantent des tubes islandais jusqu'à ce que Rúna les envoie au lit. Laisse-le tranquille ! murmure-t-elle à l'oreille d'Eyja. Ce n'est qu'un gamin !

Il a le permis, cela dit, pense Eyja, qui a cessé de se formaliser pour un peu de mauvaise humeur. Elle connaît désormais la différence entre les petites sautes et les grandes colères de la Reine du Ski. Le lendemain matin, elle s'emporte dans une fureur de ce genre, et Eyja estime plus sage de l'éviter.

Le cri déchire le silence :

*PUTAINS DE SCANDINAVES !*

Les enfants ne réagissent pas, trop occupés à jouer à Counting Cookies. Le Scout ne prend pas les cris au sérieux ; Eyja, elle, bondit par réflexe. Elle voit le facteur s'éloigner, serpentant le long du sentier sur sa vieille bicyclette, et un lourd pressentiment s'empare d'elle. Cet homme bon a déjà apporté de bien mauvaises nouvelles. En général, il profitait de la halte pour essuyer la sueur de son front. Cette fois, il s'échappe comme si sa vie en dépendait.

Eyja attrape une cigarette et la fume en vitesse derrière la maison pendant qu'elle réfléchit à ce qui a pu se produire, déterminée à être préparée au pire avant d'entrer.

Rúna est introuvable lorsqu'elle passe le seuil. Elle reprend son souffle et jette un rapide coup d'œil alentour. Sur la table de la cuisine se trouve un vrai journal – pas juste un bulletin mais un véritable journal régional de pas moins de huit pages. Il est ouvert en son milieu et arbore la photographie bien connue des chalets de vacances, en grand format, au-dessus d'un titre en caractères gras. Un article à l'écriture serrée accompagne la photo.

Elle ne comprend pas tout mais suffisamment pour déchiffrer des spéculations sur un trafic de drogues suspecté et une possible collaboration entre des Islandais et des Turcs pour l'import de substances illicites dans la campagne suédoise. Assez pour se dire qu'elle ferait mieux de prendre la tangente.

Il fallait bien que ça arrive, elle le savait depuis que le téléphone avait sonné, quelques jours auparavant. Au début, à en juger par l'expression de Rúna, elle avait cru qu'il s'agissait du Coup de Vent, et elle s'était approchée – mais lorsqu'elle avait entendu son suédois titubant s'échapper d'entre ses lèvres, elle avait patienté. Ce dont elle aurait dû s'abstenir.

Elle aurait dû faire quelque chose, oui, n'importe quoi, à la seconde où elle comprit qu'à l'autre bout du fil se trouvait un journaliste. De toute évidence, il posait d'étranges questions, car la Reine du Ski crachait son venin.

Il lui faut sortir. Ce n'est qu'une question de minutes avant que Rúna débarque en furie à la recherche d'une tête de Turc. Ses yeux s'arrêteront forcément sur elle, la coupable. Elle fait un tour sur elle-même. Il n'est pas trop tard pour appeler le Météorologue. Où est la carte de visite ?

Tu ne voulais pas m'aider à couper les légumes ? demande une voix douce ; Eyja jette un regard furtif vers la cuisine. La cuisinière Gudrún se tient là, souriante, un couteau bien aiguisé à la main qu'elle pointe dans sa direction.

Si, ment Eyja, confuse.

Tant mieux, dit la cuisinière de sa voix maternelle, j'ai accumulé pas mal de retard. Rúna comptait s'occuper de tout ça mais elle a dû sortir.

Pour aller où ?

Elle doit parler aux autorités, si j'ai bien compris. Un mauvais malentendu dans le journal qui a été livré avec le courrier, je crois. J'aimerais bien que tu commences par émincer les tomates, c'est ce qui presse le plus.

Eyja la regarde fixement, puis ose enfin demander : Tu n'as pas peur ?

De Rúna ? s'étonne la cuisinière, de sorte que ses yeux bienveillants s'agrandissent de moitié. Pourquoi devrais-je ?

Eyja se tait, trépigne et s'efforce de reformuler son interrogation : Je veux dire, tu n'es pas inquiète ?

Parce qu'elle a dû sortir ? s'esclaffe la cuisinière. Ma chérie, ça ne m'a même pas traversé l'esprit de m'inquiéter. Regarde-moi ce soleil !

Eyja jette un œil par la fenêtre et contemple les environs lumineux. Puis elle se tourne doucement vers Gudrún et demande : Tu crois que je peux téléphoner ?

Bien sûr, répond la cuisinière. Mais n'oublie pas de laver les tomates avant de les couper.

Le Météorologue répond à sa ligne fixe. Il travaille à l'aéroport de Sundsvall, de nuit cette semaine, explique-t-il de manière si formelle qu'elle regrette immédiatement d'avoir appelé. Que lui dire ?

Elle n'a pas besoin de prononcer un mot. Après un bref silence, il annonce être de repos ce week-end et lui demande si elle est partante. Pour quelque chose.

Euh, oui. Pourquoi pas ? dit-elle, l'estomac soudain noué, phénomène qui la surprend.

Quand ça ? demande-t-il.

Au plus vite, répond-elle maladroitement.

Il a un rire discret et lui dit qu'après tout, on est vendredi. Elle se délecte de son rire, puis ils se donnent rendez-vous sur une place de Sundsvall dans l'après-midi.

# Présage de fin du monde

Rúna est loin d'être ravie lorsqu'elle revient de sa mystérieuse course ; à vrai dire, elle est si mécontente qu'elle en oublie aussitôt l'ouragan provoqué par la presse suédoise. On veut abandonner les douze gamins et prendre le bus pour aller batifoler avec des inconnus, maintenant ?

Eyja tente de se justifier en lui rappelant que le Scout et la cuisinière sont tous deux des assistants de premier ordre.

Gudrún lui offre un sourire approbateur – sa seule présence apaise les protestations de Rúna et Eyja s'estime chanceuse, à demi dissimulée derrière une pile de légumes émincés.

Mais les gamines t'adorent, soupire Rúna. Qu'est-ce que je vais leur dire ? Que mademoiselle Nympho préfère se rendre à Sundsvall et... Elle se tait avant de lâcher : Va savoir si tu ne vas pas finir mariée avant que j'aie le temps de dire « ouf » ! Je lui dis quoi, moi, à ta mère ?

Je suis mariée.

Alors, pourquoi tu t'en vas à Sundsvall ?

Eyja se tait tandis que Rúna mastique férocement son chewing-gum. Capable de tout. Mais elle se contente de soupirer une nouvelle fois et dit qu'elle trouvera bien une solution.

Vraiment ?

Oui, affirme-t-elle, impénétrable. Après tout, j'ai promis aux deux bonnes femmes de te tirer de ce mariage.

Un instant plus tard, Eyja est assise, vêtue de sa robe à sequins turquoise, dans le bus spacieux aux sièges profonds qui sentent le plastique neuf, comme la Saab de grand-mère. On aperçoit une tête par-ci par-là, mais le véhicule est presque vide. L'un des passagers est pour le moins envahissant : une guêpe perdue qui navigue entre les voyageurs.

Eyja se recroqueville sur elle-même. S'il est bien une chose qu'elle craint davantage dans la nature islandaise que les ours égarés, ce sont les guêpes. Celle-ci s'approche, bourdonne et prend place sur la vitre à côté d'elle. Eyja l'observe, pétrifiée dans la chaleur estivale, puis se rappelle soudain les baptêmes du feu de ces derniers jours et s'appuie contre le carreau. Les bois défilent comme une haie infinie alors qu'elle commence à avoir hâte.

Le bus s'arrête près de la rue principale de Sundsvall et elle sort, prête à saluer le jour, comme disait toujours son grand-père lorsqu'ils partaient en randonnée. Il se penchait sur elle et lui murmurait : Et si on allait saluer le jour ?

Elle rayonnait alors tout entière, car cet homme vivait dans un conte, ses jours à lui étaient habités par ceux qu'on appelle le « peuple caché » – qui lui laissaient derrière quelque rocher des bonbons Bismark –, envahis de coffres au trésor enterrés sous des collines et de morts qui reprenaient vie lorsqu'il les pointait de sa canne et qu'il lui racontait leur histoire. Comme celle de l'arrière-arrière-grand-mère d'Eyja qui collectionnait les récits sur les Hommes, les animaux et les monstres, en une pile de livres sur sa table de chevet. Cet homme lui manque – lui qui mourra bientôt.

Impatiente, elle court vers la place principale où grand-mère s'asseyait pendant que grand-père amassait les aventures en Irlande, autant dans les récits que dans les souvenirs, et que leur enfant pleurait dans un landau en Islande. Elle prend place sur un banc et fait glisser l'une de ses sandales, se masse le talon, patiente. Seule, comme grand-mère – mais pas aussi seule.

Si seulement elles avaient pu s'asseoir là ensemble.

Enfin, il arrive. Son Météorologue, tout sourire avec le même bermuda que la dernière fois. Plus normal que ce à quoi elle s'attendait.

A quoi s'attendait-elle exactement ?

Ils échangent un bonjour timide. Se demandent s'ils doivent s'embrasser. Hésitent trop longtemps. Elle dépose un baiser sur sa joue rasée de près et y sent une odeur de pin.

Il lui propose d'aller s'installer dans un café. Elle est d'accord. Ils choisissent une terrasse charmante au bord de la rue principale. Il y a du monde partout. Les gens rient avec leur pinte de bière et leurs nachos, ou leur café glacé et leur cigarette. Il lui offre un verre de vin blanc, sucré et enivrant. Ils grignotent des olives, rongeant la chair autour du noyau en tentant de trouver un sujet de discussion intéressant. Elle boit le vin trop rapidement. Il fait un signe au serveur lorsqu'elle avale la dernière gorgée et commande un autre verre, plus audacieux qu'un quart d'heure plus tôt alors qu'il se penche par-dessus la table et l'embrasse avant de lui dire qu'il y a une fête foraine à deux pas d'ici. Ils décident de s'y rendre. Mais d'abord, ils vont boire encore un peu.

Le vin se fait plus doux à chaque gorgée. A l'instar du Météorologue. Ses yeux sont d'un joli vert et enfoncés profondément à l'intérieur de son visage ; son nez est étonnamment petit pour un homme, mais elle pourrait avoir le béguin pour lui. Quoiqu'il soit plutôt monotone dans le choix de ses sujets de discussion – il n'a cessé de parler des bouleversements climatiques depuis qu'ils se sont assis. Elle l'observe sans comprendre. Nous sommes encore en quatre-vingt-dix-et-des-poussières, et on peut se permettre d'être optimiste même quand sa vie amoureuse prend un tournant imprévisible.

De toute évidence, il passe ses journées au grand air. Des cuisses magnifiques parsemées de poils blonds, bien que ses mollets fassent plutôt penser à la peau d'un enfant – comment dit-on « nymphomane » en suédois ? – ; elle devrait boire plus vite, le laisser déblatérer sur la fin du monde, un sourire aux lèvres. Il est passionné de météorologie, c'en est presque trop. Mais sa voix est grave et rassurante. Sexy.

Elle sirote un troisième verre. Elle doit faire attention. Ce type est si normal qu'il sera en état de choc si elle fait une crise ; même s'il la regarde calmement à l'instant présent, il ignore qu'elle est la fin du monde sur pattes. Sait-il comment agir en ces circonstances ? Lui donnerait-il du chocolat comme le Coup de Vent ? Et si elle fait une deuxième crise dans la foulée parce qu'il n'a pas la moindre idée de ce qu'il faut faire ? Alors, elle pourrait mourir et... et alors il n'y aura plus de ET.

De quoi parle-t-il maintenant ? La fonte des glaces.

... j'ai en ma possession plein de livres passionnants à ce sujet, je pourrais te les prêter. Tu sais lire le suédois ? Aucune importance, la plupart sont en anglais. A vrai dire, ce devrait être une obligation de lire ces livres, égrène-t-il dans toute sa candeur en plongeant ses yeux dans ceux d'Eyja.

Elle sourit, caresse l'idée de l'embrasser. Il devrait prendre le prochain vol pour l'Islande et sentir la neige sur sa peau. Et si elle lui racontait l'avalanche ? Comme il a un beau sourire... Un autre verre ? Oui, pourquoi pas ? Après tout, elle vient de rencontrer son Fernando.

# Rêve d'une femme enceinte

Treize ans après le rendez-vous galant, elle repense au Météorologue au milieu d'un embouteillage sur l'Alexanderplatz, bronzée après des vacances à la plage au bord de la mer Baltique, mais souffrante. Le souvenir de la conversation la remplit d'horreur et elle serre inconsciemment la main sur son ventre, confuse dans cette vague de chaleur étouffante.

Elle se rappelle lui avoir raconté qu'une avalanche avait frappé un petit village d'Islande et emporté enfants et adultes. L'histoire n'eut pas l'effet escompté – il la regarda, sûr de lui, et dit qu'il en irait ainsi de la fin de l'homme : un déluge infernal s'abattrait sur le monde. Ici un tsunami, là une avalanche, là-bas une tornade ; car nous avions nous-mêmes écrit notre fin, et elle contrastait en tout point avec les distractions que nous nous offrions pour éviter de penser.

Il est trop tard pour changer cette fin ? demanda-t-elle hésitante, et alors il répondit : Pas si tu en écris une nouvelle. Mais pour ça, il faut que tu te mettes à écrire.

Comment ça ? lâcha-t-elle, perdue.

Tu dois croire en l'avenir, tu dois croire qu'il est un choix viable, si tu veux le maintenir en vie.

Tu arrives à te comprendre toi-même ? gloussa-t-elle.

Je sais seulement que la passivité est une manifestation du désespoir, bien que l'on se convainque du contraire, répondit-il avec candeur.

Ils terminèrent leurs verres de vin et chancelèrent jusqu'à la table de velours vert avec sa roulette à la fête foraine lorsqu'une vieille femme édentée les interpella et leur proposa de venir jouer au black jack. Eyja gagna une belle somme et acheta une bouteille de champagne. Misa une nouvelle fois, plus que la précédente, but au goulot et perdit tout son argent. Tenta encore, persuadée de gagner, perdit encore.

Le Météorologue l'avait prédit, de la même manière qu'il savait que le monde allait à sa perte, nus pieds dans ses sandales et le nez rougi par le soleil. Elle l'embrassa. Dans un rêve étrange.

On dit que les femmes enceintes font des rêves étranges. L'histoire d'Eyja est le rêve d'une femme enceinte. Elle pense à cette jeune femme prise dans les fumées de l'embouteillage, lourde d'avenir et de peur quant à sa propre fin – peur qu'une vague de catastrophes naturelles s'abatte sur le monde et en efface toutes les histoires.

Elle n'aurait pas dû sortir à vélo, la chaleur lui est toujours source de malheur ; elle aurait dû écrire, car d'innombrables mots veulent s'échapper de son corps, inscrire leur trace sur l'écran lumineux de l'ordinateur, créer un espace pour l'enfant qui grandit sans cesse. Elle n'a jamais désiré l'avenir aussi ardemment qu'à cet instant, n'a jamais autant craint la destinée du monde une fois sa vie écoulée.

Tout a commencé quelques jours auparavant, dans un appartement berlinois typique, spacieux, au plafond agréablement haut et au sol parqueté.

Je ne me sens pas bien, lança-t-elle de derrière son ordinateur portable, dans le salon. Le Mari à Venir était installé avec un autre ordinateur portable sur le balcon, les glaçons tintant dans son thé glacé. Il ne l'entendit pas, car des pleurs d'enfants, provenant de chez la nourrice en bas, éclatèrent, et ce genre de sons a en général un effet dissuasif sur les écrivains – elle a grandi sachant que rien ne fait fuir un auteur davantage que les cris d'un nourrisson.

Le lendemain matin, elle avait de nouveau la nausée face à tous ces mots. Le troisième jour, le quatrième jour, pareil. Jusqu'à ce que lui vienne l'idée d'aller frapper à la porte des *Doktor Krämer und Doktor Fünfstück* sur Danziger Strasse, dans le quartier Prenzlauer Berg, et que le docteur Krämer lui annonce qu'elle était enceinte. Une grossesse désirée ou bien…? demanda-t-il prudemment.

Désirée, oui, répondit-elle automatiquement après plus de dix ans de vie commune sans enfant. Et cet homme amical sourit, heureux de pouvoir embrasser la vie plutôt que de devoir y mettre un terme. Il ne savait pas qu'Eyja était tombée enceinte en écrivant.

Les mots avaient stimulé son sang dans les vaisseaux jusqu'à ce que les hormones s'éveillent d'un sommeil profond. Que dirait le médecin s'il apprenait que sa grossesse était le fait de l'écriture, qu'Eyja avait songé jour après jour à une petite fille ? Elle ne se sentait pas capable de lui expliquer avec son allemand bancal qu'après toutes ces années, la foi dans la littérature avait enfin fait germer une nouvelle histoire.

Il aurait dit que c'était la chaleur. La chaleur doit avoir un effet dopant sur les fluides corporels. Cette chaleur continentale écrasante que les médias allemands qualifient de dangereuse. Cet été qui fait s'évanouir les passagers dans les trains, proches d'un état fatal de déshydratation. Des sangliers radioactifs errants se multiplient à Berlin et on a aperçu un puma sur la côte baltique. Un couple l'a vu apparaître furtivement puis disparaître, puis il est revenu et reparti. Etait-ce une illusion d'optique provoquée par la canicule ou une bête fuyant les forêts incendiées autour de Moscou ?

Changement climatique, soupirent les journalistes sur le même ton désespéré et résigné que le Météorologue à l'époque, épuisés de rabâcher la même chose à leurs lecteurs jour après jour ; c'est donner des coups d'épée dans l'eau, et la répétition devient plus harassante encore sous les températures élevées. Quarante degrés et les gens brûlent comme les arbres. Mais Eyja a suffisamment foi en l'avenir pour écrire.

Elle est déterminée à enregistrer chaque instant. Car son ancienne vie prendra bientôt fin, lui dit le docteur Krämer, et elle doit saisir chaque moment avant qu'il ne disparaisse. Un jour, elle avait attendu son premier roman ; aujourd'hui, elle attend son premier enfant.

Ce nouvel être fait son nid dans son ventre, elle a la tête qui tourne lorsqu'elle traverse à vélo l'embouteillage enfumé de l'Alexanderplatz. L'espace d'une seconde, elle jalouse ceux qui engloutissent leur bière mousseuse, puis cette simple pensée lui donne la nausée. Elle n'arrive même plus à avaler une bonne tasse de café. Un sentiment d'oppression fond sur elle, tout va plus lentement qu'avant et se dilue dans la brume caniculaire. Les environs s'écoulent en un brouillard qui tombe sur les immeubles. S'abat sur les pavés des rues et les petits oiseaux qui sautillent sur les terrasses des cafés. Enfin, il s'abat sur l'écran d'ordinateur. Personne n'a dit à Eyja ce que ça faisait, d'écrire dans un brouillard de grossesse.

La proportion masculine écrasante d'écrivains à travers les siècles s'explique. Paralysée de fatigue, elle

contemple le Mari à Venir, assis dans toute son innocence sur le balcon, à écrire avec son ordinateur portable
sur les années où il était peintre de rue dans les régions
du Sud. Elle lutte contre l'envie de vomir sur son clavier.

Quelques jours plus tard, ils vont à la rencontre de son
traducteur allemand au Café Beurre : un jeune homme,
lui-même écrivain, plein de vie. Il s'excuse de ne pas
avoir donné de nouvelles plus tôt, il a pour ainsi dire
passé ces dernières semaines dans des trains, occupé à
écrire un livre. Il possède une carte de réduction qui lui
permet de sillonner à grande vitesse l'étendue du pays
chaque jour, avec un ordinateur portable et un iPod.
J'adore écrire dans les trains, dit-il, amusé, souriant, son
visage rond resplendissant sous sa coupe de gamin.
    Il est blond, au regard malicieux. A moitié Islandais,
et à vrai dire il en a l'allure, si elle peut s'autoriser un tel
jugement, alors qu'elle s'est trouvée qualifiée de turque
en Suède.
    J'adore écrire dans les trains, moi aussi ; l'une des
choses que j'aime le plus au monde, c'est écouter de la
musique avec une tasse de café dans un train – mais il
n'y en a pas en Islande, dit-elle, confuse, car toute prête
à croire qu'à l'avenir, elle ne traînassera plus dans les
trains à écrire mais titubera dans les rues du quartier
Ouest de Reykjavík avec des couches-culottes importées
hors de prix qui ne font qu'augmenter à mesure que la
crise s'amplifie – avant même qu'elle s'en rende compte,
un paquet de Pampers coûtera plus cher qu'un billet
d'avion pour l'Europe.
    Tu peux voyager en train pour le moment – repousse
ton départ, propose le traducteur, d'une voix enthousiaste ; surprise, elle plonge le nez dans son verre d'eau
gazeuse et le Mari à Venir se met soudain à siffler. Le

traducteur demande s'il a dit quelque chose d'inapproprié et s'empresse de se rattraper en disant à Eyja qu'elle est invitée à participer au grand salon du livre de Cologne.

Elle reprend vie d'un coup et est à deux doigts d'accepter l'invitation quand le Mari à Venir jette cartes sur table : Je crains qu'à ce moment-là, elle ne sorte tout juste de la maternité, dit-il, une lueur de malice dans ses yeux marron.

Le traducteur pâlit. Eyja donne un coup de pied à son mari qui leur fait un clin d'œil à tous deux et sirote son eau gazeuse au même rythme qu'elle. Il ne changera jamais – pas plus que la réalité. Le traducteur se retrouve une nouvelle fois obligé de briser le silence. Il admet s'être étonné qu'un écrivain traîne ici, à Prenzlauer Berg, la Mecque des familles berlinoises : à vrai dire, on peut à peine s'asseoir sur une chaise à Prenzlauer Berg sans tomber enceinte.

Les deux hommes rient mais la plaisanterie réveille l'adolescente en Eyja, l'écrivain en elle trouve sa grossesse du plus mauvais goût. Ecrivain est un terme masculin, si déterminant qu'une femme qui écrit est partiellement homme et, d'une certaine manière, elle a toujours du mal à se plier à ce fait.

Ces étranges privilèges qu'elle s'est accordés au fil des années. Cette fois, elle porte un enfant et non un livre ; elle qui s'est toujours consolée avec l'idée d'être écrivain, puisqu'elle n'est pas parvenue à être une vraie femme. La seule chose dont elle soit certaine, c'est que d'innombrables femmes ont arrêté l'écriture lorsqu'elles ont eu des enfants. Et à cet instant, elle est prise d'un désir pressant d'écrire. A quoi bon naître en ce monde si ce n'est pour écrire ?

# Un monde qui fut

Maman rôdait dans la maison quand elle était petite. Chut, papa écrit ! Viens avec moi dans la cuisine, chuchotait grand-mère.

Jeune et fabuleuse sur ses talons hauts, un tablier court noué à sa taille et les cheveux joliment coiffés. Elle préparait une vinaigrette à base d'oranges et de yaourt d'une main, remuant le contenu d'une marmite de l'autre. La sauce Stroganoff débordait de la casserole rouge clair. Les plantes odorantes dansaient dans la brise qui se glissait par la fenêtre.

C'était une femme moderne et elle le savait. Son mari était une institution, elle en était le moteur. Et elle se consacrait tout entière à ce rôle, comme lui se consacrait tout entier à l'écriture. Elle dactylographiait ses manuscrits, jusqu'à ce que l'arthrite prenne le dessus. Elle mettait la table quatre fois par jour. Elle polissait l'argenterie, s'occupait des fleurs accrochées à la fenêtre. Les vêtait l'un et l'autre pour les grands galas. Faisait les valises avant les voyages à l'étranger. Récurait les toilettes. Balayait la neige devant la porte. Répondait aux lettres du Trésor public. Tentait de se rappeler pour lui dans quel coffre à la banque il avait oublié l'argent reçu pour ses livres. Conduisait la voiture chez le garagiste.

Il ne changeait jamais une couche. Nul besoin de le charger de cette tâche, il aurait tout de suite pris la fuite. Et elle le savait, c'était son choix à elle, comme elle l'affirmait aux féministes du coin.

Elle voulait que son mari écrive des livres. Quoi qu'il lui en coûte ! Car elle savait qu'il lui en coûtait une concentration infinie, elle-même consciente de l'énergie mentale que requérait un patron de tricot complexe mais magnifique. A sa manière, elle était plus indépendante que ces femmes-là.

Elle menait leurs vies à tous comme un chef d'entreprise, bouche bée de surprise lorsque les féministes la critiquaient. Contrairement à elles, elle voyageait dans des continents lointains, étudiait aussi bien les dernières tendances dans *Vogue* que la couture traditionnelle des régions du Nord, participait à des débats politiques, assistait à des concerts, cuisinait des plats de tous les pays et apprenait des langues étrangères en dactylographiant la correspondance de son époux.

Elle travaillait continuellement, comme sa mère le lui avait appris, sauf qu'elle goûtait davantage les merveilles du monde que cette dernière l'aurait cru possible.

Grand-mère avait raconté sa mère à Eyja pendant que celle-ci goûtait les sucreries de l'armoire de grand-père qui contenait tout un stock de bière d'hôtesses de l'air, de havanes et de chocolats dans des paniers-surprises ornés de décorations de Noël poussiéreuses.

Qu'est-ce que c'est bon ! s'exclamaient les homonymes, la bouche pleine dans la chambre, en ouvrant la troisième boîte de friandises lorsque Taggart apparut sur l'écran de télévision. Une de ces soirées après qu'Eyja avait abandonné une fois de plus un trou à rats de Reykjavík, encore célibataire et sans but connu.

Soudain, Maman fit son apparition dans le cadre de la porte pour demander à Eyja de surveiller sa petite sœur. Eyja supplia sa grand-mère du regard, laquelle comprit immédiatement et demanda à Maman si ce n'était pas une fichue ânerie que d'aller au bal à une heure pareille, alors qu'elle était plus que bienvenue pour regarder la télévision avec elles, et la petite – il y avait bien assez de bonbons pour tout le monde.

Maman changea de couleur. Elle plissa les yeux vers sa mère puis vers sa fille, à tour de rôle, en leur faisant remarquer qu'il était sinistre d'assister au spectacle de ces deux incurables accros du sucre. Je ne comprends même pas comment vous pouvez avaler autant de cochonneries, cracha-t-elle. Vous allez finir obèses – comme si vous aviez besoin de ça.

Non, on a perdu du poids, protesta grand-mère, blessée, jetant l'une de ses jambes sur le meuble du téléviseur pour lui montrer les nouveaux chaussons massant enroulés autour de ses pieds enflés. On a bu un milk-shake Nupo à midi, ajouta-t-elle, et Eyja a mangé toutes les jolies tomates rouges qui poussent sur le bord de la fenêtre. Eyja hocha la tête et songeait à s'acheter des chaussons massants elle aussi ; un peu plus tôt ce jour-là, grand-mère l'avait dissuadée de se raser les jambes, car elle-même ne l'avait jamais fait et grand-père l'avait quand même toujours trouvée sexy.

Elle l'était : avec ses cheveux bouclés, ses dents qui se chevauchaient de manière amusante, ses fossettes profondes et son regard sauvage.

Le lendemain matin, grand-mère suggéra qu'Eyja et elle testent la poudre Herbalife. Du haut de son grand âge, elle se montrait intrépide face aux nouvelles expériences, tant en termes de nourriture que de régime. Lorsque Eyja eut approuvé, elle se hâta de composer une liste de plats légers pour les courses et entreprit un grand nettoyage du réfrigérateur pour pouvoir le remplir de choses saines. Grand-mère prenait tant de plaisir à aller et venir qu'Eyja roula des yeux quand Maman dit d'un ton mauvais que sa mère ne prenait jamais de vacances, si ce n'était pour se faire opérer des varices. Dans l'esprit de grand-mère, les VACANCES n'étaient que tourment et torture – si ce mot avait d'ailleurs le moindre sens.

Si rien ne fait fuir davantage un auteur que les cris d'un nourrisson, qu'en est-il d'une auteure enceinte ? se demande Eyja lorsqu'elle quitte l'Allemagne et retourne en Islande, porteuse d'un enfant.

La question la frappe de plein fouet quelques jours plus tard, lors d'une visite à sa grand-mère dans la maison de repos Grund. Elles sont assises toutes les deux à la cafétéria et le soleil de septembre pénètre par la fenêtre tandis qu'Eyja verse le café dans leurs tasses.

Elle tente de faire tomber quelques gouttes sur la soucoupe de grand-mère, car cette dernière a toujours eu pour habitude d'éponger le liquide avec un morceau de sucre, mais le café reste obstinément dans sa tasse. A présent, elle boit dans un mug blanc tout droit, comme les autres pensionnaires.

Grand-mère !

Grand-mère lève lentement les yeux et la regarde d'un air interrogateur.

Je suis enceinte, dit Eyja.

Grand-mère joue avec la porcelaine ; puis elle jette un regard au-dehors, en direction du soleil qui enflamme les couleurs de l'automne dans le jardin, avant de se retourner vers Eyja. C'est une bonne nouvelle ? demande-t-elle, hésitante.

Oui, très bonne, répond Eyja et elle a un léger sursaut tandis qu'un bien-être étrange se diffuse dans son corps. Sa grand-mère sourit, comme celle qui sait tout. Elles demeurent assises un bon moment, souriantes, jusqu'à ce qu'Eyja dise qu'elle va passer rue Bárugata en rentrant chez elle.

Passe le bonjour à maman de ma part, dit grand-mère.

Sans faute, promet Eyja. De toute façon, je la croise systématiquement.

Grand-mère rit, malicieusement. Ainsi riait-elle lorsque quelqu'un disait quelque chose de légèrement décalé.

Elle rit de tout son cœur le jour où Agga bâilla par-dessus le gigot du dimanche : Vous savez ce que grand-mère a dit quand elle s'est réveillée ce matin ?

Non, répondit tout le monde.

Vous faites tous partie de la même équipe de foot ? couina Agga et grand-mère éclata d'un rire si profond qu'elle trembla de tout son corps.

Agga a pour habitude de dire et de faire l'opposé de ce qu'on attend. Grand-mère estime qu'elle ressemble à la benjamine de ses filles qui enfila en cachette le chapeau d'une reine scandinave lorsque cette dernière vint rendre visite au grand-père littéraire, accompagnée d'une collection estivale de couvre-chefs fleuris. Grand-mère vit elle-même dans ce léger décalage, se dit Eyja lorsqu'elle embrasse son aïeule et répète qu'elle passera le bonjour à tout le monde rue Bárugata.

Elle devait bien être en décalage pour quitter le quartier Ouest de Reykjavík avec son mari dans la cinquantaine et dès lors boire son café du matin dans une maison en construction en pleine campagne. Elle chauffait les lieux au charbon et alimentait un groupe électrogène au diesel pour éclairer les ténèbres insondables. Le seul son était le ruissellement de la rivière qui jamais ne se tait.

Elle passa seule la première nuit dans son nouveau foyer. C'était le réveillon de Noël – plus tôt ce jour-là, elle avait quitté son travail à l'hôpital national pour aller se marier chez le maire ; à présent elle devait filer à toute vitesse sur la route de Thingvellir, où l'époux avait voulu établir ses quartiers.

A cet instant, il s'agissait de plumer les poulets au sous-sol, brûler le duvet à la bougie et les évider ; ensuite, ils étaient bouillis sur le réchaud pour la première réception d'entre mille qu'elle tirerait de sa manche, là-haut sur sa lande avec un garde-manger et un congélateur qui n'obéissaient à aucune loi de la nature. Fumée puissante des cigares, bavardages des convives, tintement du cristal : les soirées se glissaient subrepticement dans ses rêves comme les enfants à naître qui bientôt deviendraient des fantômes gloussants.

L'oncle de la mariée fut si aimable de la ramener dans la campagne après le dîner de Noël rue Bárugata. Il lui apprit comment mettre en route le groupe électrogène et allumer la chaufferie avant de retourner à la capitale. A cette époque de l'année, les congères grimpaient jusqu'aux fenêtres de l'étage supérieur. Les ténèbres étaient blanches. Si elle apercevait son reflet dans le verre, Blanche-Neige s'offrait un sourire : pâle avec ses cheveux noirs et bouclés et ses yeux perçants, de seize ans la cadette du prince. Qui arriva en voiture avec les invités le lendemain.

Cette nuit-là fut l'incipit d'une longue histoire, la vallée serait scène de vie et de livres, mais elle était trop pragmatique pour fantasmer à ce sujet.

Cinquante ans plus tard, lorsque Maman eut trois divorces à son actif sur la colline de l'autre côté de la rivière, sa sœur désirait tant comprendre le destin cruel dont elle était victime qu'elle lui rendit une visite surprise, accompagnée d'un homme très sérieux portant un costume noir, armé de deux longues baguettes.

Concentré, il parcourut la maison, suivant les baguettes qui tremblotaient à chaque pas. Puis, il quitta les lieux en expliquant que tout aurait pu se passer différemment : Maman aurait gardé ses époux et son père aurait été débarrassé de ses rhumatismes dans la jambe s'il n'y avait cette terrible vibration dans les environs, de chaque côté de la rivière. Un nuage électrique, une armée de moutons zombies ou le spectre d'Egill Skallagrímsson – quelque chose de diabolique se trouvait là. Une histoire diaboliquement charmante.

La romancière suit sa grand-mère au lit, seule et tout juste mariée dans sa chemise de nuit chaude en coton ; elle étend la couverture sur elle et murmure : La vie sera charmante ici.

Car c'est ainsi qu'elle sera – dans son souvenir.

# Lu dans la neige

Eyja se frotte les yeux. Perdue dans la maison d'un inconnu qui a laissé un mot, indiquant qu'il est parti jouer au golf. Il reviendra vers 16 heures. Si l'on en croit le radio-réveil, il est 10 h 30.

Elle a perdu tout l'argent de grand-mère hier. Dans la gueule béante d'une femme hilare, juste pour imaginer, l'espace d'une seconde, avoir le béguin pour le Météorologue. Il prédisait des catastrophes naturelles, et elle se rappelait lui avoir raconté comment le monde était avant sa catastrophe à elle :

Les parents d'une personne se disputent depuis plusieurs années quand la personne en question avale de puissants anti-épileptiques au cours de sa première beuverie, trop godiche pour que le garçon le plus laid de l'école accepte de lui rouler une pelle, de sorte qu'elle se reproche d'avoir eu le béguin pour qui que ce soit, puis Maman s'en va se disputer avec un nouvel homme et la tête de la personne devient si pleine de rien que les problèmes d'algèbre n'ont plus de sens ; et quel intérêt y a-t-il à apprendre quelque événement de la Seconde Guerre mondiale par cœur quand sa famille peut mourir à tout moment ? La personne ne désire qu'une chose : aimer un garçon suffisamment pour oublier, et un jour cela fonctionne, bien que le garçon soit un homme, et alors la personne trouve ça bien plus chouette d'être dans un endroit où vingt personnes ont péri lors d'une catastrophe naturelle plutôt que chez elle.

Ils sont morts chez eux, tu vois, un chez-soi comme chez moi, comme chez toi ; avec aussi une grand-mère souriante qui comprend tout. La grand-mère de mon amie. Elle porte une robe bleue et elle a les cheveux blancs et des ongles bien manucurés et ses yeux sont comme ceux d'un oiseau marin ; imagine, quand on lui a rendu visite, elle nous a servi du porto et nous l'avons écoutée tandis qu'elle jouait du Grieg au piano, car là-bas le monde est tel qu'il est supposé être.

C'est ce que je dis, marmonna le Météorologue, le bras autour de ses épaules, et je m'y tiens : il n'y a pas de quoi se réjouir, loin de là, du fait que Benidorm soit arrivé jusqu'en Scandinavie. Tout le monde en est heureux pour l'instant, mais après ? Qu'est-ce qu'on fera, quand la neige aura fondu ?

Elle l'embrassa à nouveau. En quoi l'avenir la concernait-il ? Elle était encore coincée dans ce vieux monde où tout était à sa place, si on veut. Sa famille : socialistes du Sud. La famille de la Fille aux yeux d'oiseau marin : conservateurs de droite des fjords de l'Ouest. A cet instant régnait un présent sur lequel les partis politiques s'entendaient.

On évitait de penser à la neige à moins d'en être prisonniers ou d'avoir tout perdu. Aucune personne saine d'esprit ne regrettait la neige.

Dans l'ancien monde, jamais elle n'aurait cru un jour passer une nuit avec un homme qui s'inquiétait du manque de neige.

Dans l'ancien monde, papa risquait sa vie en prenant le volant pour la coopérative où acheter des provisions rationnées et des cigarettes. Les pères de famille accrochaient trois Land Rover à la file et disparaissaient dans la tempête pendant que Maman faisait un signe de croix. Treize heures plus tard, papa réapparaissait dans la maison dépourvue d'électricité, ensevelie sous une congère. Maman se tenait dans le vestibule ténébreux, tremblant à cause du manque de nicotine alors qu'elle arrachait le sac en plastique suspicieusement léger des mains du bonhomme de neige, y jetait un œil et mettait l'homme dehors illico presto. Dans le sac, un paquet de saucisses et une conserve de haricots ORA. La liste de courses envolée vers les sommets alors que les pères de famille s'étaient embourbés dans la neige pour la septième fois.

Le Météorologue aurait dû savoir que la neige pouvait faire perdre la tête aux âmes sensibles – il aurait pu travailler à la psycho-météorologie et sauver bien des êtres d'eux-mêmes, emportés par la clarté aveuglante des flocons. Dans la Vallée, les gens auraient sacrifié sans y réfléchir leur avenir contre un brin de soleil, un seul instant.

La neige illuminait la nuit lorsque Maman hurla à la mort.

Eyja et Agga avaient accepté de faire du baby-sitting ce soir-là contre la promesse de ne pas recevoir la visite d'une voiture de police, comme le week-end précédent. Mais puisque Maman avait invité tout le pub à la maison pour une *after*, elles seraient bien aimables de ne pas donner d'ordres à leur mère sous son propre toit tout ça parce que la petite sœur avait de la fièvre.

Dégagez de là, bande de petites putes ! hurla Maman, lorsqu'elles eurent pour la seconde fois baissé le son de la chaîne stéréo. Ivre morte et déterminée à les jeter hors de la pièce où la benjamine était allongée, avec une mauvaise toux.

Eyja et Maman tirèrent la porte chacune de leur côté jusqu'à ce que Maman tombe et se cogne la tête contre le buffet dans un bruit de craquement. Ken appela une ambulance et Eyja s'enfuit dans les ténèbres blanches chez grand-mère où elle se balança d'avant en arrière tandis que sa cigarette se consumait.

Après, les pompiers sont arrivés, gloussa Agga le lendemain, alors que Maman était rentrée de l'hôpital et que la petite sœur allait mieux. La vallée tremblait, blanc neige et belle dans sa folie de glace. Des diablotins dans l'air.

Une diabolique neige.

Eyja meurt d'envie d'une cigarette mais se rappelle qu'elle n'a pas le droit de fumer dans l'appartement. Elle part à la recherche d'un balcon, sans succès, fume alors par la fenêtre de la cuisine en avalant trois verres d'eau.

Sur le placard, quelques photographies du propriétaire des lieux en train de jouer au golf. Il porte les mêmes vêtements de golf sur la plupart des photos, et toujours un champ vert pour décor. Elle se demande pourquoi il en a accroché plus d'une.

Au sol se trouvent quatre corbeilles, chacune d'une couleur différente. L'appartement rappelle des pièces d'expo dans un magasin Ikea, mais demeure chaleureux. Il y a réuni pas mal de livres et de cailloux. Sur son bureau, une lampe antique à l'abat-jour vert à côté d'un ordinateur tout neuf. Les canapés sont jonchés de coussins cousus main – peut-être par sa grand-mère. Sur les étagères, des ouvrages qui parlent de météo, de l'environnement, des changements climatiques. La plupart en anglais, une poignée en allemand. Sur le mur, au-dessus du canapé deux places vert kaki, est suspendu un poster encadré représentant un homme endormi sur une terrasse dans une forêt tropicale.

Elle remue ciel et terre à la recherche d'un aérosol pour effacer l'odeur de cigarette mais n'en trouve pas, ni dans la salle de bains ni dans la cuisine. Elle abdique et va se recoucher. Se réveille trois heures plus tard, toujours seule.

Elle ne veut pas s'attirer d'ennuis avec celui qui habite ici en allumant une nouvelle cigarette. Mieux vaut aller s'enfermer dehors et fumer en femme libre. Elle finira bien par tomber sur un bus, au moins un bus de ville qui la mènera à une gare routière.

Ils avaient l'intention de passer une seconde soirée tous les deux. A présent, elle peut s'estimer heureuse si elle a assez de monnaie pour les transports en commun. Elle ne serait pas surprise qu'il soit soulagé de retrouver un appartement vide à son retour. Elle le comprendrait bien – mieux que quiconque.

C'était mieux la deuxième fois, songe-t-elle, pas sûre qu'ils aient fait quoi que ce soit d'autre que parler météo. Peut-être, qui sait, le Coup de Vent a-t-il eu une aventure, lui aussi. Elle aimerait tant. Arrêter de penser à lui.

Il faut qu'elle lui téléphone. Qu'elle explique pourquoi elle ne l'a pas fait jusque-là. Lui dise que Rúna lui a caché ses appels. Pourquoi ne s'est-elle pas saisie du combiné à la minute où elle l'a appris ? Bah, elle ne le dira pas.

Ses battements cardiaques résonnent contre ses tempes tandis qu'elle compte la monnaie devant le chauffeur du bus. Il aura été plus facile que prévu de trouver son chemin. Plus facile que de penser à lui, avec le goût âcre du champagne dans la bouche.

Rúna et les enfants se trouvent toujours au palais du rire, à deux pas du village-vacances, lorsque Eyja arrive. La cuisinière Gudrún lui prépare des gaufres et lui explique avec enthousiasme qu'il faudrait toute une journée pour en sortir, selon ce qu'avait entendu dire Rúna.

Pas plus que ça, j'espère, lâche Eyja, faisant tressaillir la femme innocente.

Tu crois qu'ils risquent d'y rester enfermés ? demande cette dernière, inquiète, avant de s'asseoir à côté d'elle.

Non, probablement pas, répond Eyja d'une voix fausse. Elle sourit et enfourne une généreuse bouchée de gaufre qu'elle a la plus grande difficulté à avaler lorsque la cuisinière se relève, annonçant à Eyja d'un ton joyeux qu'elle a reçu un paquet la veille avec le journal. Rúna l'a jeté dans un coin sans faire attention, à cause de tous les ennuis liés au bulletin d'informations, et la pauvre fille ne l'a retrouvé que ce matin en sortant.

Grand-mère m'envoie toujours des colis, tousse Eyja, le morceau de gaufre coincé dans la gorge, observant la cuisinière avec impatience.

Ma chérie, ça vient de ton mari, celui qui se trouve en Islande.

Elle contemple le colis, les talons comme collés au sol parqueté. Le paquet est posé sur le bureau de Rúna. Abîmé, marron clair, étiqueté de partout.

Une comète qui s'est échouée.

Elle doit l'ouvrir.

Elle s'approche à pas lents du bureau, le touche. Ses doigts la brûlent. Elle l'attrape entre ses bras. S'échappe jusqu'à la nationale, s'assied.

Allume une cigarette, fume vite, l'écrase, arrache le carton. Voit un livre. L'ouvre et lit l'inscription virile sur la page de garde :

*Keflavík*

*Bien le bonjour, amour de ma vie !*
*Je t'envoie ce livre non pas parce qu'il est de Suède.*
*Non, juste parce qu'il est bon, aussi incroyable cela puisse-t-il paraître.*
*Je l'ai lu – mais pas cet exemplaire !*
*J'espère que tu t'amuses bien, que Dieu te protège du Suédois.*

*Je t'aime pour toujours.*

*Ton X*

Comment est-il au courant pour le Météorologue ? Elle savait que Rúna avait répondu à quelques appels, mais il était impossible qu'elle ait bavardé avec le Coup de Vent. Lui a-t-elle raconté… tout ce qui s'est passé ? Elle pose la main sur son ventre et vomit – un litre de champagne.

S'essuie la bouche. Referme le livre et en lit le titre : *Crimes au bord de l'eau.*

Foutaises !

Qu'est-ce qu'elle fait là ?

Et son roman à elle ?

Pourquoi a-t-elle cru pouvoir écrire ? Elle qui ne sait rien faire. Juste capable de commettre un adultère et…

… désormais, elle ne peut même plus l'appeler pour le remercier de son envoi.

## Neuvième étape de la rééducation : se confesser

L'ours ne montre pas le bout de son museau. Il n'y a pas de nouveau journal et la police les laisse tranquilles. L'absence de contact est totale, excepté le regard furtif occasionnel de quelque voisin de l'autre côté de la clôture. Le vide l'emplit comme jamais ; elle est parvenue à coucher avec un autre homme, ce qu'elle n'aurait pas fait si elle avait soupçonné le sentiment de néant qui l'étreindrait par la suite. La solitude plus prégnante que jamais, si écrasante que l'écriture semble futile.

Quel genre d'écrivain n'ose pas exprimer ses pensées ? gloussa Rúna lorsqu'elle apprit qu'Eyja n'avait pas raconté au Coup de Vent son aventure. Elle était visiblement sur la défensive après qu'Eyja se fut étonnée que le Coup de Vent soit au courant pour le SUÉDOIS.

Eyja n'avait aucune réponse à cette question.

Elle ne saisit plus l'objectif de sa rééducation. Pour sûr, son corps est devenu plus résistant et elle sait désormais qu'elle veut mettre fin à son mariage, si convaincue l'autre jour qu'elle a téléphoné à son père et lui a demandé s'il ne voulait pas régler le divorce d'avec le Coup de Vent pour elle. Mais à quoi bon commencer une nouvelle vie si elle a perdu l'écrivain en elle ? Sans lui, elle n'est rien.

Elle évite de regarder ses feuilles noircies et s'enfuit jouer à la balle au prisonnier avec les enfants. Sans la moindre énergie, car elle n'a plus d'appétit depuis plusieurs jours, bien qu'elle ait pris soin d'avaler de temps à autre un quartier d'orange ou un morceau de biscotte suédoise. Elle hausse les épaules quand la mignonne fillette colombienne lui demande si elle a cessé d'écrire son roman. Reçoit le ballon sur le crâne. Hausse à nouveau les épaules lorsque la fillette répète la question.

Les autres la regardent avec curiosité ; elles l'ont vue écrire depuis leur arrivée, attachées à la conviction qu'un jour ces feuilles formeraient un vrai livre, comme les prédictions lues dans le jeu de tarots d'Eyja se réaliseraient dans leur vie.

Les yeux de Rúna sont fixés sur elle. Si la gamine a arrêté de manger, quelque chose ne va pas, semble-t-elle se dire. Il faut qu'elles parlent. Sur-le-champ ! lance-t-elle par la fenêtre de la cuisine.

Eyja lui emboîte le pas en direction du lac. Elle n'a rien à dire au sujet de tout ce micmac journalistique. Que peut-elle y faire si quelques inconnus ont décidé qu'elle était une trafiquante de drogues turque ?

Elles s'asseyent sur la berge du ruisseau. Le soleil est terriblement chaud, il brûle les genoux, les paupières, la peau fine du cou-de-pied.

Qu'est-ce qui se passe ? demande Rúna, décidée mais la voix étonnamment chaleureuse.

Quoi ?

Arrête de faire semblant. Tu sais de quoi je parle.

Eyja se tait. Creuse le sable sec avec ses orteils. Etend les jambes vers la zone où la terre est mouillée.

Allons ! s'exclame Rúna, ne provoquant aucune réaction, si bien qu'elle pose une nouvelle question : C'est à cause du colis ?

Eyja secoue la tête, mais lève les yeux et dit : Tu dois me l'avouer, si tu lui as tout raconté. Si tu lui as dit que j'ai rencontré ce... Suédois. Je dois le savoir.

Je suis censée me rappeler tout ce que je dis ? rétorque Rúna, acerbe. En plus, on ne parlait pas de moi, mais de toi.

Eyja hausse les épaules. Rúna soupire. Elle enfonce la main dans la poche de son bermuda et en tire un paquet de cigarettes froissé. Lui en offre une et allume les deux. Elles demeurent assises en silence un instant, à fumer.

Enfin, les intentions psychanalytiques de la Reine du Ski portent leurs fruits. Eyja s'agite et dit : Je voulais.

Elle se tait.

Tu voulais quoi ?

Je voulais. Elle a les larmes aux yeux. Elle avale la fumée et poursuit : ... les sauver.

Qui ?

Ben, le Coup de Vent. Et Maman.

Les sauver comment ?

Tu sais bien. En écrivant mon livre. Je pensais que s'ils savaient comment je vois les choses, ils comprendraient tout.

Rúna s'approche d'Eyja et la prend dans ses bras, lâchement, avant de resserrer peu à peu son étreinte. Qu'est-ce que tu veux qu'ils comprennent ? demande-t-elle de sa voix rude.

Que peu m'importe tout ce qui s'est passé. S'ils arrêtent de boire. S'ils arrêtent de se sentir mal.

Je vois, répond Rúna, soudain dans l'embarras. Tu ne vas pas aller me chercher des poux dans la tête à mon tour, hein ? Je me sens plutôt pas mal, tiens-le-toi pour dit.

Eyja lève les yeux. Elles se regardent comme si elles appartenaient à deux espèces de créatures différentes – qui pourraient toutefois biologiquement donner naissance à une progéniture. Rúna cligne de ses yeux candides et apeurés, les pupilles gonflées de curiosité, et à son plus grand étonnement, Eyja éclate de rire. Non, bafouille-t-elle, si surprise que Rúna baisse soudain la tête. Je n'irais pas jusque-là.

Peut-être que tu ne me connais pas depuis assez longtemps, marmonne Rúna en plissant les paupières.

Tant mieux, répond Eyja, et Rúna s'esclaffe à son tour, d'un rire sincère et aigu. Tu n'es que la grande prêtresse des stupéfiants, n'est-ce pas ? glousse Eyja.

Rúna éclate d'un rire encore plus puissant avant de se racler la gorge.

Elles laissent la crise passer. Fument encore et savourent leur bonne humeur. Rúna brise le silence : Je suis désolée de devoir te l'annoncer, mais c'est prendre tes désirs pour des réalités que de vouloir les sauver.

Eyja enfonce ses orteils plus profondément dans le sable. Si je ne peux pas les aider, j'ai l'impression de ne pas mériter de vivre.

Tu ne peux sauver personne, dit Rúna avec indifférence. C'est une question de bon sens. *Comprende ?*

Je croyais y arriver en écrivant des personnages qui sont comme eux. Eyja observe Rúna avec sincérité. J'y croyais vraiment, et je me croyais aussi capable d'écrire un livre. J'étais si bête.

En général, les gens qui ont besoin d'être sauvés ne veulent pas recevoir de leçons, souffle Rúna. Sans compter que les ambitions, c'est pas fait pour sauver ses proches. Bien au contraire, on doit sacrifier ces derniers pour atteindre ses objectifs.

Comment ça ?

Ben… Il y a plein de choses que j'aurais pu faire autrement. A l'époque, quand je voulais participer aux jeux Olympiques.

Qu'est-ce qui s'est passé ?

Essaie d'imaginer. T'es pas écrivain ?

Tu crois ?

Tu devrais le savoir, gamine !

Je le croyais, en tout cas. Oui, si.

Alors tu devrais comprendre qu'il y a une différence entre ceux qui font les jeux Olympiques et ceux qui ne les font pas.

Laquelle ?

Eh bien. Jamais ton bon vieux grand-père n'aurait abandonné.

Je ne suis pas mon grand-père. Même si tu n'es pas férue de lecture, tu devrais en être consciente. Je ne suis pas comme lui.

'xactement.

Ex… actement quoi ?

Tu es toi.

La Reine du Ski contemple le lac, puis elle dit, comme un vieux sage : Regarde, il y a une libellule ! Elles traînent toujours dans le coin à cette époque de l'année.

Oui, acquiesce Eyja en levant les yeux. Je la vois.

Bien ! roucoule l'autre. Parce que plutôt mourir que de te voir repartir en Islande sans avoir terminé ce bouquin. Et laisse-moi te dire une chose : pas une personne saine d'esprit au monde ne peut écrire le moindre mot sans oser dire ce qu'elle pense. Et je sais de quoi je parle, en tant que dyslexique et tout ça, ma petite.

# Prostituées I

Dans son souvenir, elle est la Dame de la Montagne[1] :
Rúna Sigurgrímsdóttir. Elle apparaît à Eyja au moment
où celle-ci s'y attend le moins. Fantasmagorique, cernée
d'un halo bleu, brandissant son bâton de ski comme un
chef d'orchestre lève sa baguette, elle ouvre ses lèvres
éthérées et entonne d'une voix mélodieuse : *COM-
PRENDE ?*

La vision flotte sous les yeux d'Eyja neuf ans plus tard,
dans la rue aux prostituées de Barcelone. Une vague de
chaleur qui pousse les péripatéticiennes et leurs maque-
reaux à lever les yeux au ciel lorsqu'elle chantonne :
Arrête ça tout de suite ! *Comprende ?* Ou quoi ?

Tais-toi ! siffle alors Eyja, impatiente de soutenir
Maman jusqu'à la maison.

Celle-ci est venue à Barcelone rendre visite à Eyja,
dans l'appartement qu'elle loue avec le Mari à Venir
depuis deux ans.

Bien sûr, les retrouvailles furent célébrées le premier
soir. A la suite de quoi les yeux de Maman errèrent de
son enfant aux troquets de Raval où des pirates lassés du
monde accéléraient le temps qu'il leur restait avec du

---

1. *Fjallkonan* en islandais, figure allégorique féminine représentant l'Islande.

412

brandy bon marché ou quelque vin âcre sorti tout droit du tonneau.

Ce jour-là, mère et fille comptaient faire un tour à la plage mais, au lieu de cela, elles écumèrent des bistrots froids et étroits. Maman arrivait toujours tout de suite ! Juste un instant, ma chérie, suppliait-elle ! A chaque fois tombée dans une conversation avec un type au bar, à chaque fois bu trois verres de plus que prévu quand Eyja finissait par accepter de rentrer dans le boui-boui.

Les deux femmes traînaient dans la rue des prostituées depuis tôt le matin et Eyja était épuisée de tirer Maman en direction de son appartement, au coin de la rue, lorsque la vision lui apparut.

La Dame de la Montagne se sent offensée alors qu'une vieille bonne femme édentée titube le long de la chaussée et lui vole la vedette, débarquée depuis la fête foraine de Sundsvall avec toutes les possessions d'une jeune fille entre les seins, étroitement tassées dans un châle incolore.

La bonne femme rit la bouche béante sous le nez de Maman, exhibant sa chair verdâtre. Sa gueule est un puits sans fond tandis qu'elle hurle des jurons dans une langue latine étrange et qu'elle pousse de sa voix sirupeuse la mère et la fille à jouer à des jeux d'argent, un instant devant elles, le suivant derrière, crachant inlassablement des hoquets de rire.

Les prostituées rient aussi de la femme qui vagabonde là, rose comme un poulet déplumé, en chaussures massantes et en chemisette bon marché, couverte de crème à la carotte. Toujours en chemin vers la plage, bien qu'elle soit en chemin vers son domicile, et la fille grogne quelque chose d'inintelligible pendant qu'elle mène sa mère comme un petit enfant d'avant en arrière dans la foule des filles de joie.

Elles sont maigres et grandes, grosses et petites, jeunes et vieilles, ont la peau sombre ou la peau claire. Celle qui rit le plus fort est une adolescente enceinte, dans les treize ans.

Regarde-la, cette petite puce ! hoquette Maman.

Viens ! répète Eyja, fermant les paupières lorsque Maman chuchote d'une voix douce : J'arrive tout de suite, ma chérie. Je jette un œil, c'est tout.

Les prostituées semblent comprendre ce qu'elle dit, car elles rient toujours plus fort. Un rire puissant et perçant, toutes en chœur.

Eyja sent la fureur se refermer sur son corps. Que croient-elles savoir ? Que la vie n'est qu'une succession d'horreurs. Vraiment ?

La rue est remplie de prostituées et d'immigrantes sans le sou suivies de leur smala d'enfants, leur lourde croyance dans leur sac à main – mais combien d'entre elles sont romancières ?

Oui, combien ? Elle veut le savoir. Allez-y, faites un pas en avant !

Arrêtez de rire ! Il n'y a que les idiots qui rient. Ne vous avisez pas d'aspirer Maman dans votre tourbillon ! Sortez de ce rôle !

Eliminez la tragédie par l'écriture. Les peines de cœur. La violence. Les enfants disparus. Le gonflement utérin. La maladie inflammatoire pelvienne. La censure des hommes. La pauvreté. La drogue. La haine de soi.

Alors, la vie deviendra un paquet de Crayola. Des feuilles dispersées un peu partout. Elles s'envolent dans la rue, qui le désire peut les attraper et commencer à dessiner. Comme elles l'ont toujours fait. Quand Maman murmurait : Attrape un crayon et une feuille – et dessine tes rêves.

Elle portait alors un pull tricoté main couleur noisette. Lorsqu'elles sortaient se balader, elle enfilait un gilet Pilot de Paris par-dessus son pull et brossait ses cheveux bruns aux mèches blondes. Laçait ses chaussures en cuir de bonne qualité. Elégante, toujours, mais jamais de manière ostentatoire.

Elles marchaient dans une forêt anglaise. Maman avait le visage rêveur. Elles marchaient le long de l'allée pour récupérer un exemplaire du journal *L'Opinion publique* à l'abribus. Maman avait le visage inquiet. Mais elle souriait toujours à sa petite Eyja et il y avait une lueur d'intelligence dans son regard, comme un phare au milieu d'un océan de stupidité.

Eyja trouve étrange qu'une femme avec une telle lueur dans les yeux puisse tant se compliquer la vie. Elle est la complication incarnée. Maman la compliquée. Sans doute une autre personne aurait-elle pu vivre son existence sans abuser de l'alcool, mais cette personne n'aurait pas été Maman, elle aurait été une autre histoire. Quelle proportion de l'histoire de Maman était-elle inscrite dans son génome ? Qui sait ? La personne de l'autre histoire aurait sans doute simplifié les choses de sa vie depuis longtemps, pourquoi Maman s'entête-t-elle ? Sa fille ne le comprendra jamais. Pourtant c'est bien Maman qui caresse son enfant enceinte en collants et murmure fort : On l'invite à vivre avec nous ?

Si sincère qu'Eyja se sent comme quelque personnage officiel circonspect lorsqu'elle chuchote en retour : Ce n'est pas possible.

Pourquoi ? demande Maman la complexe, bien qu'on décèle une pointe de dérision dans son regard flottant.

Car certaines choses ne sont pas possibles, maman.

Jamais je ne t'aurais crue capable de dire des trucs pareils. Où crois-tu que sa mère se trouve ? Je ne sais pas. Où est son père ? lâche Eyja.

Son père, à qui elle ressemble de plus en plus à mesure que le temps passe, à en croire Maman, lui manque soudainement ; à présent, père et fille ont cessé leurs enfantillages, ils bavardent ensemble, en adultes, au sujet de la vie, de l'existence, dans la douce certitude que les romancières et les naturalistes n'ont qu'une certitude : ils ne savent rien de l'univers, contrairement à Maman qui est si réaliste qu'elle veut sans cesse réaliser l'irréalisable.

Viens ! s'exclame Eyja avec dureté, tirant sa mère jusqu'à elle. Le rêve éclate en un léger plouf et la vieille bonne femme ouvre sa bouche béante dans un rire hystérique lorsque Maman obéit, réticente. Elle le doit. Car elle ne peut marcher seule. Et elle ne va pas se coucher aux pieds des prostituées.

Les femmes doivent parfois courber l'échine.

Le jour où Maman comprit qu'elle n'était qu'elle-même, rien de plus, elle se focalisa sur le fait d'avoir des enfants et de savoir cuisiner une sauce bolonaise fichtrement bonne – ce qui prend autant de temps que de mitonner et composer un article passable. Mais ce n'était pas possible, car ce n'était pas suffisant. Cela aurait pu suffire si elle avait épousé un poète national lors de la Seconde Guerre mondiale. Mais les temps changent, les femmes aussi.

De nos jours, l'une d'elles aurait pu devenir poétesse nationale si le concept n'avait pas perdu toute sa signification. La poétesse nationale aurait pris le temps de faire attendre la sauce bolonaise.

Ou pas.

# Amnésie

Cinq jours après que le fils d'Eyja est né, il est autorisé à quitter la salle de réveil et à rentrer à la maison. Il est venu au monde avec une infection et a dû aller directement du ventre de sa mère à la couveuse, aussi a-t-elle encore du mal à l'allaiter. Elle est penchée sur son berceau et ils pleurent tous les deux. Elle est submergée à la pensée de toutes les erreurs qu'elle va commettre, si toutefois elle parvient à le maintenir en vie jusqu'à demain. Qu'est-ce qui a pris les employés de l'hôpital de les renvoyer chez eux ? Et si elle le lâche par terre ?

Il est totalement entre ses mains ; la mère est plus puissante que tous les leaders du monde et Eyja est horrifiée par ce pouvoir. Il lui suffit de lever un bras pour qu'il s'écrase au sol. Elle est la somme de ses actions, disent les philosophes, mais en a-t-elle le contrôle, a-t-elle le contrôle de cet immense pouvoir ? Son sentiment d'impuissance est si accablant qu'elle agrippe son étagère pour s'empêcher de se jeter du balcon − seule solution pour protéger l'enfant de sa mère.

Alors Maman pénètre dans le salon, sortant de la cuisine où des chiffons bouillent dans une casserole, et lui demande si elle peut prendre le petit garçon dans ses bras. Eyja hésite. Elle observe les doigts de Maman, recroquevillés par les rhumatismes, les croit à peine capables de tenir le nourrisson mais accepte quand même.

Maman soulève l'enfant qui cesse immédiatement de pleurer ; elle le berce et le pose dans les bras d'Eyja. La fille se crispe de peur, et Maman dit, avec une douceur ferme : Il va bien falloir que tu supportes d'avoir ton bébé dans les bras.

Elle les contemple tous les deux jusqu'à ce que la toute nouvelle maman se risque enfin à s'asseoir, sa progéniture contre elle, pour la nourrir et l'endormir.

L'enfant devient le cœur de tout individu, dit-elle quelque temps plus tard à Eyja. Moi aussi, j'ai été... comment dit-on, déjà ? *Overprotectrice.*

Alors, pour la première fois, Eyja apprend que Maman a souffert de dépression post-partum à chaque naissance ; elle était de ces femmes qui auraient eu besoin d'assistance psychologique après l'accouchement. Agée de vingt et un ans pour l'aînée, de presque quarante pour la benjamine. Elle ne s'éloignait pas même une demi-heure de son enfant lors des neuf premiers mois de son existence, ne supportant pas l'idée de le laisser seul. Lorsque les enfants furent au nombre de quatre, elle trouva l'échappatoire idéale pour fuir la conscience de sa propre finitude.

Un étrange trouble que cette dépression, dit-elle à Eyja. Tout ce qui pouvait arriver me submergeait tout entière. Les hommes, eux, n'y comprennent rien ; ils prétendent comprendre mais en sont incapables, et je n'avais qu'une envie alors, c'était de les frapper pour les punir – mais tu dois te rappeler qu'ils n'y peuvent rien, ma chérie.

Parfois, Eyja se dit que l'histoire de sa famille aurait pu être tout autre si les questionnaires à choix multiples lors des examens prénataux avaient fait leur apparition plus tôt.

La jeune mère songe pour la première fois à demander à sa mère de manière directe pourquoi elle a cessé d'écrire.

Maman se tait. Puis, elle dit à voix basse : Je ne trouvais jamais la distance.

Comment ça ? demande Eyja.

Argh, ma petite chérie adorée, je t'expliquerai ça plus tard, dit Maman, soudain impatiente. Je viens de louer six épisodes de *Keeping Up Appearances*[1].

---

1. Série britannique dont le titre se traduit par *Sauver les apparences*.

## Dixième étape de la rééducation :
## mettre ses pensées en mots

Elle annonça au Coup de Vent qu'elle ne reviendrait pas. Lui téléphona tôt le matin, ferma les paupières et les rouvrit avant d'avouer la vérité. Cette fois, il répondit : Mais si, tu vas revenir. N'est-ce pas ?

Il dit beaucoup de choses, elle se frotta les yeux, écouta. Se rappela tous les soirs où elle avait pleuré seule en pensant qu'il avait un jour été un petit garçon apeuré qui ne comprenait pas pourquoi les adultes se comportaient ainsi et qui arpentait désormais lui-même les rues, du sang sur le crâne. La seule chose à faire était d'arrêter – mais voilà, il ne pouvait pas.

A partir de maintenant, il n'y aurait plus personne pour le pleurer.

Et ce fut terminé.

Pour la première fois depuis des années, elle s'entend dire autre chose que : Je-sais-pas-t'en-penses-quoi ?

Elle pense que le moment est venu de terminer ce roman. Elle enfile ses écouteurs et prétend ne pas entendre les appels des enfants. Aujourd'hui, elle n'est plus une épouse autoritaire mais un écrivain égocentrique. Un jour, elle sera l'une et l'autre ; pour le moment, elle l'ignore.

Elle écrit sans interruption pendant sept heures. A la fin, une autre mission l'attend.

Elle sort et se poste devant la Reine du Ski qui flemmarde dans la véranda, la visière au-dessus des yeux, un café dans la main. Eyja l'observe, se racle la gorge et lui dit qu'elle est désolée de devoir le lui dire, cependant elle doit passer à l'offensive et corriger le malentendu avec les journaux. Autrement, elle risque de s'attirer de sérieux ennuis.

Tu as une idée, mademoiselle Je-Sais-Tout ? demande Rúna, morose, mais lui offrant quand même un sourire, car elle s'amuse malgré tout de ces inepties et elle peut, qui plus est, se vanter d'avoir sauvé la gamine d'elle-même une nouvelle fois, quoi que veuillent bien dire ces abrutis de Suédois.

Ce ne sont que des racistes, dit Eyja. Me croire turque tout ça parce que j'ai les cheveux noirs et toi trafiquante parce que tu t'es mal comportée lors d'une soirée dansante lambda.

Rúna a un mouvement de surprise. Je me suis mal comportée ? répète-t-elle, comme si elle n'avait jamais de sa vie entendu pareille sottise.

Tu le sais très bien, répond Eyja sans ciller.

Rúna lève la visière de ses yeux et la regarde fixement en mâchant son chewing-gum et aspirant sa dose de nicotine tour à tour. Enfin, elle dit : Je dois faire quoi, d'après toi ?

Envoyer toi-même un communiqué où tu expliques l'affaire, réplique Eyja sans hésiter, comme si elle travaillait depuis des années comme représentante de chefs d'Etat lors de négociations diplomatiques internationales.

Rúna crache son chewing-gum. Inspire profondément, hoche la tête. Enfin quelque chose de sensé ! s'exclame-t-elle, heureuse. Que le diable m'emporte ! Bien sûr que je dois envoyer un communiqué. *Illico prestissimo !*

Une heure plus tard, Rúna agite en l'air son communiqué flamboyant après qu'elle l'a sorti sur papier grâce à son imprimante dernier cri.

C'est autre chose de rédiger une bafouille depuis que les ordinateurs ont fait leur apparition, assène-t-elle, assurée, avant de se poser dans la véranda pour en glisser quelques exemplaires dans une enveloppe. Je n'aurais jamais pu écrire dans une langue étrangère avant d'avoir une imprimante.

Eyja pense à Maman qui cessa d'écrire le jour où toutes les Rúna du monde débarquèrent sur le terrain de la rédaction armées de leurs connaissances technologiques et de leur amour de la généralisation. Était-ce un tel mal ? Que la démocratie prenne place dans une boîte qui bourdonne. Peut-être aurait-elle appris à utiliser la boîte en question si son père n'avait pas été un poète national. Le génie typique du XIXe siècle : un homme de plume.

Eyja est une femme de clavier. En Islande, elle écrivait à la main dans des carnets de poche avant de dactylographier les chapitres de son histoire – ici, elle démarre son ordinateur et embarque pour un nouveau voyage. Les soirs d'été deviennent le matin.

Chaque soir, un nouvel embarquement, une nouvelle destination, Beethoven & Björk dans les oreilles. A l'aube, elle se lève d'un bond, après une heure de sommeil. Un matin, elle est réveillée par le son houleux d'un échange dans une langue ineffable et, tandis qu'elle se redresse, elle aperçoit un chameau à cinq mètres de la maison. Un cirque avec tout un tas de roulottes et des animaux plus nombreux encore a élu domicile au campement. Rúna se tient sur la terrasse à côté d'un lama qui rumine, tandis qu'elle s'adresse avec virulence à une femme imperturbable qui la fixe, le regard empreint d'une patience à toute épreuve, vêtue d'une jupe longue comme celle que portait l'Enfant de la République, et arborant des bijoux tape-à-l'œil par-dessus une veste en denim usée. Encore à demi endormie, Eyja se rappelle que, quelques jours auparavant, la femme a frappé à la porte de chez Rúna pour demander si elle pouvait monter un théâtre de marionnettes au camp. Des marionnettes pour enfants, ça fera plaisir à tout le monde ! avait gaiement chantonné la Reine du Ski en annonçant la nouvelle à Eyja, fière d'avoir déchiffré le suédois hésitant de cette femme originaire de Roumanie. Avait-elle mal compris ? Vous pouvez camper là mais vous avisez pas d'utiliser mon téléphone, entend-elle la Reine du Ski lancer d'un ton autoritaire dans un étrange mélange de scandinave, d'anglais et d'espagnol-de-plage. Mazette ! lâche-t-elle un instant plus tard avant d'éclater de son fameux rire rauque à la gueule d'un zèbre qui bâille pendant qu'elles sirotent une tasse de café et observent les saltimbanques qui s'installent. Tu parles d'un théâtre de marionnettes !

Un singe hurle, une autruche piétine au soleil, un lama crache et un chameau tend le cou vers le feuillage d'un arbre. Un homme avec des restes de maquillage de clown autour des yeux et de brûlure autour des lèvres va nager à la même heure qu'Eyja, chaque matin ; il l'invite pour un café dans sa roulotte après la séance de natation, et tous deux parlent de la vie d'artiste et de romans suédois, en compagnie de son amie équilibriste ; le troisième matin, Eyja envisage de partir en voyage avec le cirque afin d'écrire la biographie de son directeur, mais se ravise en pensant à son roman.

C'est comme si l'existence voulait l'encourager dans ses efforts à avoir foi dans ses pensées plutôt que dans celles des autres avec l'exhibition de la création artistique dans toute sa splendeur : des animaux exotiques et des artistes qui défient les lois de la nature chaque soir. Cette semaine-là, elle ferme à peine les yeux qu'elle les a déjà rouverts.

On peut en dire autant au sujet de Rúna. Elle est soulagée depuis qu'elle a eu le dernier mot dans un communiqué joliment imprimé. A présent, elle n'a que faire des commérages des journaux dans d'autres langues que l'islandais, elle s'amuse avec les gamins comme si elle était redevenue une fillette de douze ans sur une piste de ski dans les fjords de l'Ouest. Les préados resplendissent de bonheur et s'acharnent à faire tout ce que leurs parents leur interdiraient.

Le soir, près du feu de camp, ils mangent des glaces aux fruits que la cuisinière a préparées. Le cri des loups dans les montagnes est une berceuse. L'ours s'introduit dans une maison de vacances non loin de là, mais la vie est trop courte pour s'en inquiéter – dit Rúna quand le Scout lui demande si elle a pris ses précautions. De toute façon, on n'a ni poisson ni miel. Si j'étais lui, j'irais plutôt frapper à la porte des Suédois.

Le cirque est reparti, il n'y a plus de dresseurs d'animaux sur place pour empêcher un désastre. Pourtant Eyja n'y pense pas tandis que les braises pâlissent et qu'elle se glisse dans la grande maison de Rúna, enfile ses écouteurs et écrit sur de vieilles femmes qui préparent des cocktails sous des congères et des hommes qui partent en mer. Les nuits s'écoulent en leur compagnie, jusqu'à ce qu'elle se demande comment mettre un point final à ce long discours.

# Prostituées II

La magie, dans l'écriture d'un roman – et ça, je l'ai dit à tous mes étudiants –, c'est de savoir l'achever. L'écrivain doit boucler la boucle pour chacun de ses personnages. Ceux qui ne se plient pas à cette règle et oublient de conclure chaque détail ne savent pas raconter une histoire, insiste le professeur d'université américain en levant son verre de vin rouge à sa propre gloire, expérimenté dans l'art de s'écouter parler. Un peu pompette lorsqu'il demande s'il peut offrir à Eyja une autre boule de glace.

Elle décline, repue, et observe le coulis de fraise dans sa coupe argentée. Lève les yeux et aperçoit une plaque dorée accrochée sur le haut mur d'acajou. Une énième pancarte annonçant : *Hemingway was here.*

Elle est l'héroïne du monde intérieur d'un professeur d'université dans la cinquantaine venu à Madrid pour vivre la fiction de sa vie. Ils s'étaient rencontrés dans une auberge d'une petite rue touristique où les bars faisaient silence à l'aube pendant que des hommes vêtus de vert balayaient les mégots de cigarette. Elle lui avait dit qu'elle venait de publier son premier roman et qu'elle était partie à l'étranger pour écrire le second.

Elle s'était rendu compte que le professeur avait été élevé avec la même idée qu'elle – les vrais écrivains logent sous des combles européens où ils jouent avec

425

leurs grandes généralités sur le monde. Il se passera plusieurs années avant qu'elle n'aille vivre en Espagne avec le Mari à Venir dans une tentative désespérée de réaliser cette illusion, mais elle est encore dans le mauvais siècle, bien qu'il ne reste que quelques mois avant l'an 2000.

Tu savais que Virginia Woolf vivait dans l'hôtel juste au coin de la rue ? demanda-t-il avec enthousiasme, comme si cette dernière était leur contemporaine.

Oui, dit-elle. Et Hemingway également, un peu partout.

As-tu déjà assisté à une corrida, chère *escritora* ? dit-il d'une voix séductrice en tripotant sa barbe soignée, d'un blanc doré comme un fromage de brebis espagnol.

Non, avoua-t-elle.

Tu peux venir avec moi, dit-il. Je suis en train d'écrire un livre, moi aussi. Si tu veux, on se retrouve dans un café et on lit quelques passages de nos manuscrits.

Le mien est en islandais, dit-elle d'un ton d'excuse.

Oh – mais tu comprendras ce que j'écris, n'est-ce pas ? demanda-t-il, tout excité. J'écris en anglais, naturellement.

Les voilà assis là, dans l'un des cafés de Hemingway. Elle s'est arrêtée en chemin, pointant du doigt un bistrot portant l'inscription : *Hemingway was never here* – et a demandé s'ils ne feraient pas mieux de s'installer là. Le professeur de lettres s'en est offensé – se moquerait-elle de la littérature ?

Non.

Est-elle consciente qu'il a tout mis en jeu ?

Tout ?

Sa femme. Ses enfants, ses petits-enfants. Sa maison. Sa position à l'université où il a enseigné la littérature pendant trente ans. Un jour, il s'est réveillé et a décidé de vivre. S'il n'écrit pas son roman, c'est comme s'il était mort. Il a pris la route de l'Europe avec juste des sous-vêtements de rechange.

Elle est impatiente d'entendre les mots qui se sont échappés d'une telle force de la nature. Mais il semble soudain timide. Il la regarde, implorant. Les yeux enfoncés dans son visage aux traits fins lui rappellent le Météorologue d'antan, sauf que ceux-ci sont noirs et dans la tête d'un homme qui sera vieux demain. Elle ne peut que revenir sur ses paroles et accepter une nouvelle boule de glace. Au chocolat, cette fois – et oui, pourquoi pas un verre de vin rouge, comme lui.

Il reprend vie, tout entier. Passe commande. Fait un signe au serveur et crie quelque chose dans un espagnol américanisé.

Comme Hemingway.

Elle déguste la glace. Goûte le vin. Il élève la voix et se met à lire. Tous ses mots si précieux – qui couvrent un chapitre. Il est bloqué là, admet-il une fois sa lecture terminée. Mais le reste viendra, ça ne fait aucun doute.

Elle acquiesce et le félicite, évidemment, bien qu'elle ait envie de dire : Non, le reste ne viendra pas, car tu es trop lâche.

L'histoire, en mosaïque, est gentillette : l'ouvrier d'une manufacture de cigares à Cuba échappe à sa corvée en racontant à ses collègues des fables du matin au soir. Mais ses mots sont un exemple parfaitement scolaire de la façon dont un roman doit débuter. Prévisibles. Sans vie. Affectés. L'un de ces nombreux romans où, dès l'incipit, l'écrivain jette l'enfant avec l'eau du bain. Il suffit d'en lire deux lignes pour comprendre que le professeur s'imagine sans le moindre doute qu'elle voudra coucher avec lui.

La jeune amante du poète d'expérience. Le sujet de son art à lui – la vérité de l'univers – gravé dans ses traits à elle. Mais il ne couchera plus jamais avec une jeune femme, à moins de se payer une prostituée. Il a l'embarras du choix, en ville.

# Chick-lit existentialiste

Eyja n'a plus envie d'imaginer une fin aux personnages de ses histoires. Pourquoi faire dans la fiction ce qui n'est pas possible dans la vie ? Comment est-elle supposée donner une fin à Maman ? Ou à sa sœur Agga ?

Doit-elle écrire : Et donc, Agga trouva du travail dans le cinéma et épousa un homme de vingt ans son aîné dont elle divorça, tout comme moi, avant de rencontrer un homme plus jeune et d'avoir un enfant et ensuite... et ensuite ?

Peut-être rien de tout cela ne s'est-il passé, peut-être était-ce autre chose de totalement différent qui se déroule encore – tout dépend du regard.

Elle n'a de plus fort désir, elle veut qu'elles soient là, toujours, à régler quelque obscur problème, pour l'éternité. Les professeurs d'université auront l'amabilité de bien vouloir comprendre cela, même si elle doit échouer à l'examen final.

Elle croisait le professeur de littérature un peu trop souvent à l'auberge, bien qu'elle ait achevé leur histoire en s'échappant ivre morte du café, nauséeuse après toute cette crème glacée ingurgitée dans les ténèbres brûlantes. Cette nuit-là, elle but jusqu'à plus soif dans tel et tel bar – ici, un mojito parfumé, là une bière bien fraîche. Accepta de tirer sur le joint d'un garçon soudanais sur la place centrale. Erra au fil des avenues désertes, aperçut un gratte-ciel illuminé.

Au rez-de-chaussée, il y avait des pièces à louer, à toute heure. A en croire la pancarte, cela ne coûtait rien de réserver un bureau, un ordinateur, une imprimante et un fax en pleine nuit à Madrid. Virginia Woolf n'avait-elle pas dit qu'une femme avait besoin d'un espace à elle pour écrire un roman ? Elle en loua un. Commanda un café *solo* et démarra l'ordinateur.

Elle n'aura plus jamais un aussi beau bureau à sa disposition. Elle écrira ses romans roulée en boule sur le canapé, sur une table d'appoint dans la chambre à coucher, à la table de la salle à manger, sur une pile de linge avec de la musique dans les oreilles pour ne pas entendre les pleurs de son fils pendant que les parents se passent le relais entre mixer la purée et écrire.

L'institutrice de l'école primaire se révéla clairvoyante lorsqu'elle prédit que personne ne voudrait lui rendre visite parce que sa maison serait toujours en désordre. Dame Joliette de France n'en a que faire. La vaisselle peut bien attendre vingt ans, car tant que son petit garçon rit aux éclats et que ses mots donnent naissance à des histoires, elle n'a nul besoin d'espace à elle. Virginia Woolf ne s'était pas imaginé l'invention de l'iPod ni de l'ordinateur portable. Et surtout pas celle du Mari à Venir d'Eyja.

Le Mari à Venir habille leur fils, âgé de six mois, de vêtements chauds pour sortir pendant qu'Eyja est assise sur une pile de linge et écrit : *Lorsqu'une femme écrit sur sa vie intérieure, on appelle ça de la* chick-lit, *du roman de bonne femme ; quand un homme écrit sur sa vie intérieure, c'est de la littérature existentialiste.*

Le père et le fils lui font coucou, elle leur fait coucou à son tour, puis elle raye la phrase. Cette dernière est trop pensée pour être vraie.

Elle doit vraiment se remettre à l'écriture. Il demeure le risque qu'elle perde son romantisme. Elle ressent un désespoir grandissant lorsqu'elle écrit phrase après phrase et que toutes sonnent creux. Et si ?

Et si elle finissait comme Maman ? Une femme qui semble écrire sans le moindre effort mais place l'écriture sur un tel piédestal qu'elle ne trace jamais une lettre. Peu à peu, elle cesse d'en parler – l'écriture est comme le sexe, quelque chose dont on ne dit mot mais qu'on fait en cachette, lorsqu'il s'agit de sauver de la mort la mémoire de quelqu'un. Alors Maman scrute chaque mot, car elle a l'esprit fixé sur les petites choses sans se préoccuper des grandes. Elle peut lire un roman de trois cents pages écrit par sa fille et répéter des mois durant qu'il y a une faute de frappe page 156, au bout de la troisième ligne.

Elle n'a pas peur de sacrifier son propre anniversaire si sa fille vient d'imprimer quelque ineptie. Eyja se souvient d'avoir appelé depuis l'étranger et demandé à Agga comment s'étaient passés les cinquante-trois ans de Maman. A vrai dire, je ne sais pas, avait répondu Agga, hésitante. Elle n'a cessé de rabâcher que tu devrais savoir qu'on dit « chez le docteur » et pas « au docteur ».

Le temps file, les garçons seront bientôt rentrés ; alors elle devra prendre le relais. N'est-ce pas foutue barbarie de devoir bosser avec un enfant aussi jeune ?

A cet instant, elle se rappelle ses aïeules – il lui suffit de les appeler à elle : fermer les yeux, faire le vide dans son esprit, commencer à écrire et l'histoire viendra.

N'avait-elle pas commencé une missive à l'attention de sa nièce ?

Elle lui avait raconté l'époque où grand-mère et elle s'asseyaient à la table de la salle à manger et où grand-mère la suppliait d'aller en Suède. N'avait-elle pas également écrit quelque chose sur l'avalanche et la Reine du Ski ? Oui, et ici elle a noté quelques éléments sur ses parents et son arrière-grand-mère rue Bárugata.

A présent, la lettre est également destinée à son propre fils.

*Saviez-vous qu'on appelait votre grand-mère Drauma lorsqu'elle était encore petite ?* écrit Eyja rapidement, prenant soudain de grands airs. Du calme, je n'arrive pas à suivre ! lance-t-elle d'un ton sévère aux trois veuves. Vous me soufflez dans le gosier dès que je lève les yeux de l'ordinateur pour une seconde !

Elle les sent éclater d'un rire chaleureux et murmurer : C'est la connexion aux cieux.

# Le monde de la fiction

Eyja accepte enfin l'invitation à venir consulter les carnets de notes qui l'attendent chez la vieille dame. Elle demande à sa grand-mère paternelle de l'accompagner et d'annoncer leur venue à l'avance. Cette femme doit baigner dans les histoires sur la méchanceté du Breidafjördur, vu qu'elle connaît mes deux grands-mères, songe Eyja, regardant l'intéressée apporter une assiette contenant vingt épaisses crêpes à la crème sur la table du salon recouverte d'une nappe. La maison lui rappelle celle de sa grand-mère maternelle – des tapis touffus au sol, des cadres soigneusement sélectionnés aux murs, et des canapés fatigués mais présentant toujours bien ; la pièce exhale une atmosphère de foyer à l'ancienne. Un parfum frais s'insinue par la fenêtre : celui des fleurs dont la femme s'occupe tout au long de l'année. La maison est le cadre de toute son existence et Eyja se demande si elle a beaucoup changé depuis l'époque où la mère de la vieille dame vivait là.

La grand-mère d'Eyja est en fauteuil roulant – octogénaire d'une beauté rare, un châle bien chaud en laine grenade sur les épaules, un sourire doux aux lèvres, l'air sans cesse rêveur ; elle est si heureuse de cette visite à son amie qu'elle s'autorise à manger deux crêpes et à boire du café plutôt que du thé.

La femme s'excuse platement du peu qu'elle a à offrir – entre autres, deux tartes et tout un tas de petits gâteaux –, si gênée de cette mince collation qu'Eyja n'a d'autre choix que de la contredire. Elles sont vraiment excellentes, ces crêpes, dit-elle, son fils gigotant dans ses bras ; il se calme lorsqu'elle glisse un peu de crème fouettée dans sa bouche – le bonheur fait homme.

Les vieilles femmes sourient, satisfaites au plus haut point qu'Eyja mange crêpe après crêpe, car il paraît que la crème est bonne lorsqu'on allaite, disent-elles en chœur en observant avec amour le nourrisson bien en chair. Sa grand-mère maternelle leur manque, disent-elles, et elles se redressent toutes deux lorsque Eyja ouvre l'un des carnets bleus et se met à en lire les mots, avec la même grandiloquence que s'il s'agissait de la première édition de *Svartar fjadrir*[1].

On y parle pour sûr beaucoup de l'entretien des canalisations et du coût de maintien d'une maison individuelle. Mais le son des mots insuffle la vie aux défunts, ils portent en eux le soupir des gens passés, et comme d'un simple geste de la main, les veuves s'installent à leurs côtés ; elle a la sensation de les entendre parler de la pluie et du beau temps, surtout du tuyau défectueux sous l'évier – comme si elles n'étaient jamais parties.

Les veuves ont toutes les traits marqués, vêtues de leurs robes en laine longues jusqu'aux genoux malgré la brise douce du printemps ; deux ont les cheveux longs, la troisième les a coupés très court. A tour de rôle, elles regardent avec gourmandise les crêpes et avec amour le petit garçon né des mots, heureuses d'être parvenues à leur but : faire d'Eyja la secrétaire de ses aïeules, afin

---

1. *Plumes noires*, premier recueil du poète, romancier et dramaturge Davíd Stefánsson frá Fagraskógi (non traduit en français).

qu'elle puisse embrasser leurs histoires et accoucher de nouvelles.

Leur proximité est palpable au point que grand-mère la mystérieuse s'enroule dans son châle lorsqu'elle confie qu'elle a ressenti bien des choses dans cette maison, et qu'elle n'est pas la seule – par exemple, des courants d'air froid ou un soudain parfum d'arbre de Noël –, bien qu'en ce qui la concerne, elle ne croie pas à ces trucs-là.

Non, mais c'est comme ça, voilà tout, disent d'une seule voix les vivantes comme les défuntes. Car un instant, les diverses dimensions se rejoignent, le monde des vivants et celui des morts deviennent une seule et même réalité : le monde de la fiction.

Il y a longtemps, lors d'un chaud été suédois, elle eut foi en ses mots. A présent, elle effleure du bout des doigts leur genèse, une manifestation qui s'élève là, tant à portée de main qu'au plus profond de son âme, en un lieu où l'on ne peut se rendre sans l'aide des esprits, ceux qui furent et façonnèrent son existence. La fiction l'emplit tout entière, plus vraie qu'elle-même. La seule chose qu'elle puisse faire est de s'y unir.


Quand Eyja dit au revoir, elle se rappelle que la femme a eu un enfant à peu près à la même époque que grand-mère a donné naissance à Maman. Elle enfonce un bonnet de soie rose sur la tête de son fils et demande à la femme si elle se rappelle comment était grand-mère au moment où elle a eu sa fille.

Je me souviens, répond l'intéressée lentement, qu'elle est allée là-bas, à l'étranger. J'ai entendu quelque chose, comme hors de moi, entendu qu'elle n'était pas celle qu'elle aurait dû devenir. Je me rappelle avoir trouvé ça étrange – on ne spéculait pas sur ce genre de manifestations, à l'époque. Elle sourit avec une pointe de mélancolie, comme si elle avait le sentiment d'en avoir assez dit, mais ajoute tout de même : C'était un autre temps.

Oui, acquiesce Eyja de tout cœur.

Mais je me rappelle qu'elle a un jour dit, à cette époque, que… La femme hésite, comme en plein monologue. Oui, oui, souffle-t-elle.

Quoi ? demande Eyja.

Elle a dit : J'ai tenu le coup.

Qu'est-ce que ça signifie ?

Juste ça, répond la femme avec une empathie enthousiaste : Elle a tenu le coup.

Eyja la regarde d'un air interrogateur jusqu'à ce que la femme brise le silence et demande : Tu ne veux pas apporter une crêpe à ta grand-mère ? Puisque tu passes par là.

La crêpe est solidement empaquetée dans une boîte en carton secouée dans le panier de la poussette pendant qu'Eyja prend la direction de la maison de retraite Grund. Les veuves la suivent afin que la crêpe ne s'échappe ni ne se colle au carton. Elle entend le froissement de leurs manteaux. Lutte contre l'envie de se retourner et de leur lancer : Qu'est-ce que vous voulez que je mange, au juste, des crêpes ou des kiwis ?

Le frottement sourd est la seule réponse, elle sait seulement que grand-mère sera heureuse de ce cadeau – elle a pour habitude de pousser Eyja au régime le matin et de lui offrir collation et chocolat chaud l'après-midi. Le souvenir est une preuve irréfutable que dans cette crêpe se cache une histoire.

Qu'est-ce que tu racontes ? Les veuves ne sont que fantasme ! pourrait-on dire, surpris. Mais le monde des histoires n'est-il pas un morceau de bois à la dérive ? Elle doit poursuivre sa recherche. Scruter sa boule de cristal

Apple et avoir foi dans les mots, ils lui montreront la voie.

Au milieu de l'escalier de Grund, une poétesse se tient, les cheveux rouges coiffés en pics, vêtue d'une blouse blanche ; les gestes agiles, la bouche malicieuse mais le regard d'un ermite.

Tu devrais venir plus souvent ! s'exclame la poétesse avec sa voix de whisky – c'est une vieille punk à la conscience aiguisée. La proximité en dit long, ajoute-t-elle en nouant une serviette autour du cou de la grand-mère d'Eyja. Que tu le croies ou non.

Eyja décide de croire la poétesse. Elle s'assied à côté de son aïeule, son fils dans les bras, et sourit, heureuse lorsque cette dernière reprend vie et demande, d'une voix enthousiaste – comme elle demandait toujours quand Eyja l'appelait, avant : C'est toi ?

Oui, c'est moi, répond Eyja en la regardant manger sa crêpe, pleine d'œufs bio et de crème fouettée, songeuse quant au fait que sa grand-mère lui rappelle invariablement un parterre de pensées fraîchement écloses dans la lumière du jour qui baisse.

Grand-mère rajeunit de dix ans en dégustant la crêpe et rit comme une fillette tandis que le bébé babille. Toi, alors ! Il est à nous, ce petit ? gazouille-t-elle à l'intention de la mère et du fils, regardant avec fierté les autres pensionnaires dans leur fauteuil roulant – eux aussi ont gagné dix ans en apercevant l'enfant.

Oui, dit Eyja. Et c'est bien.

Ça ne pourra jamais être mieux, dit grand-mère. Tu ne veux pas une crêpe ?

Non, répond Eyja. Ta sœur m'a dit que je devrais faire un régime.

C'est moi qui lui en ai parlé, avoue grand-mère. Tu seras si jolie si tu maigris.

Tu crois ? demande Eyja, pleine d'espoir.

J'en suis absolument certaine. Ne portons-nous pas le même prénom ?

# Ce dont on ne parle jamais

Rends-moi un service ! s'exclame Maman quand Eyja vient lui rendre une de ces innombrables visites dans son bordel latin de Thingholt afin d'aller y pêcher quelque histoire.

Quoi ? demande Eyja en enlevant le manteau de son fils. Il file aussitôt en criant vers sa grand-mère et se jette dans ses bras.

Ecris tout ce que tu as besoin d'écrire, la supplie Maman en resserrant sa robe de chambre d'une main et en embrassant le garçonnet de l'autre. Ensuite, elle se tourne vers la cuisine pour montrer à l'enfant le corbeau installé sur le balcon d'Elsa, la voisine d'en face ; il vient chaque jour picorer dans sa main – fait que Maman trouve plus substantiel que tout ce qu'on entend au journal télévisé. Peut-être qu'il lui rappelle le corbeau que papa avait apprivoisé dans le temps et qui se perchait sur son épaule.

Tous deux observent la scène, pensifs, par la fenêtre, et la grand-mère murmure quelque chose à son petit-fils. Eyja ne discerne pas le moindre mot – elle sait de toute façon qu'il s'agit de la langue que Maman n'emploie qu'avec les enfants et les chiens.

Qu'entends-tu par « écris tout » ? demande Eyja, impatiente et fébrile.

Eh bien, ce que je viens de dire, répond Maman sans la regarder. Ne laisse rien t'arrêter, promets-le-moi. Surtout pas moi. C'est bon pour les incompétents. Tu veux du café ?

Eyja accepte, installe son fils dans l'antique chaise haute et s'assied à la table de la cuisine, soupçonnant que Maman a quelque chose sur le cœur, vu comme elle gesticule à droite à gauche, l'air grave. Ses suspicions s'amplifient lorsque le conjoint sourit à Eyja d'un air désolé et que Maman monte s'habiller – elle n'est pas du genre à traîner en peignoir, sauf les rares fois où la température dépasse les trente degrés.

Il est assis là, à l'autre bout de la table, devant un petit ordinateur rose à faire des recherches pour un documentaire sur le directeur d'un musée d'art en Amérique. Maman et lui sont âmes sœurs en humour existentiel, comme ils l'affirment. Ils se sont rencontrés à la supérette Bónus ; leurs regards se sont croisés alors qu'ils se tenaient chacun à leur caisse, occupés à ranger leurs courses. Tu veux peut-être m'inviter à boire un verre chez toi ? a-t-il proposé, et ils se rendirent aussitôt au domicile de Maman. Plusieurs années ont passé, et il est toujours chez elle à boire des verres. Un agneau aux mèches gris-blanc qui tombent devant ses yeux espiègles de chat ; un sens aigu de l'autodérision et un besoin irrépressible de tout maintenir en ordre autour de lui. La maison de Maman n'a jamais été aussi propre que depuis qu'il a emménagé, on pourrait littéralement manger par terre. Il repasse leurs vêtements à eux deux et sa sauce bolonaise n'a rien à envier à celle de Maman.

Celle-ci lui sourit furtivement lorsqu'elle réapparaît dans une jupe gris clair et un joli pull de golfeuse marron ; elle a maquillé ses yeux et réuni ses cheveux en queue-de-cheval. L'âme sœur sait suffisamment décrypter ses expressions pour attraper un roman français – dans une traduction anglaise de chez Penguin, naturellement – et disparaître dans la chambre à coucher.

J'avais envie de te dire quelque chose, commence Maman lorsque la porte s'est refermée derrière son conjoint et qu'elle a versé du café dans la tasse d'Eyja.

Je suis tout ouïe, répond cette dernière, occupée à écraser une banane pour son fils qui bat des jambes d'excitation.

Je suis allée en désintox, une fois, dit Maman.

Je sais. Même deux, non ?

Ah, ne change pas de sujet, supplie Maman. Je veux te raconter quelque chose, sérieusement.

Viens t'asseoir à côté de moi, alors.

Je préfère rester debout, dit Maman, s'apprêtant à allumer une cigarette avant de se rappeler la présence de son petit-fils et de s'abstenir ; l'esprit du temps a son effet même sur les fumeurs les plus acharnés. Elle se contente de dévisser son cubi de vin blanc, boisson du matin ; elle agrippe son bras droit de sa main gauche et cherche refuge dans cette étreinte. Eyja la regarde d'un air interrogateur.

Maman observe le petit garçon lorsqu'elle commence : Tu as le droit de dire que nous nous sommes retrouvés au centre Vogur, si c'est ce que tu veux écrire. Ça arrive, de nos jours, que les gens se retrouvent en désintox.

Qui ça, nous ?

Eh bien, ton ex-mari et moi.

Je ne m'en souviens pas.

Je ne te l'ai jamais dit. Cela faisait déjà longtemps que c'était fini – entre vous.

Oui, OK.

Surprise, Eyja regarde Maman qui continue de pêcher les mots en elle-même : Il a déterré des corps.

Je sais tout ça, Maman.

Tu en es sûre ?

Eyja ignore quoi répondre et se contente de l'observer, confuse.

Je veux juste te raconter ce qui s'est passé entre nous, dit Maman avec sincérité. Vu que tu écris ces histoires. C'est le cas, n'est-ce pas ?

Oui, enfin si on veut, je cherche des histoires qui... qui racontent une histoire... mais je ne sais pas encore laquelle.

Dans ce cas, laisse-moi parler.

Elles se regardent de manière si concentrée que l'enfant pousse un cri. Eyja hoche enfin la tête.

Il a aussi déterré ses amis morts, dit alors Maman. Je crois même qu'il a retrouvé son ancien beau-père.

C'est lui qui t'a raconté ça ?

En désintox, on se dit pas mal de choses, répond Maman, soudain éloquente, pas loin d'être présomptueuse. Et on allait souvent fumer ensemble.

Je n'y ai pas pensé depuis une éternité, avoue Eyja, sursautant tandis que son fils se met d'un coup à tousser. Elle lui a accidentellement donné une trop grosse bouchée.

Il se remet après qu'elle lui a tapé dans le dos et donné de l'eau. Ensuite, elle se tourne vers sa mère qui fait les cent pas, verse du café dans une tasse qu'elle repose immédiatement. Enfin, elle revient à sa position initiale et poursuit : Il a déterré des membres arrachés. Sous une tempête déchaînée. Pendant une journée et demie. Il ne s'est pas arrêté. Ses vêtements étaient couverts de neige et de sang. Il n'a fait de pauses que pour changer de combinaison. Il creusait, sans relâche. Et puis – elle hésite et dirige soudain son regard de son petit-fils à la fenêtre –, et puis il a aperçu une main d'enfant. Il l'a

attrapée et s'est rendu compte qu'elle n'était plus atta-
chée au corps. Il l'a saisie et l'a emportée là-bas, là où on
s'occupait de...

Oui, l'interrompt rapidement Eyja.

Lorsqu'il a déposé la main, il est tout de suite reparti.
Il a disparu dans la tempête, noire de neige ; il est sorti
du village. On l'a appelé. Appelé, encore et encore. Et là,
il s'est retourné et a hurlé dans le vent : Je m'en vais à
Copenhague !

Eyja observe Maman, silencieuse ; elle ne l'a jamais
entendue parler de cela.

Je lui ai pris la main, dit Maman d'une voix chaleureuse. Il avait eu une vie, tu le sais. Mais il n'en restait
plus que des ruines. Je l'ai serré dans mes bras. J'ai
allumé une nouvelle cigarette que je lui ai donnée. Elle
regarde sa fille : Je n'aurais pas dû ?

Si, bien sûr, rétorque Eyja. Pourquoi pas ?

Je ne sais pas, dit Maman en s'asseyant près d'elle. On
ne sait jamais ce que les gens pensent. Et si je versais un
peu de jus d'orange dans sa purée de bananes ? Il trouvera sans doute ça meilleur.


Eyja demeure silencieuse pendant que Maman nourrit
son fils.

Il était dans son ventre lorsque le téléphone sonna.
Essoufflée, elle se mit à fouiller entre les coussins du
canapé à sa recherche, enceinte jusqu'aux dents et occupée à relire un manuscrit du Mari à Venir. Elle se permettait à peine de répondre au téléphone, car elle devait
impérativement terminer sa lecture avant la naissance du
petit.

A l'autre bout du fil, il y avait une femme avec qui elle
se rappelait avoir parlé pour la dernière fois quinze ans
auparavant, lorsque ses enfants étaient venus à Reykjavík

rendre visite à leur père. L'ex-épouse du Coup de Vent. Une personne adorable, qui parlait toujours avec une empathie maternelle à la nouvelle compagne de son ex-mari.

Il est mort, dit la femme. Elle avait dans la voix la même attention chaleureuse qu'à l'époque. Il n'a jamais arrêté de boire, bien sûr. Il était très malade. Eyja est donc informée de l'enterrement, si elle souhaite venir.

Je ne pourrai malheureusement pas, dit-elle rapidement. L'idée est aussi inenvisageable que relire *Le Mystère de l'île verte* ou *La Bicyclette bleue*, ou un autre de tous ces romans qui constituent un pan de son existence. Elle devait terminer de lire un manuscrit, ensuite donner naissance à un enfant. Habitant désormais une nouvelle histoire – son histoire à lui était un vieux livre de poche aux pages écornées. Comme le roman qu'il lui avait envoyé en Suède : *Crimes au bord de l'eau*.

Pourtant, elle se prit de partir à la recherche du bouquin dans sa bibliothèque – le triturer, l'ouvrir. Il n'y a que comme ça que je peux te voir, songea-t-elle. En lisant les mots que tu as lus avant.

Lorsqu'il dit : Tu ne reviendras pas.

Elle ne répondit pas.

N'est-ce pas ? demanda-t-il avec un sourire chaleureux.

Je dois terminer mon roman, répondit-elle enfin.

Il eut un rire ironique. Ça parle de moi ?

Comme si j'allais écrire un roman sur toi, souffla-t-elle.

Elle ne fut jamais son histoire à lui, songea Eyja en se réinstallant dans son nid douillet. Bien qu'il ait affirmé vouloir mourir pour elle. Il voulait mourir parce qu'il y avait eu une autre femme. Dans la campagne. Et leurs enfants. Il y en avait eu plusieurs mais celle-ci fut son unique famille, la seule qui continua de l'aimer même après son départ. Son histoire, c'était la femme du téléphone – les autres, de simples digressions.

Elle avait eu l'air accablée de chagrin. Eyja se rappelait avoir elle-même pleuré à chaque fois qu'elle l'avait cru mort. Lorsqu'il menaçait de se tuer, au téléphone, jusqu'en Suède. Lorsqu'il faisait une crise d'épilepsie durant ses disparitions. Elle avait vécu prostrée dans la peur – peur pour lui plus que pour elle-même. A présent, alors que tout lui revenait, elle se dit qu'il avait été elle.

Au début de sa grossesse, elle avait signé avec un éditeur allemand qui ressemblait à T.S. Eliot. Ils se rencontrèrent au Café Beurre à Berlin, le même que celui où elle avait retrouvé la Poétesse et le traducteur.

Là-bas, il était agréable de s'asseoir à l'ombre du feuillage. Ils sourirent et échangèrent quelques politesses ; à peine avaient-ils interpellé le serveur qu'un clochard vint s'effondrer sur leur table, deux chiens féroces à sa suite. Elle s'apprêta à lever la voix mais, à cet instant, un cri noya les bavardages des tables voisines. Un cri diabolique issu des limbes de l'âme.

Les cordes vocales se nouèrent. Le clochard écuma. Sa tête alla frapper le trottoir, du sang se mit à couler entre les dalles et, dans leur confusion, les chiens le léchèrent.

Je suis épileptique, moi aussi, dit Eyja par automatisme, les yeux rivés sur le serveur vêtu de noir qui prodiguait les premiers soins à l'homme pendant que son collègue appelait une ambulance.

Vous savez ce qu'il faut faire, dans ces cas-là ? lâcha l'éditeur poétique, pétrifié d'horreur.

Le mettre en position fœtale, comme le serveur est en train de le faire, répondit Eyja sans se laisser impressionner lorsqu'un des chiens se mit à grimper sur l'autre dans la flaque de sang qui s'écoulait d'entre les dalles. Elle eut l'idée d'ajouter : J'ai été mariée à un homme comme ça. Elle s'abstint, préférant héler un troisième serveur et commander un thé rouge à la vanille – cela aidait la nausée matinale.

Elle l'avait écouté déblatérer sur la manière dont l'Organisation de Libération de la Palestine dépassait de loin tous les conseils locaux islandais mis bout à bout, mais ce n'est que plus tard qu'elle comprit qu'il avait vécu sa propre guerre. Quelqu'un demanda un jour d'où lui venait un tel radicalisme. Elle l'ignorait. Elle avait été trop jeune pour lui poser la question. Elle ne pouvait que combler les espaces manquants lorsqu'elle se rappelait que, jusqu'à ses dix-huit ans, il craignait davantage l'alcool que la mer sous une tempête de force 14, comme quelqu'un qui connaît son destin avant d'en naviguer les eaux.

Elle savait juste qu'il avait un jour lu *Crimes au bord de l'eau*. Ils partagèrent le même livre mais l'histoire de cet homme lui est inconnue, comme à tant d'autres.

Comment est-il devenu ainsi ? demandent les gens.

Elle pourrait répondre : les enfants regardent leurs parents ivres se battre, ils grandissent dans une peur constante et la soulagent en prenant le large ; ils se tuent à la tâche dans des ténèbres sans fond et sur des vagues sans nom où l'on ne voit pas le soleil de l'hiver, et finissent par déterrer ceux que la neige a tués. Mais elle pourrait répondre tout autre chose. Car un autre homme traversant la même histoire aurait pu voir sa vie prendre une direction radicalement différente.

Eyja finit son café et se ressert pendant que Maman termine de donner à manger à l'enfant qui engloutit la purée de fruits. Elles parlent du beau temps, se demandent si elles ne devraient pas rendre visite à grand-mère aujourd'hui, échangent des nouvelles d'Agga et de sa fille qui sont allées voir l'aïeule hier, et de la benjamine qui s'occupe d'un chien dans la campagne, et du frère et de sa fille dans l'Ouest qui ne viennent que trop rarement dans la capitale. Sur le chemin du retour, elle frappe à la porte de la Femme aux yeux d'oiseau marin. Elle veut gazouiller devant sa petite dernière.

La petite Bimba de Maman a toujours des traits juvéniles bien qu'elle approche de la quarantaine. Une coiffure élégante, cheveux à la fois courts et longs, le corps musclé et frappé par le sel, ou simplement par le soleil après les innombrables séances de bronzage au fil des années. Plus conservatrice qu'avant dans sa façon de s'habiller – une blouse à fleurs qu'elle dit avoir achetée dans un magasin de luxe italien, et un pantalon noir à la coupe droite.

Mais elle est pieds nus. En train de jouer sur le piano un morceau de sa composition à sa fille pendant que cette dernière babille dans son berceau. Elle possède un berceau bien plus élégant que le fils d'Eyja, rond avec un voile blanc de bonne qualité – car tout, chez la Femme aux yeux d'oiseau marin, est propre, lisse, parfait. Le fils d'Eyja dort simplement dans un vieux panier de corde passé de génération en génération. Tout est si cosy et hippie chez sa maman, dit Bimba avec une voix douce en le prenant dans ses bras. Elle l'ajuste contre son aisselle et lui joue un morceau qu'elle a un jour composé pour sa maman.

Eyja observe les mains musculeuses libérer des notes enchanteresses. Les enfants pépient, envoûtés. La plus enfantine, c'est pourtant la pianiste, son amie – l'amour et la tendresse brillent dans les yeux de la plus cool d'entre tous.

Lorsque la Femme aux yeux d'oiseau marin a terminé de jouer, Eyja trouve le courage de répéter ce que Maman lui a dit.

Elle hoche la tête, silencieuse. C'est si terrible, dit-elle. Que nous ne parlions jamais de ÇA. On parle de tout. Sauf de ÇA.

Elles se regardent dans les yeux. Je peux te raconter d'autres histoires comme celle-ci, reprend-elle après un long silence. Je les ai entendues quand ÇA s'est passé. Je ne les ai plus entendues après.

Je veux les entendre, dit Eyja.

Très bien, répond l'autre, s'installant confortablement avec son fils dans les bras avant de lui raconter les histoires les plus tragiques qu'on lui ait dites.

Je peux les écrire ? demande Eyja.

La Femme aux yeux d'oiseau marin hésite. Puis elle répond : C'est trop sensible.

Et ça l'est.


Quand Eyja reprend son chemin avec le landau, elle se rappelle que chacun avait déjà son lot et que personne ne pouvait l'aider. Elle en était incapable. Elle le vit pour la dernière fois lorsqu'il vint frapper à sa porte à son retour de Madrid, peu avant qu'elle rencontre son mari. Il était venu lui donner du poisson séché. Elle l'invita au café Mokka. Se jeta dans ses chaussures afin qu'il ne rentre pas avec le poisson.

Chacun but son café, et ils se dirent au revoir. Elle le contempla alors qu'il descendait la rue Skólavördustígur. Dans sa veste de laine trouée, seul avec sa tignasse noire en l'air. Il s'était présenté les cheveux gominés mais n'avait pu s'empêcher de passer la main dedans tandis qu'ils bavardaient. Enfin, elle tourna les talons et chancela jusqu'à sa maison, les mains chargées de poisson séché.

# Retour

Elle est revenue à la maison.

Pas celle du Coup de Vent ni celle de grand-mère, mais celle de Maman dans la vallée ; bronzée et de quatre kilos plus légère. Elle est assise sur le vieux canapé de son arrière-grand-mère, accolé au bar qui chevauche une peinture équestre de Thorvaldur Skúlason dans son lourd cadre ; son grand-père arriva un jour avec ce tableau, car il ne supportait plus de le voir. Il escalada les congères, la toile sous le bras – une des nombreuses qui finit par le lasser.

Face à elle, il y a un autre canapé, mou et fleuri, que papa et Maman rapportèrent d'Angleterre. Elle feuillette les journaux allemands toujours empilés sous la table du salon. Maman est la seule qui les lise, parlant couramment l'allemand après un séjour dans un couvent en Suisse. Eyja se demande de quoi parlent les articles et survole un encart – les années avec le producteur allemand ont laissé des traces.

Il y a des reliques de tous les époux ici. Sur le mur sont suspendues les sauterelles empaillées de son père. Sur le canapé se trouve un dépliant appartenant à Ken avec les dernières vidéocassettes sur le marché. Il rentrera bientôt à la maison. En attendant, la mère et la fille pourront se faire un petit nid douillet. Probablement même après son retour, car on n'est que mardi et il a pour habitude de rester calme la semaine durant. Il offre alors son sourire le plus poli et demande aux gens comment ils vont. Très bien, merci, va-t-elle répondre en lui souriant à son tour.

Elle fait tout pour conserver cette atmosphère douillette. Elle est arrivée hier soir et, quoi qui l'attende demain, elle va savourer le fait d'être à la maison pour un moment.

Sa petite sœur la regarde fièrement, rousse et un grand sourire aux lèvres, comme Fifi Brindacier, très contente de la poupée Fifi qu'Eyja lui a achetée à Sundsvall. Pour la première fois depuis longtemps, Eyja sourit à sa sœur sans avoir mal au cœur. Elle va penser à elle à présent, et bien qu'elle ne parvienne pas à lui venir en aide, elle n'a plus peur de ses propres pensées. Elle ose enfin penser.

Elle les inscrit, ses pensées, témoins de son existence, sans être emplie de honte. A leur façon, mère et fille ont survécu à bien des catastrophes ; dans la vague de répliques, Maman a cessé d'écrire, mais ça ne veut pas dire qu'Eyja doive s'éteindre.

Le jour de son vol retour, un nouveau journal leur fut déposé – cette fois, on n'aperçut que le nuage de fumée derrière le livreur. Il s'agissait d'un grand quotidien, l'un des médias nationaux, imprimé à Stockholm. A en juger par la fuite du porteur, il n'était pas conseillé de l'ouvrir ; elle le replia et le plaça sous l'oreiller de Rúna.

Plus tard, elle prit l'avion pour l'Islande avec les enfants.

Elle s'attendait à un chahut mais, une fois grimpés dans l'appareil, épuisés, ils dormirent durant la majeure partie du voyage, tandis qu'elle relisait son manuscrit. Si excitée qu'elle partit aussitôt, le même jour, voir une maison d'édition et demanda à rencontrer le directeur.

Il s'agissait d'un homme à la voix déterminée et au regard brillant, les cheveux blonds et fins et la barbe soigneusement taillée. Il s'empara du tas de feuilles, le posa sur son bureau jonché d'autres tas de feuilles similaires, quoique mieux rangés, et Eyja observa les doigts maigres, presque féminins, jouer avec le papier tandis qu'elle s'excusait de la tache de café dans la marge.

Il lui dit qu'il reprendrait contact avec elle.

Ce serait pas Rúna ? demande Maman. Elle est debout dans le cadre de la porte et tient prudemment une bouilloire, comme si elle s'attendait à la lâcher à tout moment.

Où ça ? lance Eyja en jetant sans s'en rendre compte un œil par la fenêtre.

Là, à la télévision. Monte le son !

Eyja regarde furtivement l'écran et n'en croit pas ses yeux. Devant elles, une photographie de la Reine du Ski, sans doute prise lors de ses entraînements pour les jeux Olympiques. Elle porte un bonnet épais, trop haut sur son crâne, comme ceux que les garçons de sa classe enfilaient pour aller en récréation, et, collées sur son nez, des lunettes de ski. Son visage est brun très sombre, presque noir, et ses lèvres blanches comme neige. Au-dessus d'elle est écrit : *Rúna Sigurgrímsdóttir, en direct de Sundsvall.*

Eyja cherche la télécommande et augmente le son d'un geste rapide.

... rien que des sales racistes, s'exclame la Reine du Ski à travers une mauvaise liaison téléphonique. Elle a à peine lâché le mot qu'une vidéo de militants néonazis dans une région reculée d'Allemagne remplace la photographie. De jeunes hommes jettent des pneus et agitent de vieux drapeaux – la plupart ont l'âge de faire leur communion. On retrouve ensuite la Reine du Ski en tenue de guerre.

Pensez-vous donc qu'il y a une montée des extrémismes dans le Nord de l'Europe ? interroge une voix d'homme d'un ton neutre.

Sans aucun doute, surtout ici à Munkbysjön, répond la Reine du Ski. C'est presque devenu invivable, à cause de ces extrém-… comment t'as dit, déjà ?

Ces extrémismes, répète le journaliste, un peu confus.

Il laisse échapper un son, comme s'il trébuchait sur ses propres mots, sur le point de poser une nouvelle question lorsque Rúna lui coupe la parole : Je vais te dire une chose, mon gars, on raconte que le président d'Islande se prépare à une visite officielle. Il veut aller saluer la famille royale à Stockholm. M'est avis – et je vais pas passer par quatre chemins – qu'il devrait leur toucher un mot de ces actes malveillants. Je l'exhorte à le faire !

Croyez-vous qu'il soit en position d'aborder le sujet ?

C'est ce que j'ai dit, mec. Il faut qu'il le fasse. Qu'il dise clairement qu'on ne qualifie pas les gens de trafiquants de drogues ou de Turcs à tout bout de champ ! Et la coopération nordique, alors ? C'est que des conneries ? J'en viens à penser que toute cette hystérie autour de l'ours, c'était qu'une machination de la part de ces gens. Ce qu'il faut pas entendre !

Merci beaucoup, Rúna Sigurgrímsdóttir. Malheureusement, le temps nous presse, lui dit le présentateur en guise d'au revoir tandis que la vidéo des néonazis reprend le relais.

Que s'est-il passé au juste ? lâche Maman en posant dans un geste nerveux la bouilloire sur la table du salon.

Eyja la regarde, sans voix. Oui, que s'est-il passé ? D'une certaine manière, elle a la sensation qu'il ne s'est rien passé du tout.

Eyja ! s'exclame Maman.

Ben…, bafouille l'intéressée avant de se servir une tasse de thé.

Vous avez vu un ours, finalement ?

Comment ça ?

Tu m'as écrit que tu avais peur de l'ours.

Je ne me rappelle pas, répond Eyja, confuse.

Allons ! Je croyais qu'il passait son temps à s'introduire dans les chalets de vacances ?

Eyja demeure bouche bée. Tu crois vraiment qu'un ours a quelque chose à voir avec des racistes ?

A toi de me le dire !

Mère et fille se regardent sans se comprendre jusqu'à ce qu'Eyja dise : Elle voulait juste passer de la défense à l'attaque.

Maman lâche : Contre qui ?

Les Suédois.

Les Suédois ?!?

Oui, la nation suédoise. Tu as du lait pour le thé ?

Eyja fixe sa mère, perplexe. Elle se rappelle avoir conseillé à Rúna d'envoyer un communiqué de presse à quelque publication régionale innocente – c'était à eux de répondre. Comment une telle chose a-t-elle pu arriver ?

Le puzzle se disperse à nouveau dans le passé lorsque le téléphone sonne. C'est la Fille aux yeux d'oiseau marin. Elle a terriblement hâte de retrouver sa petite Eyja, s'exclame-t-elle au bout du fil, avant de demander si elle peut venir la chercher. Il y a l'avant-première du nouveau film avec Bruce Willis, elle paiera les tickets si Eyja est à sec après son grand voyage.

Une demi-heure plus tard, Eyja a filé.

Le temps la tire dans tous les sens.

Demain, elle sera de retour chez Maman – deux ans et demi auront passé depuis qu'elle est revenue de Suède, deux ans et demi remplis de décisions, bonnes et mauvaises, mais à présent ce sont les bonnes qui l'emportent. Cette fois, elle vient chercher ses affaires : les vieux livres pour enfant, les photographies tachetées de lait, les agendas à moitié vides et les poupées aveugles. Maman est alors en train de vider la maison, divorcée de Ken et de toutes ses vies passées – un médecin américain à la retraite a racheté ses dettes pour pouvoir mourir en paix à la campagne.

Les deux femmes allument un feu de camp dans la cour. *Stern*, *Spiegel* et *Die Welt* ; programmes télé et sauterelles momifiées s'envolent en fumée. La benjamine les aide à empiler des caisses sur les braises, un spectre avec ses mèches emmêlées et ses yeux kaki si intenses qu'on les dirait prêts à éclater.

Elle a l'intention d'adopter un hamster dans sa nouvelle chambre à Reykjavík, dit-elle, impatiente de démarrer une seconde vie. Eyja attise son impatience, bien qu'elle soit convaincue que certaines choses ne changeront pas de sitôt.

Sa petite sœur connaîtra encore bien des tempêtes avec Maman ; des tornades glaciales et déchaînées auxquelles les enfants ne devraient jamais être confrontés, et Eyja échouera encore à écrire une progression plus heureuse à leur histoire, malgré tous ses efforts.

Mais à présent, Maman et la petite sœur sont exaltées et heureuses – elles peuvent l'être car l'heure la plus sombre est passée et, bien sûr, elles connaîtront de nombreux bonheurs ; le soleil montre parfois le bout de son nez dans la tourmente et, qui sait, peut-être le crépuscule le plus beau s'y trouve-t-il ?

C'est étrange de se dire qu'elle ne serait jamais venue au monde si le sommet entre les chefs d'Etat à Höfdi n'avait pas eu lieu, remarque Eyja tandis que le feu projette sa lumière sur des événements depuis longtemps révolus.

Comment ça ? demande Maman, soudain piquante.

Eh bien, son père est venu écrire sur Reagan et Gorbachev pour la presse allemande. Il n'aurait jamais rencontré les gens du cinéma ici, ne t'aurait jamais rencontrée, toi, sans ce voyage.

Maman se détend. La guerre froide aura eu ses bons côtés, glousse-t-elle, extatique, ébouriffant les cheveux de la benjamine qui s'apprêtait tout juste à lancer sur le feu une caisse ayant contenu des bûches de Noël allemandes ; elle se rappelle le jour où la petite est née, prématurée, et la façon dont l'aînée a grimpé sur le lit de la maternité, puant la cigarette et l'alcool, pour réclamer un billet de mille couronnes. Les flammes s'embrasent tandis qu'un tas de journaux s'envole en fumée.

Tu brûles tes articles ? s'écrie Eyja, une main devant la bouche.

Maman sourit. Laisse les gens se débarrasser de ce que bon leur semble, dit-elle en levant subitement les yeux lorsqu'une voiture fonce le long du sentier.


La Reine du Ski est arrivée, à leur grande surprise à toutes les deux. Venue prêter main-forte car elle a entendu dire quelque part que Maman mettait enfin les voiles. Etait-ce au Lion rouge ?

Le reflet des flammes danse sur son visage émacié tandis qu'elle sourit, aux anges de revoir enfin son ancienne protégée.

Eyja ne l'a pas recroisée depuis qu'elles se sont dit au revoir à l'aéroport, elle avec un manuscrit sous le bras, Rúna trop accaparée par l'attention aux enfants pour parvenir à prononcer une phrase entière.

Alors, quoi de neuf ? demande-t-elle, les mains sur les hanches. Tu as réussi à terminer ton bouquin ?

Si on veut, oui, répond Eyja, surprise de se sentir soudain timide.

Rúna lève les yeux au ciel. Si on veut ? glousse-t-elle. C'est soit oui, soit non.

L'éditeur y a vu quelque chose, bafouille Eyja en jetant inconsciemment un coup d'œil à Maman qui allume une cigarette, tout sourire.

Il a vu quoi ? demande Rúna d'un ton abrupt.

Ce qu'il faut. Alors j'ai continué d'écrire. Mais il y avait beaucoup de choses à changer. C'est devenu une tout autre histoire que ce que j'ai écrit cet été-là.

Bon, et tu as réussi à le finir – ou quoi ?

J'ai réussi à terminer un roman et à le publier, mais ce n'est pas le même. Il est très similaire, cela dit.

T'es une sacrée girouette, soupire la Reine du Ski avant de lancer un regard désespéré à Maman qui lui demande si elle peut lui offrir une bière bien fraîche.

Oh que oui, répond Rúna. Car s'il y a bien une chose dont elle ne se lasse jamais, c'est d'aider ses cousines et de trinquer à la vie.

Elles sirotent leur bière et leurs jupes tourbillonnent dans l'air frais, deux drapeaux fleuris, symboles de l'optimisme indéfectible des femmes ; nous sommes en février et le mont Esja est encore blanc de neige, mais elles n'en ont que faire, car un courant chaud monte du feu de joie et cela leur suffit tandis qu'elles brûlent les articles de Maman, écrits avec quatre enfants accrochés aux seins sur une colline qui vibre sous l'énergie d'esprits électriques. La méchanceté du Breidafjördur brille dans leurs yeux à toutes les deux : ce caractère envahissant, rugueux et pétri de sentiments dont aucune des deux « cousines » ne saurait se débarrasser.

Maman jette un œil, par-delà la rivière, à l'autre maison, histoire de voir si grand-mère les observe. Puis elle se ressaisit – demain, elle aura déménagé. Reykjavík n'est-elle pas à deux pas de New York ? demande-t-elle à Rúna qui acquiesce d'un air absent, l'esprit encore tout aux explications obscures d'Eyja. Enfin, elle souffle : Y a quelque chose là-dedans, mais ça ne veut pas dire grand-chose. Tout homme sain dans sa tête sait qu'il y a quelque chose en toute chose. Sinon, ça n'existerait pas !

Maman, quant à elle, a changé de discours : Si seulement j'avais eu ton courage, ma chère Dame Joliette de France, dit-elle en offrant à sa fille un regard impénétrable et fier.

Eyja la fixe – un instant, elles se regardent dans les yeux, elles qui ont connu tant de hauts et de bas. Soudain, Eyja se dit qu'on ne doit peut-être pas comprendre sa mère plus qu'on ne comprend Dieu. Pour quelque raison, sa mère a décidé de brûler ses articles, déterminée à ne plus jamais écrire. Peut-être qu'elle en connaît trop long sur la vie pour vouloir être la secrétaire des esprits. Sauf quand quelqu'un meurt, et qu'elle retrouve alors son romantisme.

Peut-être que je ne suis pas courageuse, mais juste stupide, murmure Eyja, grimaçant lorsque la Reine du Ski s'exclame : En tout cas, t'étais loin d'être courageuse avant qu'on se rencontre ! Un vrai nuage de fumée !

Une personne plus sage aurait accueilli les critiques amicales de l'éditeur comme un refus. Elle en est à présent consciente. Mais pas elle : Dame Joliette de France. Elle a fermé les yeux et pris la route. Rien ne l'arrêtera après qu'elle a vécu avec une femme qui a presque participé aux jeux Olympiques, si elle ne s'était brisé la nuque après ces deux cents mètres de vol, ailes déployées, comme le phénix, le visage tordu par la méchanceté du Breidafjördur.

En avant toute.

Composition et mise en pages
Nord Compo à Villeneuve-d'Ascq


Imprimé en Allemagne par
GGP Media GmbH
à Pößneck
en août 2015

Dépôt légal : août 2015